GUIDE DE LA FAUNE ET DE LA FLORE
DE NOS RÉGIONS

Direction éditoriale :
Wilhelm et Dorothée Eisenreich.

Texte : Ute E. Zimmer,
Alfred Handel.

Traduction et adaptation :
Denis-Armand Canal.

D0008767

Ute E. Zimmer.
Guide de la faune et de la flore.
Texte : Ute E. Zimmer ; Alfred Handel.
Direction éditoriale : Wilhelm et Dorothée Eisenreich.

2e édition. Munich, Vienne, Zurich, BLV 1989.
ISBN 3-405-13590-7.
Mise à jour : Alfred Handel, Wilhelm Eisenreich.

Édition française :
Traduction et adaptation : Denis-Armand Canal.
© Les Éditions Arthaud, Paris, 1989.
ISBN : 2-7003-0820-4

Tous droits de reproduction réservés. Toute exploitation
sans accord de l'éditeur est interdite, spécialement pour
les reproductions par photocopie, les traductions, les
duplicata par microfilms et la mise en mémoire sur
systèmes électroniques.

Imprimé par Appl à Wemding, RFA

Introduction

En présentant au lecteur 549 variétés de plantes et d'animaux, ce guide souhaiterait lui faciliter l'accès à la compréhension de la nature. L'étendue même du livre interdit toute présentation exhaustive ; mais il est possible d'offrir au promeneur une vue des espèces les plus répandues. On y trouvera donc représentés tous les biotopes de l'intérieur, mais non les régions proprement côtières ni les hautes terres des Alpes, qui ont une faune et une flore particulières.

Les divers groupes sont ordonnés systématiquement et pourvus de symboles graphiques identifiés dès le sommaire de l'ouvrage. Le principe de cette organisation est celui des parentés naturelles respectives des plantes et des animaux. Mais les groupes eux-mêmes sont articulés en fonction de leurs caractéristiques les plus apparentes, et non plus systématiquement. On trouvera ci-dessous l'explication d'un certain nombre de caractéristiques et de termes savants utilisés dans les descriptions.

Plantes

Champignons

Un tiers environ de toutes les plantes terrestres est formé de champignons. Ils ne possèdent pas de fonction chlorophyllienne et tirent leur subsistance des sols riches en humus ou du bois des arbres morts.

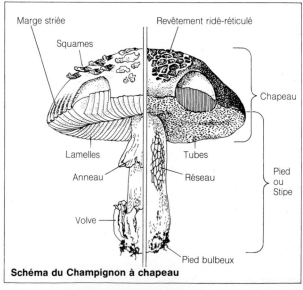

Schéma du Champignon à chapeau

Sauf quelques espèces isolées, ils ont une partie végétative formée de filaments de cellulose (hyphes), qui constitue un tissu généralement très ramifié, le mycélium. Dans les champignons dits *supérieurs*, les hyphes très resserrés constituent le réceptacle ou « chapeau » porteur des organes de reproduction. Sous le chapeau, dans la couche constituée de feuillets (lamelles) ou de tubes, sont produites des multitudes de spores ; disséminées par le vent, elles forment à maturation de nouveaux mycéliums et assurent ainsi la reproduction, asexuée, de l'espèce. A côté de ce processus (qui est le plus fréquent), il existe un type de reproduction sexuée fort compliquée.

Mousses, Fougères, Lycopodes et Prêles

Ce sont, comme les champignons, des plantes à spores. La fructification est peu apparente (cryptogames) ; les spores des Mousses se forment dans des capsules, celles des autres espèces près des organes des feuilles.

Les Mousses se divisent en trois classes aux noms savants. Elles se composent de petites tiges, de petites feuilles et de capsules. De nombreuses Mousses sont ancrées dans leur substrat par l'intermédiaire de rhizoïdes. Les Mousses peuvent être bisexuées, monoïques ou dioïques, selon que les organes sexuels mâles et femelles se trouvent sur un rameau de la même plante ou sur deux plantes différentes. La reproduction se fait par alternance de générations : la spore germée émet un protonéma, d'où se développent la tige et les organes de reproduction. Au gamétophyte succède alors le sporophyte, formé d'un pied et d'une capsule. La multiplication peut aussi se réaliser de manière végétative, par segmentation. Les Fougères révèlent une très grande différenciation. Dans l'histoire de la Terre, c'est un des groupes de plantes les plus anciens. De la plantule initiale naît une plante diploïde avec racines, rhizomes et frondes (feuilles aériennes). La plante forme des spores sur la face inférieure de certaines de ces frondes. Les spores naissent à l'intérieur de sporanges, petits organes groupés eux-mêmes en massifs arrondis (les sores), recouverts chacun d'une écaille appelée indusie et importants pour la différenciation des variétés. Comme les Mousses, les Fougères connaissent l'alternance des générations : la spore produit un délicat prothalle en forme de cœur, à la face inférieure duquel se développent les organes mâles et femelles de la reproduction. Après le gamétophyte se développe le sporophyte, avec ses frondes fertiles et, le cas échéant, stériles.

Les Lycopodes ont des feuilles et des rhizomes qui se ramifient par dichotomies successives. Les feuilles sont en forme d'écailles ou d'aiguilles. Celles qui portent des spores (ou sporophylles) se trouvent regroupées dans un épi terminal à l'extrémité d'un pédoncule ; les sporanges se différencient à leur aisselle.

Les Prêles ont deux sortes de tiges, portées sur un rhizome : les unes, chlorophylliennes et ramifiées, restent stériles ; les autres, bunâtres et de plus gros diamètre, portent un épi sporangiophore : ce sont les tiges fertiles. Les tiges aériennes sont cannelées, avec des nœuds disposés par intervalle ; les verticilles des feuilles s'insèrent aux entre-nœuds.

Arbres et arbustes

Ils sont regroupés ici d'après leur apparence mais ne forment absolument pas une catégorie homogène. Les arbres à aiguilles ou Conifères, premiers apparus sur la terre, assurent la fonction chlorophyllienne grâce à leurs aiguilles et portent des fleurs unisexuées peu visibles, pouvant être distinguées en monoïques et dioïques (*cf.* page 6). La semence apparaît à nu (chatons et cônes) : ce sont les *gymnospermes*, qui s'opposent ainsi aux *angiospermes*, sous-embranchement auquel appartiennent tous nos Feuillus. Les organes d'assimilation de ces derniers sont les feuilles, plus ou moins larges. Les fleurs sont asexuées ou unisexuées et distinguées en monoïques et dioïques. Les fleurs unisexuées sont souvent peu visibles dans les

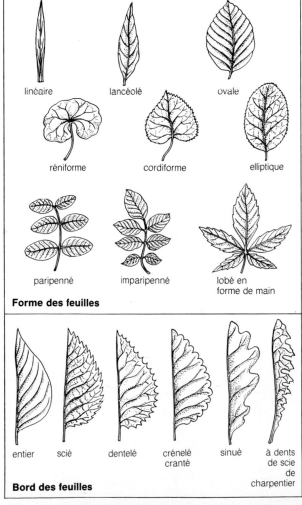

linéaire

lancéolé

ovale

réniforme

cordiforme

elliptique

paripenné

imparipenné

lobé en
forme de main

Forme des feuilles

entier

scié

dentelé

crénelé
cranté

sinué

à dents
de scie
de
charpentier

Bord des feuilles

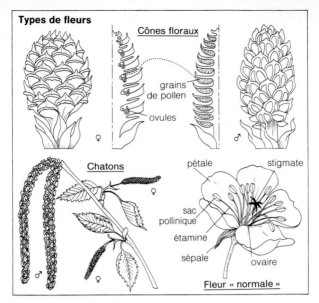

Types de fleurs

Cônes floraux

grains de pollen

ovules

♀   ♂

Chatons

♀

pétale   stigmate

sac pollinique

étamine

sépale

ovaire

♂   ♀

Fleur « normale »

bois et fréquemment confondues avec les « chatons ». La pollinisation intervient grâce aux vents et aux animaux, insectes surtout. On relève fréquemment des organisations typiques de fleurs uniques selon plusieurs schémas de disposition. Les semences des angiospermes sont faites d'ovules enclos et de graines enfermées dans des fruits. Les fruits des arbres et des arbustes seront décrits dans le texte, mais également regroupés dans un cahier photographique (pages 70-75) pour en faciliter l'identification au cours d'une même saison.

Plantes à fleurs

Comme on l'a vu plus haut, les arbres et les arbustes sont des plantes à fleurs, mais on les a séparés pour des raisons de commodité. La section suivante présente par opposition toutes les autres, celles qu'on appelle communément les « fleurs », parce qu'elles n'ont généralement aucune partie proprement ligneuse, au contraire des arbres et arbustes. Toutefois, on trouvera également sous cette

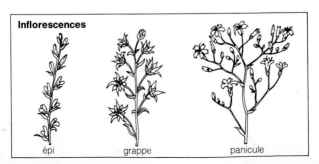

Inflorescences

épi   grappe   panicule

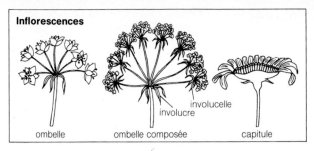

Inflorescences

involucelle
involucre

ombelle   ombelle composée   capitule

rubrique, pour des raisons d'ordre pratique, quelques petits arbustes ou arbrisseaux que l'on n'identifie généralement pas comme tels, les myrtilles par exemple. Pour que ce groupe, important, soit d'un accès facile, on l'a classé d'après les couleurs des fleurs : c'est en effet le premier indice que le promeneur non spécialiste est amené à utiliser pour essayer d'identifier les plantes qui se présentent à ses yeux.

Animaux

Mollusques

Le guide présente une sélection de Gastéropodes (escargots et limaces) et de Bivalves (moules). La caractéristique commune à tous les mollusques est la répartition du corps en deux ensembles : le *cephalopodium* (ensemble tête-pied) et le *complexe palléo-viscéral*. Chez les Moules, le corps est entouré d'une coquille calcaire bivalve ; il est comprimé latéralement et ne comporte que le complexe palléo-viscéral et un pied musculeux ; la tête est réduite à rien. Pour se nourrir, les Moules filtrent les micro-organismes contenus dans l'eau qu'elles absorbent en respirant et dont leurs branchies perfectionnées extraient l'oxygène nécessaire. La reproduction se fait par l'intermédiaire d'une larve.

Les Gastéropodes, aux nombreuses variétés, se trouvent dans la mer, en eau douce et sur la terre. Ils possèdent tous un pied musculeux, une tête pourvue d'organes sensoriels (les yeux peuvent être à la pointe ou à la base de ces organes) et un sac viscéral placé à l'arrière, souvent enveloppé dans une coquille. Chez les escargots, le sac présente une torsion circulaire caractéristique qui se répète dans la coquille spiralée. Depuis la surface du sac palléo-viscéral, un manteau s'étend et recouvre le tout, en débordant pour former la cavité palléale. Cette cavité renferme les organes de la respiration et les orifices des organes excréteurs et de la reproduction. Chez les limaces, la coquille est réduite à un reste infime dans le sac viscéral, sorte de manteau protecteur dorsal. La reproduction des Gastéropodes marins se fait par l'intermédiaire d'une larve, celles des Gastéropodes d'eau douce et terrestres directement.

Du vaste groupe des Arthropodes, on a retenu ici des variétés d'araignées, de mille-pattes et d'insectes ; ces derniers sont eux-

9

mêmes répartis en divers ordres. Tous les Arthropodes ont un corps d'aspect varié, à segmentation visible et hétéronome : les segments sont organiquement séparés. On les répertorie d'après leurs extrémités articulées, qui peuvent être organes de locomotion, de mastication ou sensoriels.

Les Arachnides

Le corps se compose de deux parties, *prosoma* et *opisthosoma*, séparées souvent par un étranglement très marqué. Le prosoma porte 6 paires d'appendices : chélicères (organes de prise ou de piqûre) et mandibules (en forme de pattes, de pinces ou de ciseaux). Ils sont suivis de 4 paires d'appendices ambulatoires (caractéristiques de l'araignée !). Les araignées fileuses authentiques ont à la face inférieure de l'opisthosoma un dispositif de 6 filières qui excrètent le produit des centaines de glandes intérieures pour fabriquer les célèbres « toiles ». Toutes les araignées sont sexuellement séparées, la reproduction se faisant le plus souvent directement. Certaines espèces sont couveuses.

Les Myriapodes

Ce groupe d'animaux est très ancien dans l'histoire de l'évolution des espèces ; la respiration, comme pour les Insectes, se fait par des trachées et ils portent une paire d'antennes en avant de la tête. Leur corps se compose de très nombreux segments : les Diplopoda ont, à l'exclusion des 3 premiers, des segments porteurs de deux paires de pattes chacun ; les Chilopoda des segments porteurs d'une seule paire de pattes chacun à l'exception du premier et des trois derniers. Ces animaux sont généralement très sensibles aux conditions de leur niche écologique, dont ils sont de ce fait de bons indicateurs.

Les Insectes

Malgré de multiples variations et évolutions, cette classe d'animaux aux nombreuses espèces se caractérise en général par une organisation tripartite du corps : tête, thorax et abdomen. La tête porte 4 paires d'appendices spécialisés : 1 paire d'antennes, 3 paires d'appareils

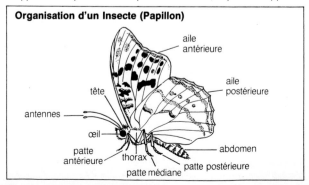

Organisation d'un Insecte (Papillon)

aile antérieure

aile postérieure

tête

antennes

œil

abdomen

patte antérieure

thorax

patte postérieure

patte médiane

masticateurs. Sous le thorax se trouvent 3 paires d'appendices ambulatoires, au-dessus les ailes. L'abdomen, normalement sans appendices, porte parfois un appareil supplémentaire. Le squelette extérieur du corps, chitineux et dur, est également caractéristique. Les modes de développement permettent de différencier deux catégories d'insectes. Dans le premier cas (Libellules, Sauterelles, Punaises, etc.), l'insecte adulte, ou *imago*, se développe à partir d'un stade larvaire qui ressemble beaucoup à l'imago finale (métamorphose incomplète) ; dans le second cas (Papillons, Coléoptères, Mouches, etc.), l'imago se développe à partir d'une larve totalement différente de celle-ci et qui mue régulièrement. La dernière mue, parfois immobile, est appelée *chrysalide* (Papillons), *nymphe* (Coléoptères) ou *pupe* (Mouches) ; l'imago définitive en sort après des transformations internes (métamorphose complète).

Beaucoup prennent soin de leurs jeunes. Cela entraîne la création de véritables communautés indépendantes (Abeilles, Guêpes, Bourdons, Fourmis, Termites). Certaines ne durent qu'un an (Guêpes, Bourdons) ; d'autres, plus élaborées, perdurent (Abeilles, Fourmis, Termites). Chez les Abeilles et les Fourmis, la communauté engendre la formation de véritables castes biologiques : les travailleuses sont des

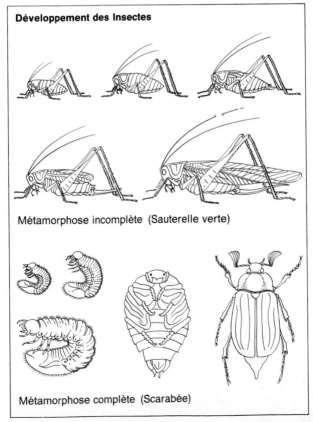

Développement des Insectes

Métamorphose incomplète (Sauterelle verte)

Métamorphose complète (Scarabée)

êtres stériles, la reproduction étant réservée à quelques êtres sexués (les « reines »). La multiplication des communautés se fait par essaimage de reproductrices ailées ou par division de communautés très importantes.

Les 5 dernières classes d'animaux présentées appartiennent à l'ordre des Vertébrés. Ils ont en commun : crâne osseux ou cartilagineux, poumons, colonne vertébrale, deux paires d'appendices (parfois résorbés secondairement comme chez les Serpents). Le corps est généralement divisé en trois : tête, tronc, queue (parfois réduite à rien). Le cerveau est hautement évolué.

Poissons

Cette classe, très ancienne, se compose d'animaux vivant dans l'eau et qui respirent, au stade adulte, à l'aide de branchies. A côté des poissons à squelette cartilagineux, la majorité présente un squelette

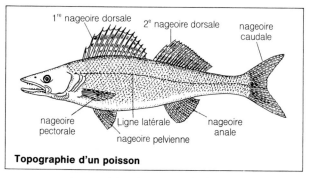

Topographie d'un poisson

osseux : on en trouvera ici quelques exemples. En dehors de la saison du frai, le ♂ et la ♀ sont le plus souvent semblables en forme et en couleur. Chez de nombreuses espèces, la période du frai amène des changements de couleurs, voire même de formes : excroissance cartilagineuse chez le ♂ par exemple. Le frai se fait dans l'habitat normal, ou bien après des migrations plus ou moins longues, dans des lieux déterminés. La fécondation est le plus souvent extérieure ; certaines espèces élèvent leurs petits.

Batraciens (Amphibiens)

Au contraire de la plupart des Invertébrés, les Vertébrés ne sont pas venus de la mer, mais de l'eau douce, pour peupler les terres. Les Amphibiens occupent encore les deux habitats. On distingue les Urodèles (Tritons et Salamandres, pourvus de queue) des Anoures (Crapauds et Grenouilles). Les Urodèles ont un squelette partiellement cartilagineux ; les espèces les plus primitives ont une reproduction externe. Les œufs, en masse gélatineuse, sont déposés sur les plantes aquatiques. Les larves, aquatiques, évoluent progressivement vers les formes adultes ; elles possèdent de longues branchies

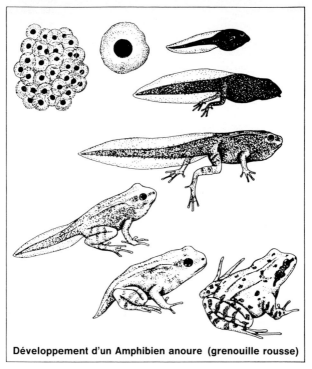

Développement d'un Amphibien anoure (grenouille rousse)

externes ; les pattes avant sont les premières à se développer. La Salamandre tachetée se reproduit par larves, tandis que la Salamandre des Alpes *(Salamandra atra)* est vivipare.

Les Anoures (Crapauds et Grenouilles) sont caractérisés par leur peau flasque et glanduleuse et leur puissance de saut énorme, favorisée par l'élongation de leurs pattes postérieures et par l'absence de queue. On les trouve dans l'eau, sur terre et dans les arbres. Les œufs sont pondus dans des sacs gélatineux, séparément en petites boules ou en petits bâtonnets. Il en sort le célèbre têtard, avec sa grosse tête, son liseré de nageoire et sa queue-propulseur. Les branchies extérieures disparaissent rapidement, tandis que les pattes arrière se développent et que se résorbent progressivement le liseré de nageoire et la queue.

Reptiles

La peau de ces animaux (on trouvera ici quelques Lézards et Serpents) est sèche, peu lubrifiée, renforcée souvent de plaques ou d'écailles cornées, parfois osseuses (Crocodiles et Tortues). Même dans le développement de l'embryon, la respiration ne se fait plus que par des poumons. La reproduction est assurée par des organes sexuels en nombre pair ou impair. La plupart des Reptiles pondent des œufs riches en vitellus, entourés d'une enveloppe parcheminée souvent incrustée de calcaire. Quelques espèces (Vipère commune, Orvet et Lézard) sont vivipares.

Oiseaux

Cette classe est ici divisée en groupes non systématiques, en fonction de leur mode d'apparition ; chaque groupe est représenté par quelques individus : « oiseaux d'eau », Rapaces, Gallinacés et Rallidés, Echassiers, Laridés et Larinés, Colombidés, Chouettes et Hiboux, Pics, Passereaux. L'ordre des Passereaux est le plus important ; ces derniers ont tous en commun un appareil vocal élaboré, une taille

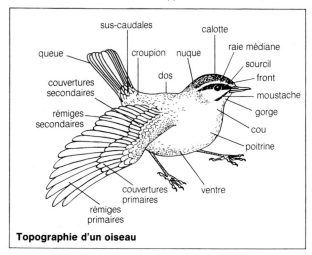

Topographie d'un oiseau

relativement petite (si l'on exclut les Corvidés !). Tous les Passereaux habitent des nids, au contraire des Anatidés (Canards et Oies), qui les quittent aussitôt après la couvaison.

Mammifères

Ils sont distingués des autres Vertébrés par certaines caractéristiques : une peau ferme, plus ou moins lubrifiée, de vrais poils, des glandes laitières dont les sécrétions servent à nourrir les jeunes ; 4 types de dents (incisives, canines, prémolaires et molaires), avec les deux stades de dents de lait puis dents définitives. Ce sont des animaux à sang chaud, à température constante (à l'exception des espèces hibernantes, chauves-souris et hérissons, par exemple). Sont décrits dans le détail des représentants des groupes suivants : Insectivores, Chauves-souris, Rongeurs, Carnivores et Ongulés.

Indications, sigles et abréviations

Textes

Ils sont tous rédigés sur le même plan.
Dans tous les cas :
$\boxed{C}$ = caractéristiques ; $\boxed{H}$ = habitat
S'y ajoutent pour toutes les plantes (pp. 18-210) :
$\boxed{P}$ = particularités
pour les invertébrés (pp. 212-280) :
$\boxed{V}$ = mode de vie et de développement
et pour les vertébrés (pp. 282-388) :
$\boxed{V}$ = mode de vie ; $\boxed{R}$ = reproduction

Cartouches informatifs

Ils se trouvent à droite des rubriques du texte et donnent de brèves informations qui aident à la détermination par les détails qu'ils contiennent et facilitent ainsi la consultation. Ils diffèrent naturellement en fonction des groupes :

Champignons

Hauteur en cm	Epoque d'apparition	Comestibilité*

* avec trois symboles :

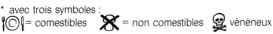 = comestibles ✖ = non comestibles ☠ vénéneux

Mousses et Fougères

Hauteur de croissance en cm	Epoque de maturité des spores

Arbres et arbustes

Hauteur de croissance en m	Grandeur des fleurs en mm ou * des inflorescences en cm	Epoque de la floraison

* Le profane distingue difficilement, dans de nombreux cas, les fleurs des inflorescences. C'est pourquoi on a changé l'échelle de grandeur dans les mesures (*cf.* ci-dessous).

Plantes herbacées

Hauteur de croissance en cm	Grandeur des fleurs en mm ou * des inflorescences en cm	Epoque de la floraison

* Voir le groupe précédent

Mollusques

Taille (longueur et diamètre de la coquille) en mm	Habitat de prédilection

Araignées, Myriapodes et Insectes (sans les Papillons)

Longueur du corps en mm*	Epoque d'apparition et d'observation	Habitat de prédilection

* Pour les libellules, on a donné en plus l'envergure en mm.

Papillons

Envergure en mm	Epoque de vol	Nombre de générations annuelles

Poissons, Amphibiens et Reptiles

Longueur du corps (avec la queue) en cm	Habitat de prédilection	Epoque de la reproduction

Oiseaux

Grandeur comparée*	Migrateur ou non** Epoque de la présence	Nombre des couvées Epoque de la couvaison

* La comparaison est faite par rapport à la taille d'une espèce connue, par ex. : Pigeon = de la taille d'un pigeon ; < pigeon = plus petit qu'un pigeon ; > pigeon = plus grand qu'un pigeon.
** Voir les abréviations ci-dessous.

Mammifères

Grandeur comparée*	Habitat de prédilection	Epoque de la reproduction

* Voir le groupe précédent.

Espèces menacées et protégées par décret

En France, des décrets relatifs à la protection de la nature interdisent
ou limitent les possibilités de prélèvements parmi les espèces animales
ou végétales menacées et s'accompagnent d'une liste officielle des
espèces protégées. Il est de notre devoir d'empêcher la destruction de
notre environnement naturel : il est inutile de faire disparaître sans
raison les plantes et les animaux les plus communs ; cela peut être
dangereux pour les espèces en net recul. En raison de la variété des
textes officiels, il existe des degrés de protection, mais les diverses
catégories étant de peu d'intérêt pour le profane, seul le danger de
disparition sera mentionné dans le guide sous la forme d'un **D** devant
le cartouche informatif. Les espèces protégées ne sont pas spécialement indiquées.

Abréviations

Pour la commodité de la consultation, les abréviations sont peu
nombreuses. En voici la liste :
♂ = mâle
♀ = femelle
S = oiseau sédentaire
Pas = oiseau de passage
M = oiseau migrateur
MP = migrateur partiel
E/H = visiteur d'été ou d'hiver
Ø = diamètre
Les chiffres romains indiquent les mois (ex. III-V : de mars à mai).

Bolet chicotin
Tylopilus felleus

| 8-15 cm | VI-X |  |

C Très caractéristique de ce champignon est le réseau toujours nettement brunâtre de la surface du stipe ventru, de couleur brun clair. Le chapeau (5-15 cm) est jaunâtre à brun clair ; la surface en est crevassée par temps sec. Les tubes sont d'abord blancs, puis rosâtres (différence avec le Bolet comestible). **H** Forêts de conifères avec un sol acide. **P** Facilement confondable avec le Cèpe ci-dessous décrit. Mais cette erreur est facile à dissiper par le goût même de la chair : la saveur amère du Bolet chicotin n'a évidemment rien à voir avec le goût exquis du Cèpe, et il est aisé de s'en convaincre. On évitera donc la consommation.

Cèpe comestible
Boletus edulis

| 5-14 cm | VII-X |  |

C Le chapeau hémisphérique, de couleur claire dans la jeunesse, devient avec l'âge débordant et de couleur brun sombre (Ø jusqu'à 30 cm). Pied plein et bulbeux, puis plus allongé. Les tubes, sous le chapeau, sont d'abord blancs, puis deviennent jaunâtres puis verdâtres. Chair épaisse, blanche et ferme dans le champignon, vineuse sous l'épiderme. Pas de changement à la coupure. **H** On trouve le Cèpe à la bonne époque dans toutes nos forêts. **P** En raison de sa saveur exquise, c'est le champignon le plus connu et le plus recherché. On peut parfois le confondre avec le Bolet chicotin. Les connaisseurs distinguent plusieurs sortes de cèpes, selon leurs habitats différents.

Bolet blême
Boletus luridus

| 4-20 cm | VI-X | |

C Chapeau arrondi (Ø jusqu'à 20 cm), de couleur brun jaune, brun sombre ou rouille, qui s'élargit avec l'âge. Les tubes longs, plus courts près du pied, sont jaunes ou jaune verdâtre ; mais leurs orifices ou pores sont rouge orangé ou carmin foncé, de sorte que le dessous du chapeau apparaît rouge. Le pied est de couleur ocre, jaune ou rougeâtre, et couvert d'un beau réseau rouge. La chair apparaît jaunâtre à la coupure, mais devient très vite bleuâtre. **H** Il affectionne les forêts de hêtres, mais on peut le rencontrer avec d'autres feuillus et même dans les forêts de résineux. **P** La chair ne devrait être utilisée que cuite. On peut confondre cette espèce avec le Bolet Satan, dont le chapeau est pourtant plus clair et souvent blanchâtre sur les bords.

Bolet bai
Xerocomus badius

| 6-14 cm | VII-XI |  |

C Toujours confondu avec le Cèpe, malgré quelques différences dirimantes. Il suffit déjà de toucher du doigt la surface des pores tubuleux sous le chapeau : elle bleuit immédiatement au contact, ce qui ne se produit pas avec le Cèpe. Le chapeau est marron et atteint 15 cm de Ø. Le stipe, d'épaisseur variable, est brun jaunâtre, souvent rayé mais sans former de véritable réseau. La chair comestible a un parfum de fruit ; elle bleuit rapidement à la coupe. **H** Forêts de feuillus et de conifères. **P** Champignon exquis, à ne pas confondre avec le Bolet chicotin (voir page 18).

Bolet rude
Leccinum scabrum

| 8-15 cm | VI-X |  |

C Le chapeau, de 8-12 cm de Ø, est jaunâtre à brun foncé, plus rarement gris à blanchâtre. Les tubes des pores sont blancs à beiges et saillent nettement sous le chapeau chez les individus âgés. Chapeau et stipe sont séparables. Le stipe est aminci vers le haut, blanchâtre, avec des squames gris foncé ou noirâtres. Ferme et blanche chez les jeunes champignons, la chair devient avec l'âge spongieuse. Comestible quand il est jeune. **H** Souvent sous les bouleaux, en colonie nombreuse. **P** La chair noircit à la cuisson. Il existe d'autres variétés de *Leccinum* (ou *Krombholziella*), toutes comestibles : les confusions éventuelles n'ont donc aucune gravité.

Bolet orangé
Leccinum testaceoscabrum

| 10-15 cm | VI-X | |

C Le stipe de cette variété ressemble fortement à celui de la variété ci-dessus décrite, avec ses squames noires sur sa surface blanche ou gris clair. La différence est par contre dans le chapeau, ici orangé (Ø max. 15 cm), à marge fortement appendiculée. Les tubes des pores sont blanchâtres à gris sale, à insertion libre sous le chapeau. La chair est blanche, avec une faible odeur. Elle bleuit à la coupe. **H** Comme le Bolet rude, le Bolet orangé affectionne le voisinage des bouleaux. **P** Sa saveur exquise en fait un champignon recherché. La chair noircit à la cuisson. Il existe une espèce assez voisine, bien que plus puissante, mais également comestible, *L. aurantiaca*.

Paxille enroulé
Paxillus involutus

| 4-7 cm | VI-XI |  |

C Chapeau jaune terreux ou brun olivâtre plus ou moins foncé, d'abord convexe puis concave au centre. Les bords sont enroulés, la surface brille après la pluie. Les lamelles sont jaunâtres, puis deviennent jaune-brun et noircissent quand on les touche ; elles descendent longuement sur le pied. Elles se séparent facilement du chapeau. Le pied est plein, ferme, aminci vers la base ; sa couleur varie du jaunâtre au jaune brunâtre. **H** On trouve cette variété dans les forêts de feuillus et de résineux. **P** La chair jaune ou ferrugineuse n'est pas comestible, même cuite (elle noircit à la cuisson). Pourtant certains auteurs la donnent comme mangeable. Mieux vaudra s'abstenir, en tout état de cause.

Rosé des prés
Agaricus campester

| 5-9 cm | V-X |  |

C Chapeau charnu, pouvant atteindre 10 cm, blanc ou blanc jaunâtre, d'abord convexe, puis aplati. Pour éviter la confusion avec des champignons vénéneux, on observera soigneusement la couleur des feuillets : d'abord blanchâtres, puis rosés et enfin brun noirâtre. Le pied, épais et blanc, à surface lisse, possède un collier blanc bien marqué dans sa partie supérieure. La chair est blanche, éventuellement rosée ; son odeur est agréable et sa saveur est douce. **H** Ce champignon comestible très recherché se trouve de préférence dans les prairies entretenues et dans les pâturages. **P** Les individus apparaissent massivement après les grandes pluies et se trouvent alors en colonies importantes, « ronds de sorcières » et autres. On peut confondre facilement cette variété avec d'autres Agarics (par ex. *A. radicatus*, *A. vaporarius*).

Rosé des bois
Agaricus silvaticus

| 8-14 cm | VII-X |  |

C Les feuillets de l'individu jeune sont roses ou gris sale, plus tard brun chocolat foncé. Le pied ne sort jamais d'une volve (ce qui le distingue des Amanites). Le chapeau, qui peut atteindre 10 cm, est d'abord convexe, puis plat ; sa surface de couleur brun cannelle est striée de filets. Le pied, épaissi à la base, a une chair qui rougit nettement à la cassure ; un anneau large et tombant se situe dans la partie supérieure. **H** Ces champignons affectionnent les forêts de résineux et spécialement le voisinage des épicéas. Le sol doit être calcaire. **P** Malgré de nettes différences, dont l'absence de volve, cette variété est trop souvent confondue avec les Amanites vénéneuses, qui ont le même habitat. Outre la présence ou non d'une volve, on observera aussi les feuillets.

Lépiote élevée
Macrolepiota procera

| 15-35 cm | VII-X |  |

C Le chapeau, d'abord ovoïde, puis largement étalé, peut atteindre 30 cm de Ø ; c'est l'un des plus grands champignons que nous connaissons, et l'un des plus recherchés. L'épiderme du chapeau, sec et brun-gris, se déchire avec l'âge en écailles filamenteuses brun foncé disposées plus ou moins régulièrement. Seul le centre de la coiffe reste lisse et proéminent. Les feuillets, blancs, sont séparés du pied. Ce dernier, parfois haut de 40 cm, également écaillé de brun, est caractérisé par un collier mobile. **H** On trouve cette variété dans les clairières de nos forêts, ou en lisière. **P** La chair tendre de ce délicieux champignon est d'un blanc pur ; odeur et saveur agréables.

Amanite phalloïde
Amanita phalloïdes

| 6-12 cm | VII-X | ☠ |

C Les individus jeunes sont enveloppés d'une peau épaisse comme une coquille d'œuf. A sa sortie, le chapeau du champignon, d'abord en forme de cloche, s'étale et se déploie jusqu'à atteindre 10 cm de Ø. Sa couleur varie du vert olive au jaunâtre et au blanc. Les feuillets sont blancs, avec un fréquent reflet verdâtre : cette couleur est l'un des éléments essentiels pour distinguer cette variété d'autres champignons non mortels. Le pied, élancé, est de couleur blanche à verdâtre ; il porte en sa partie supérieure un collier tombant. Le renflement de sa base sort toujours d'une volve blanche, ample et persistante. **H** On trouve cette variété surtout dans les forêts de feuillus, de préférence au voisinage des chênes, des hêtres, des noisetiers et des châtaigniers. **P** Ce champignon est toujours mortel après ingestion.

Amanite vireuse
Amanita virosa

| 8-15 cm | VI-X | ☠ |

C La caractéristique essentielle de ce champignon mortel est sa couleur d'un blanc pur, dans toutes ses parties. Le chapeau atteint 8 cm de Ø ; il est rond au départ, puis se déploie en ombrelle en restant toutefois convexe. Par temps humide, sa surface est brillante et vernissée, par temps sec, d'un brillant de soie. Une volve est à la base du pied, élancé, avec des écailles filamenteuses particulièrement nettes jusqu'au collier épais. La chair est assez molle et a une odeur désagréable. **H** On la trouve surtout dans les forêts de résineux, par petits groupes d'individus, sur sol acide. **P** La toxicité de ce champignon s'exerce sur les cellules du foie ; il est mortel, même en petite quantité.

Amanite tue-mouches
Amanita muscaria

| 12-25 cm | VIII-X |  |

C Encore appelée « fausse-oronge », ce champignon a un chapeau de couleur rouge, d'abord rond puis élargi en ombrelle et pouvant atteindre 20 cm de Ø. La surface porte les débris blancs de la volve initiale, sous forme de légers flocons. Les feuillets sont très serrés, blancs et séparés du pied. Collier ample et blanc, de même que le pied qui est renflé à la base et porteur de plusieurs bourrelets écailleux qui sont aussi des débris de la volve initiale. **H** Cette variété se trouve dans tous les types de forêt, souvent à proximité de bouleaux et d'épicéas, généralement par petits groupes. **P** Ce champignon est un peu le symbole de l'espèce, et sans doute le plus connu. Il est vénéneux dans tous les cas.

Amanite panthère
Amanita panterina

| 6-17 cm | VII-X | |

C Le chapeau de ce champignon vénéneux atteint 10 cm de Ø. De forme d'abord hémisphérique, il se déploie ensuite en restant convexe. La couleur varie du gris au chocolat, en passant par le jaune-brun. Le chapeau porte de nombreuses verrues d'un blanc sale, débris de la volve initiale. Les feuillets sont très serrés et blancs. Le pied, élancé et blanc, porte un collier oblique, blanc et fugace, vers le milieu. Il sort d'une volve. La chair blanche a une faible odeur de radis noir (raifort). **H** L'Amanite panthère affectionne les sols sablonneux, sur les landes ou dans les forêts de résineux et de feuillus. On le trouve en abondance. **P** Cette variété provoque des empoisonnements très graves, mais rarement mortels. Elle est souvent confondue avec la variété ci-dessous, l'Amanite rougeâtre, qui est comestible.

Amanite rougeâtre
Amanita rubescens

| 12-25 cm | VIII-X |  |

C Comme pour les deux variétés ci-dessus, le chapeau porte également des flocons ou des verrues blanchâtres. Il est de couleur rougeâtre à brune. Mais le bord en est lisse, par opposition à l'Amanite panthère (bord ridé). Les feuillets sont blancs, puis rougeâtres, comme lorsqu'on les touche. Le pied est ferme, rose clair, aminci vers le haut, et porte un collier au-dessus duquel il est strié. Sa caractéristique invariable est la chair, qui rougit fortement à la cassure. On l'appelle aussi oronge vineuse ou golmotte. **H** Dans les forêts de feuillus et de résineux et sur tous les types de sols, souvent par colonies importantes. **P** On ne devrait l'utiliser que cuit, car il est alors délicieux et sans danger.

Champignons

Collybie à pied velouté
Flammulina velutipes

| 5-10 cm | VIII-IV |  |

C Chapeau plat ou légèrement bombé, de 3-5 cm de Ø, de couleur jaune orangé, toujours plus sombre au centre ; la surface en est visqueuse par temps humide. Les lamelles jaunâtres foncent en vieillissant. Le stipe devient creux avec l'âge ; il est jaunâtre vers le haut, brun foncé à la base. Sa surface est soyeuse. La chair jaunâtre est sans odeur, et sa saveur n'est pas très prononcée. **H** Pousse à la fin de l'automne et en hiver en colonies nombreuses (buissons) sur le bois des feuillus. **P** Cette espèce donnera à l'amateur de champignons la possibilité de les cuisiner en hiver. Ce champignon supporte des températures assez basses sous la neige ; cette particularité permet de le distinguer d'autres espèces assez voisines.

Clitocybe nébuleux
Lepista (Clitocybe) nebularis

| 8-18 cm | IX-XI | |

C A l'inverse de presque tous les autres Clitocybes, le chapeau n'est pas déprimé en entonnoir avec l'âge, mais reste plan. La couleur varie du gris cendré au gris blanchâtre, le bord est roulé, le diamètre atteint 18 cm. Les feuillets sont blancs ou blanchâtres, serrés, descendant sur le pied et facilement détachables. Le pied, blanc ou grisâtre, devient creux avec le temps ; sa surface est striée, il est renflé à la base. **H** C'est typiquement un champignon de la fin de l'automne, dans les forêts de feuillus, dans des espaces dégagés à l'ombre du feuillage, où il se trouve par colonies importantes. **P** Son odeur très particulière est douceâtre. Il passe pour comestible, mais on prendra la précaution de le cuire longtemps avant de le consommer. Tous ne l'apprécient pas, même bien cuit.

Pholiote changeante
Kuehneromyces mutabilis

| 4-8 cm | V-XI | |

C Appelé vulgairement « agaric à soupe », ce champignon comestible forme des colonies appétissantes par temps humides sur les souches d'arbre. Le chapeau est brun cannelle, plus clair par temps sec. Le centre et la marge du chapeau sont toujours plus sombres. Ø max. de 8 cm. Les lamelles sont jaune clair, puis cannelle. Elles sont très serrées et uncinées sur le stipe. Celui-ci porte un anneau marqué et est de la couleur du chapeau ; sous l'anneau, le pied est entouré d'un armille floconneuse brunâtre. La chair, blanchâtre, est d'odeur et de goût agréables. **H** Bois mort et pourrissant, surtout des feuillus. **P** Recherché pour la préparation de soupes, il peut être confondu avec l'Armillaire couleur de miel, *Armillaria mellea* (voir page suivante).

Armillaire couleur de miel
Armillaria mellea

7-14 cm	X-XII

C La couleur du chapeau varie du jaune brun au brun rouille, avec des écailles noirâtres ; le bord en est d'abord roulé, puis déployé et ondulé. Les feuillets sont d'abord blanchâtres, puis brunâtres et finalement tachés de brun. Ils se prolongent sur le pied. Ce dernier est élancé, élastique, strié, d'un brun plus clair en haut qu'en bas, et muni vers le haut d'un large collier blanc ascendant. **H** On le trouve surtout dans les forêts de feuillus. **P** Le bois mort est le substrat préféré de ce champignon d'automne. On le trouve fréquemment, toutefois, sur du bois encore vif et sur les racines, dont il vit en parasite. Il pousse en colonies denses et cause des dommages aux arbres par son mycélium. La chair a une saveur âcre qui disparaît à la cuisson.

Coprin chevelu
Coprinus comatus

12-18 cm	V-XI

C Champignon abondant dans les prés d'automne. Le chapeau est de forme d'abord ovoïde étirée, puis s'agrandit en forme de cloche. La surface en est blanche, rose sur les bords, puis devient noire, desquamée en écailles filamenteuses assez régulièrement disposées. La couleur et la consistance des feuillets correspond à celles du chapeau. Le pied, blanc et creux, est pourvu d'un petit anneau, mobile et fugace. **H** Le coprin affectionne les prairies entretenues, les lisières de bois, mais aussi les jardins, les décombres et les bords de route. **P** Ce curieux champignon finit par se fondre en un liquide noir ressemblant à de l'encre, en fait pour assurer la dispersion des spores. On ne peut donc consommer cette variété que très jeune, et deux à trois heures après la récolte : il est alors délectable.

Russule
Russula vesca

4-14 cm	VII-X

C Le chapeau de cette espèce comestible est toujours de couleur brun rosé caractéristique. Le cuticule ne va pas jusqu'à la marge, de sorte que les extrémités des lamelles apparaissent sur les bords et forment comme des indentations à la périphérie. Le centre du chapeau est quelque peu plus sombre. Les lamelles sont blanchâtres, éventuellement tachées de roux. Le stipe, ferme et blanc, est aminci vers le bas. **H** Très fréquent dans les forêts de feuillus, mais aussi parfois dans les forêts de conifères. **P** La chair blanche et très ferme n'a presque pas d'odeur, mais possède une saveur exquise de noisette, faisant de ce champignon une espèce comestible très recherchée. Les Russules forment une immense famille aux multiples variétés, toutes à sporée blanchâtre et chair friable.

Chanterelle comestible
Cantharellus cibarius

| 3-9 cm | VI-X |  |

C Appelée encore « gyrole », « jaunette », « girondelle », etc. Chapeau d'abord convexe, puis plan, puis en entonnoir, avec des bords minces, ondulés et enroulés, de couleur jaune d'œuf plus ou moins foncée (12 cm maximum de Ø). Les feuillets épais, bifurqués, en réseau, descendent longuement sur le pied. Ce dernier s'amincit vers le bas ; il est de la couleur du chapeau. Saveur douce et un peu poivrée de la chair, excellente. **H** Dans les forêts de feuillus et de conifères, souvent en troupes nombreuses, avec quelques individus de grande taille. **P** Très recherchée pour son goût, la chanterelle est devenue parfois fort rare pour cette raison.

Clavaire élégante
Ramaria formosa

| 7-16 cm | VIII-IX |  |

C Appartenant à la famille des Clavariacés, ce champignon a l'allure du corail (d'où son nom en allemand), avec de multiples couleurs, du rose à l'orangé, avec des rameaux de 4 cm d'épaisseur. Ces rameaux se divisent à leur tour en « branches » de couleur jaune citron. La chair est blanche ou rosée, sans parfum caractéristique, mais d'un goût amèrement écœurant. **H** Affectionne les forêts de feuillus, de préférence celles de hêtres au sol calcaire. **P** Attention : cette espèce est vénéneuse et peut être facilement confondue avec des variétés comestibles, par ailleurs peu agréables. On s'abstiendra donc de récolter ce genre de champignons.

Tramatée versicolore
Trametes versicolor

| – | I-XII |  |

C Les chapeaux imbriqués de ces champignons qui poussent en groupe sont de couleurs variées et donnent à ces groupes une allure pittoresque. Ces chapeaux, plats et sans stipes, sont très minces, de 2-6 cm de Ø, avec des zones de couleurs variées : beiges, verdâtres, brunâtres et noirâtres. Ces zones sont alternativement mates et brillantes. Les pores de la face inférieure sont blanchâtres ou jaunâtres, très fins. Chair coriace, élastique, blanche. **H** Toutes sortes de bois morts, de feuillus surtout, dans des forêts de même nature ou mixtes. **P** Ce champignon parasite le bois de l'arbre porteur ; le mycélium produit une sorte de pourriture blanche sur le bois parasité. On évitera de consommer la chair.

Scléroderme
Scleroderma citrinum

| 3-8 cm | VII-XI |  |

C Corps subglobuleux à enveloppe épaisse, écailleuse, coriace, qui constitue en fait un conteneur de spores, où celles-ci mûrissent avant d'être libérées par la déchirure de l'enveloppe. Allure générale de pomme de terre, ce qui donne le nom allemand de la variété, assez proche de la Vesse-de-loup. Surface squameuse. Les spores contenues à l'intérieur sont presque blanches, et deviennent noirâtres à la maturité. Odeur désagréablement forte. Le mycélium est formé de rhizoïdes plus ou moins jaunes. **H** Champignon vénéneux, affectionnant les sols sablonneux et non calcaires des forêts de feuillus et de conifères. **P** Confusion possible avec les Vesses-de-loup, comestibles quand elles sont jeunes.

Phallus puant
Phallus impudicus

| 10-20 cm | VII-XI |  |

C Se présente à l'origine comme une sorte d'œuf blanchâtre ou grisâtre, qui révèle en coupe le futur champignon, et qui est à demi enseveli dans le sol. Puis le champignon se développe en quelques heures, pour atteindre 20 cm au maximum de hauteur. Le chapeau, de forme caractéristique, est recouvert d'une masse verdâtre de spores qui coule en mucosités malodorantes. Le pied est blanc, creux et de surface poreuse. **H** On le trouve dans les forêts de feuillus et les forêts mixtes, surtout dans les clairières. **P** La puanteur qu'il exhale à l'époque de la maturité attire les mouches à viande et les bousiers, qui contribuent ainsi à la dispersion des spores. Les anciens naturalistes l'appelaient « morille puante », à cause de la forme du chapeau.

Morille ronde
Morchella esculenta (M. rotunda)

| 7-10 cm | IV-V | |

C Le chapeau est rond ou en ovale allongé, et peut atteindre 5 cm ; sa surface est constituée d'un réseau d'alvéoles séparées par des côtes. Le pied, renflé à la base, est creux comme le chapeau ; sa surface est parsemée de fines écailles. La chair fragile et blanche a une odeur et une saveur délicieuses. **H** On trouve cette variété de morille au début du printemps dans les forêts de feuillus, entre autres sous les frênes, mais aussi dans les lieux dégagés. **P** On distingue en fait de multiples variétés de ce champignon ; toutes sont délicieuses et se conservent bien une fois séchées. On aura intérêt toutefois à ne pas les cueillir trop vieilles (ce qui n'est pas toujours facile à distinguer), car elles ont alors moins de saveur.

Sphaigne
Sphagnum palustre

| 10-25 cm | VI-VIII |

C Forme des étendues de coussinets glauques, spongieux, vert pâle à blanchâtre. Tige vert pâle, ramifiée en touffes vers le haut, en verticilles vers le bas. Les feuilles sont disposées en spirales, se recouvrant comme des tuiles et en forme de capuchons pointus. Capsule globuleuse brun noir, coiffe en forme de coupole aplatie. **H** Variété de mousse très répandue, aimant l'ombre des forêts humides et acides, les marais et les fossés. **P** Les Sphaignes sont des plantes sans racines. Elles meurent à la base, en se multipliant par le sommet. Toutes les parties de la plante retiennent l'eau. Les Sphaignes sont donc essentielles à la formation des marais et tourbières.

Polytric commun
Polytrichum commune

| 10-40 cm | IV-VIII |

C Mousse en pelouse lâche, vert foncé à bleu vert, peu ramifiée. Tiges dressées, feuilles en spirale, linéaires-lancéolées, à longue pointe. Pointe brune, sans épines. Le bord des feuilles est très denté. Ces feuilles, longues de 8-12 mm, sont presque horizontales avec l'humidité, mais collées à la tige par temps sec. La soie (ou pédicelle) de la capsule, longue de 6-12 cm, rouge jaune, sort de l'extrémité de la tige. Capsule dressée ou légèrement inclinée, allongée, quadrangulaire de section, brun jaune à brun rouge. Coiffe plate avec une courte pointe dressée, entièrement recouverte par un feutre jaune d'or. **H** Forêts et landes humides, marais. **P** Indicateur de sols acides. Forme parfois de vastes étendues. Sa taille en fait l'une des plus hautes mousses d'Europe ; répandue jusqu'à 2 000 m d'altitude.

Dicranum scoparium
Dicranum scoparium

| 5-10 cm | IV-X |

C Pelouse lâche et brillante, verte à vert jaunâtre ou brunâtre. Tiges dressées, peu ramifiées ou légèrement fourchues, avec très peu de rhizoïdes bruns. Feuilles disposées en spirales, étroites, plates, de 5-8 mm de long, à base ovale et extrémité allongée, dentées à partir du milieu du limbe. Presque toutes les feuilles sont unilatérales. Plante dioïque. Pédicelle long de 2-4 cm, brun rouge, jaillissant de l'extrémité de la tige. Capsule inclinée, en cylindre allongé, brune, lisse ; coiffe en forme de bec. **H** Mousse polymorphe, des sols de landes et de forêts ; affectionne l'humus acide. Également troncs d'arbre et rochers. **P** Mousse très répandue et abondante, sans nom vernaculaire en français.

Leucobryum glaucum
Leucobryum glaucum

| 5-15 cm | IX-XI |

C Coussinets denses, hémisphériques, blanchâtres à vert bleuâtre, blanc glauque à l'intérieur. Tiges dressées, ramifiées en fourches ou en buissons, sans rhizoïdes. Feuilles disposées en spirale, à base ovoïde, devenant lancéolées et à extrémité enroulée, longues de 3-5 cm. Fructification rare. Pédicelle long de 3-7 cm, jailli de la pointe de la tige. Capsule très petite (1-2 mm de long), inclinée et recourbée, à faible éclat brun foncé. Coiffe en forme de bec. **H** Forêts de hêtres, de chênes ou de conifères, landes, tourbières. **P** Indicateur typique d'acidité des sols. Les cellules hydrocytes peuvent emmagasiner de grosses quantités d'eau dans les coussinets assez étendus.

Mnium undulatum
Mnium undulatum

| 5-15 cm | IV-VIII |

C Gazon lâche, étendu, vert foncé, vert jaune à l'ombre. Tiges stériles en frondes recourbées, non ramifiées. Tiges fertiles dressées, ramifiées en arbuscules à l'extrémité, avec peu de rhizoïdes mais beaucoup d'émissaires. Feuilles allongées, linguiformes, longues de 10-15 mm, larges de 1-2 mm, s'élargissant vers le haut, arrondies ou munies de courtes pointes à leur extrémité ; bords fortement ondulés. Plante dioïque à fructification rare. Pédicelle long de 2-4 cm, rouge jaunâtre, recourbé en crochet. 2-10 soies jaillissent de chaque tige. Capsule jaune vert à brune. Coiffe presque hémisphérique, avec une petite pointe courte. **H** Mousse des forêts très répandue, affectionnant l'ombre et l'humidité ; aime aussi les prairies humides, le bois mort. Évite les sols trop acides. **P** Dimorphisme marqué des tiges stériles et fertiles.

Hylocomium splendens
Hylocomium splendens

| 10-20 cm | IV-V |

C Pelouse assez lâche, à plusieurs « étages », étendue, vert jaunâtre à vert olive, brillante. Tige rouge, bipennée ou tripennée. Rameaux latéraux disposés par 2, montants, puis recourbés. La pousse de l'année naît sur la face dorsale, puis se replie ; d'où les étages des coussinets âgés. Feuilles disposées en spirale, légèrement en tuiles recouvrantes. Feuilles basales en ovale allongé avec une pointe étirée. Feuilles de tête en ovale élargi, au bord recourbé et scié. Soie longue de 2-3 cm, sortant des rameaux latéraux. Capsule horizontale, ovoïde, faiblement recourbée, brune ; coiffe à bec court. **H** Très répandue dans les forêts acides, les landes, les marais. Grands coussinets en haute montagne. **P** La disposition en « étages », expliquée ci-dessus, est très caractéristique de cette variété.

Lycopode
Lycopodium annotinum

| 30-120 cm | VIII-IX |

C Tige rampante, ramifiée en fourches. Extrémités montantes, de 10-30 cm de haut. Feuilles en aiguilles (3-9 mm de long) disposées horizontalement en spirale autour de la tige. Pointe sans poils hyalins, bord finement scié. Épi sporangifère solitaire sessile, et dressé. Les sporanges se trouvent à l'aisselle des petites feuilles sporophylles, courtes, rondes-ovales, à courte pointe. **H** Plante des forêts de conifères ombreuses et humides, en particulier en moyenne montagne et dans les Alpes ; également dans des landes moyennement humides. **P** La double ramification (inférieure et supérieure) de ce Lycopode est particulièrement caractéristique.

Prêle des bois
Equisetum sylvaticum

| 15-60 cm | IV-VI |

C Tige épaisse de 0,4-0,8 cm, dressée, vert clair, faite de verticilles successifs étagés. Chaque section ainsi déterminée est pourvue d'une gaine longue de 1-2,5 cm, faite de 3-5 folioles ovales, d'abord vert clair puis brun rougeâtre collées ensemble et soudées jusqu'à mi-hauteur. Tige à 7-12 fines cannelures, extrémité en verticille ramifié. Canalicule central de la tige occupant 1/3-2/3 de son Ø. Épi sporangifère sur les pousses d'abord pâles, puis verdissantes. **H** Forêts ombreuses et humides, marécages de source, lieux à humidité filtrante. Évite les sols calcaires. **P** Les épis sporangifères tombent après la fructification ; les parties pâles verdissent alors et se ramifient comme les pousses stériles.

Prêle des champs
Equisetum arvense

| 10-50 cm | III-IV |

C Tige épaisse de 0,2-0,4 cm, dressée, vert gris foncé ou clair, faite de sections successives. Chaque « section » supérieure est pourvue d'une gaine de 6-19 folioles soudées, linéaires-lancéolées, longues de 0,5-1 cm. Tige à 6-8 cannelures profondes. Extrémité verticillée. Canalicule central d'air occupant 1/8-1/4 du Ø de la tige. Sporophylles sur les axes spéciaux, poussant avant les axes stériles verts. Les axes fertiles sont bruns, non ramifiés, et fanent après la maturité des spores ; les gaines en sont ventrues, avec 6-12 dents brun noir. **H** Très répandu dans les prairies, les champs, les bords de chemin, voire les talus de chemin de fer. **P** A cause de sa teneur en acide silicique, on l'employait jadis pour nettoyer les objets d'étain. Encore utilisée aujourd'hui en herboristerie.

Fougère-Aigle
Pteridium aquilinum

| 50-200 cm | VII-X |

C Frondes des jeunes feuilles, vert tendre à vert jaune, sortant isolées d'un rhizome souterrain. Tige atteignant 1 m de longueur, 2-3 mm d'épaisseur, jaunâtre. Feuilles bi- à tripennées, les folioles des jeunes feuilles étant encore enroulées en « crosses ». Folioles elliptiques-allongées, à bord faiblement cranté. Populations denses parfois, caduques. Les frondes fertiles se distinguent à peine des stériles. Les sporanges, marginaux, sont protégés par le bord des feuilles terminales, replié, blanc et membraneux. Sporanges sans indusies. H Très répandue en Europe, dans les forêts, les pâtures et les lisières. P La section de la tige laisse voir un motif d'aigle à deux têtes, d'où le nom.

Fougère pectinée
Blechnum spicant

| 15-50 cm | VII-VIII |

C Frondes d'un vert sombre brillant, couchées à plat en rosettes ou dressées en biais. Frondes stériles toujours vertes, fertiles caduques. Pétiole des feuilles très court, rouge brunâtre. Limbe penné, avec 30-60 folioles, alternées, amincies à la base et au sommet, linéaires, acuminées, à bord lisse. Les frondes fertiles se distinguent nettement des stériles : dressées au milieu de la rosette, elles sont pinnulées, avec deux sores linéaires sur leur face inférieure, presque soudés entre eux. H Sols acides, frais à humides, des forêts et des landes. Fuit le calcaire. Très répandue et très courante. P Dimorphisme très marqué des frondes stériles et des frondes fertiles.

Fougère mâle
Dryopteris filix-mas

| 30-120 cm | VII-IX |

C Frondes vert sombre, disposées en rosettes jaillissant du rhizome souterrain, caduques pour la plupart. Tige des feuilles courte. Limbe bipenné, avec 20-60 folioles alternées serrées, au bord grossièrement denté. Les frondes fertiles se distinguent à peine des stériles. Les sores sont recouverts par des indusies de grande taille, réniformes, et disposés en 2 rangs le long de la nervure principale des folioles. H Très répandue et fréquente. Affectionne les forêts ombreuses, au sol nourricier calcaire, moyennement humide. P Les jeunes frondes enroulées forment au printemps – comme les autres sortes de fougères – des « crosses d'évêque » remarquables. Le rhizome souterrain contient des phloroglucides qui font employer cette plante contre les vers solitaires.

Faux Capillaire
Asplenium trichomanes

| 10-30 cm | VII-IX |

C Frondes vert gris à vert jaune, en touffes persistantes. Tiges des feuilles courtes, brun rouge à noires, brillantes. Feuilles divisées une fois. Folioles opposées, à court pétiole, à base cunéiforme, arrondies-allongées ensuite et grossièrement crantées, longues de 5-10 mm. Frondes fertiles non distinctes des frondes stériles. Sporanges en sores allongés, linéaires, parallèles, à la face inférieure des folioles, à côté des nervures, protégés d'abord par une indusie latérale. H Plantes des murs et des rochers secs. P Les folioles tombent souvent des pétioles, de sorte que l'ensemble des rachis d'une même touffe peut former un amas de cheveux raides, noirs et dressés.

Rue des murailles
Asplenium ruta-muraria

| 5-30 cm | I-XII |

C Frondes vert gris, dressées en touffes persistantes comme l'*A. trichomanes* ci-dessus décrit. Pétiole aussi long que le limbe, celui-ci étant de forme triangulaire. Feuilles bi- à tripennées, avec des folioles losangées ou en forme de pointe retournée à base cunéiforme, crantées au moins à l'extrémité. Frondes stériles non distinctes des frondes fertiles. Sporanges dans les sores allongés disposés de part et d'autre de la nervure principale, à la face inférieure des folioles, et protégés d'abord par une indusie étroite et crevassée. H Rochers calcaires ensoleillés, et murs. Très répandue et très fréquente. P Espèce très polymorphe, dont les variétés ne se distinguent que par la taille, le nombre et la disposition des folioles.

Réglisse des bois
Polypodium vulgare

| 10-40 cm | VII-IX |

C Frondes vert sombre, un peu plus claires en dessous, isolées sur le rhizome rampant. Persistantes. Pétiole à peu près aussi long que le limbe uniquement pennatilobé. Folioles allongées, à l'extrémité arrondie, élargies à la base, soudées entre elles jusqu'à mi-hauteur, à bord plein ou faiblement scié. Frondes fertiles non distinctes des frondes stériles. Sporanges disposées en gros sores, ronds et jaunes, sans indusies, sur 2 rangées parallèles à la nervure. H Crevasses des parois non calcaires, mousses, troncs d'arbre, fourches des arbres parfois. Le plus souvent dans la pénombre. Fréquent et très répandu. P Les grands sores jaunes brillent à travers les feuilles. A cause de la teneur en glucides du rhizome, le nom populaire de « réglisse des bois » lui a été donné.

Épicéa
Picea abies

jusqu'à 60 m	♀ 5-6 cm ♂ 1,5-2 cm	V-VI

C Il peut atteindre 60 m de haut et 2 m de Ø. L'écorce rougeâtre se fend en écailles irrégulières. Les aiguilles brillantes, vert sombre, longues de 2 cm au maximum sont disposées tout autour des rameaux. Monoïque, fleurit tous les 3-4 ans. Inflorescences ♂ à l'aisselle des feuilles, rondes, longues de 1,5-2 cm, tournées vers le bas ; d'abord pourpres, puis jaunes. Inflorescences ♀ à l'extrémité des rameaux de l'année précédente, en forme de cônes, longues de 5-6 cm, dressées ; d'abord jaune vert, puis rouge clair. Fruits (p. 70) : après une année de maturation, les cônes (longs de 10-16 cm et épais de 3-4 cm), épais, bruns et boisés, tombent. **H** Sols sablonneux, limoneux, climat humide. **P** Atteint 500 ans. Bois tendre et résineux.

Pin sylvestre
Pinus silvestris

jusqu'à 50 m	♀ 0,5-0,6 cm ♂ 0,6-0,7 cm	V-VI

C L'écorce des arbres, rousse dans leur jeunesse, puis brun-gris, est couverte de fines stries. Les aiguilles sont groupées 2 par 2 à l'extrémité des rameaux courts ; elles sont bleu-vert et pointues, longues de 4-7 mm. Monoïque. Fleurit presque chaque année. Inflorescences ♂ jaunâtres, longues de 6-7 mm, à la base des jeunes pousses longues. Inflorescences ♀ ovoïdes ou sphériques, rose clair à rouge sombre, toutes les deux extrémités de ces mêmes pousses. Maturité à 30-40 ans. Fruits (p. 70) : à la fin de la première année, les cônes pédiculés, verts au début, sont tournés vers le bas ; mûrs, ils sont brun-gris, longs de 5-7 cm et épais de 2-4 cm. Les écailles porteuses de semence, épaisses et boisées, sont disséminées au loin à l'âge adulte, après quoi les cônes restent encore quelques années sur les arbres. **H** Espèce simple et résistante ; terrains sablonneux, caillouteux, marécageux. **P** Vit jusqu'à 300 ans. Arbre forestier le plus répandu en Europe : fournit du bois de construction et d'ébénisterie.

Mélèze
Larix decidua

jusqu'à 40 m	♀ 1-1,5 cm ♂ 0,5-1 cm	III-V

C Vert en été, ramure conique. Écorce lisse, brun-gris, qui s'écaille longitudinalement. Pousses longues minces, jaunâtres, avec des aiguilles uniques longues de 2-3 cm. Pousses brèves avec de petits balais de 30 à 40 aiguilles. Ces aiguilles, tendres, vert clair, jaunissent et tombent en automne. Maturité à 30-60 ans. Monoïque, fleurit tous les 3-5 ans. Inflorescences ♂ ovoïdes-sphériques, jaunes, situées sur les pousses brèves sans feuilles d'au moins deux ans. Inflorescences ♀ verticales, entourées d'une couronne d'aiguilles, ovoïdes, d'abord roses à rouge sombre, verdissant ensuite, sur les pousses brèves de 3 ans déjà feuillues. Fruits (p. 70) : maturation jusqu'à ce que les cônes bruns atteignent 4 cm de longueur ; ils restent sur les branches après la dissémination 10 ans ou plus encore. **H** Sols meubles argileux ou calcaires, exige beaucoup de lumière. **P** Bois particulièrement dur, très recherché pour la construction et l'ébénisterie.

Genévrier commun
Juniperus communis

3-5 m	♀ 2 mm ♂ 4-5 mm	IV-VI

C Arbuste persistant, à plusieurs troncs ou formant massif de basse taille (20-50 cm). Écorce lisse, brun-gris, devenant écailleuse. Aiguilles vert-gris, pointues, piquantes, attachées trois par trois à angle droit, longues de 15 mm maximum avec une bande blanche médiane sur le dessus. Le plus souvent dioïque. Fleurs ♂ elliptiques, jaunâtres, uniques, à l'aisselle des feuilles des rameaux de l'année précédente. Inflorescences ♀ verdâtres, dans l'axe des rameaux de l'année précédente. <u>Fruits (p. 70)</u> : baies vertes, puis bleu-noir à maturité. **H** Landes sablonneuses ou caillouteuses, marais, forêts de conifères claires ; besoin de lumière. **P** Atteint 800 ans. Plante aromatique connue ; on se sert du bois pour fumer les viandes.

Épine-Vinette
Berberis vulgaris

jusqu'à 3 m	7 mm	IV-VI

C Arbuste à écorce lisse, vert clair. Rameaux anguleux, d'abord verdâtres, puis variant du brunâtre au gris-blanc. Feuilles ovales ou allongées, groupées en spirales sur les pousses brèves, au contact desquelles jaillit une épine à 3(5) sections à la base d'une feuille. Grappes de fleurs de 2-4 cm de long, suspendues à l'extrémité des jeunes pousses. Les fleurs sont hermaphrodites, jaunes, à long pétiole, odorantes ; les fleurs latérales ont chacune 6 pétales recourbés jaunes d'or, la fleur terminale en a 5. Pollinisation par les abeilles. <u>Fruits (p. 70)</u> : baies allongées, rouges, charnues, longues de 8-11 mm, mûres VIII-X, avec 2 à 3 graines de 4-6 mm de long. **H** Lisières des forêts, haies, buissons, pentes ensoleillées et sèches, prairies fluviales. **P** C'est le premier des arbustes fleuris au printemps. Hôte intermédiaire de la rouille du blé.

Noisetier Coudrier
Corylus avellana

1-4 m	♀ 7 mm ♂ 8-10 cm	II-IV

C Arbuste à l'écorce rougeâtre ou gris-blanchâtre, lisse, brillante, mêlée de loupes de liège brunes, facilement écaillée. Rameaux gris et duveteux dans le jeune âge. Feuilles pétiolées, rondes ou ovales étirées, à base cordée, duveteuses par-dessous ; bords doublement sciés. Elles sont disposées par deux ou en spirales sur les rameaux. Monoïque, fleurit dès février. Les chatons ♂ (de 1 à 4, photo) pendent à l'extrémité ou à l'aisselle des feuilles des pousses de l'année précédente. Les fleurs ♀ uniques sont implantées à l'extrémité des pousses récentes ; elles sont petites et ressemblent à des bourgeons peu marqués. <u>Fruits (p. 70)</u> : la noisette, d'abord d'un blanc jaune pâle, mûrit jusqu'en IX-X pour devenir d'un brun rosé. **H** Forêts mixtes de feuillus, haies, bords des rivières. **P** Les abeilles apprécient les fleurs, mais la pollinisation se fait par le vent.

Charme Faux-Bouleau
Carpinus betulus

jusqu'à 25 m	♀ 3 cm ♂ 4-7 cm	VI

C Arbre à large cime arrondie. Écorce lisse, gris-blanc. Rameaux touffus. Les feuilles pennées, ovales-allongées et pointues, ont un limbe divisé par des nervures marquées ; leur base est cordée, leur bord doublement scié. Monoïque. Les fleurs en chaton apparaissent à peu près en même temps que les feuilles : les chatons ♂, jaunâtres, aux fleurs espacées, pendent aux pousses courtes peu feuillues ; les chatons ♀, pétiolés, pendent à l'extrémité des pousses récentes et feuillues. Pollinisation éolienne. Fruits (p. 71) : gousse de 14 cm de longueur maximum, contenant 4 à 10 paires de noisettes monospermes, chacune d'entre elles étant pourvue d'un organe de vol trilobé. **H** Forêts mixtes de feuillus, bords des rivières, haies. **P** Atteint 150 ans d'âge. Bois d'un jaune blanc.

Bouleau blanc
Betula pendula

jusqu'à 25 m	♀ 2-4 cm ♂ 2,5-10 cm	IV-V

C Cime d'abord étroite, en forme de quille, puis ronde avec des branches retombantes. Écorce blanche, avec des cicatrices horizontales, qui la transforment bientôt en croûte noire et dure. Jeunes rameaux poisseux, puis glabres lorsque les glandes du bois sèchent. Feuilles rhomboïdes-triangulaires, acuminées, cunéiformes à la base, doublement sciées, poisseuses, glabres, avec un pétiole de 2-3 cm de long. Monoïque. Chatons ♂ groupés par 1-3 à l'extrémité des rameaux de l'année précédente, pendants à l'époque de la floraison (jusqu'à 10 cm de long) ; chatons ♀ dressés en petits cônes verts et fermés. Pollinisation par le vent. Fruits (p. 71) : les cônes de fleurs se flétrissent après la fécondation et deviennent des fruits, mûrs à partir de VII-VIII. **H** Isolé dans les forêts de feuillus et de conifères, sur les lisières, les marais, les pentes à tourbière. **P** Bois blanc, tendre, bon combustible.

Aulne (ou Aune) glutineux
Alnus glutinosa

jusqu'à 25 m	♀ 0,4-0,6 cm ♂ 6-12 cm	III-IV

C Ramure large et espacée, aux branches nombreuses. Arbre souvent à plusieurs troncs, à l'écorce lisse, brillante, brun verdâtre, qui se transforme en une croûte noire et crevassée. Les pousses sont nues et visqueuses. Les feuilles arrondies, nues, vert sombre, ont le dessous plus clair et portent un duvet couleur de rouille dans les angles des nervures ; leur bord est grossièrement scié doublement. Monoïque, fleurit avant le déploiement des feuilles. Chatons ♂ brunâtres, suspendus par groupes de 2-5 à l'extrémité des pousses de l'année précédente ; chatons ♀ violets, groupés par 3-5 à l'aisselle des feuilles. Pollinisation éolienne. Fruits (p. 71) : les petits cônes de fleurs, très serrés et verts, donnent à maturité de petits cônes de fruits longs de 1,5 cm, ovoïdes, d'un brun sombre foncé. **H** Bords des fossés, des ruisseaux et des rivières ; forment aussi des colonies espacées dans les bas-fonds humides et les marécages. **P** Le bois se conserve longtemps dans l'eau.

Hêtre des bois
Fagus silvatica

jusqu'à 30 m	♀ 2,5 cm ♂ 2 cm	IV-V

C Tronc droit et élancé ; cime touffue en coupole. Écorce lisse et grise, branches gris-brun, feuilles pennées, en ovale à base arrondie, avec un bord ondulé lisse ou légèrement dentelé. D'abord vert clair et couvertes d'un duvet soyeux, puis vert sombre et glabres, elles jaunissent et virent au brun-rouge en automne. Monoïque, fleurit au moment de l'éclosion des feuilles. Inflorescences ♂ en chatons globuleux à longs pédoncules pendant à la base des jeunes pousses. Inflorescences ♀ pédonculées, réunies par 2 dans une nacelle molle qui se durcit par la suite, faite de 4 valves. Pollinisation par le vent. Fruits (p. 71) : maturité en IX-X, faînes trigones d'un brun brillant. **H** Forêts mixtes. **P** Bois rougeâtre.

Chêne rouvre
Quercus robur

jusqu'à 40 m	♀ 3 mm ♂ 3-6 cm	IV-V

C Tronc élancé ; cime large et régulière. Feuilles à lobes symétriques disposées sur des pétioles de 1 à 3 cm, en spirale autour des rameaux. Monoïque. Inflorescences ♂ jaunâtres, pendant mollement à la base des jeunes pousses. Fleurs ♀ groupées par 5 en grappes à peine pétiolées, à l'extrémité des jeunes pousses. Pollinisation par le vent. Fruits (p. 71) : glands bruns-gris, enfermés au tiers inférieur dans une cupule écailleuse et duvetée. **H** Sols secs et pierreux ; ne supporte pas l'humidité. **P** Vieillit jusqu'à 600 ou 1 000 ans. Bois très dur et très recherché pour sa résistance au vieillissement, utilisé pour les parquets, les meubles et les futailles. Le tanin des glands est apprécié en homéopathie.

Orme champêtre
Ulmus campestris

	jusqu'à 40 m	1-1,5 cm	III-IV
D			

C Tronc épais et pattu ; écorce lisse, gris brunâtre, qui se transforme en une croûte crevassée grossière. Rameaux glabres, de couleur brun-rouge à vert olive. Feuilles à nervure centrale et pétiole court, de forme elliptique ou ovale allongée, asymétrique, à extrémité pointue ; bord doublement denté ; la face supérieure est lisse et d'un vert clair brillant, la face inférieure duvetée dans les angles des nervures. Fleurs hermaphrodites à peine visibles, sans pétiole, apparaissant avant l'éclosion des feuilles dans le haut de la ramure, par groupes de 15-30, en inflorescences serrées. Fruits (p. 71) : mûrissent déjà lors de la pousse des feuilles ; petites graines ailées à organe de vol membraneux elliptique, d'abord vert, puis jaune brun. **H** Sols frais et riches en substances nourricières, situations exposées au soleil. **P** Peut vieillir plusieurs centaines d'années.

Sorbier des oiseleurs
Sorbus aucuparia

jusqu'à 16 m	8-10 mm	V-VI

C Arbre ou arbuste buissonnant. Écorce lisse, gris clair brillant, qui se desquame en croûte noirâtre. Les jeunes rameaux sont couverts d'un duvet clairsemé, puis glabres et bruns. Feuille imparipennée, de 20 cm de longueur maximale, composée de 9 à 15 éléments elliptiques allongés, longs de 2 à 6 cm, pointus, aux bords sciés-dentelés. Fleurs blanches en panicules fournies (7 à 12 cm de largeur) et chevelues, à l'extrémité des jeunes rameaux. Pollinisation par les insectes. Fruits (p. 72) : à partir de VIII-IX, rouges corail brillant, baies serrées de 1 cm de Ø, avec 3 graines, au milieu des panicules. **H** Pentes rocheuses, pâturages d'altitude, bois. **P** Atteint 100 ans d'âge. Fleurs à odeur déplaisante.

Allier
Sorbus aria

jusqu'à 15 m	6-8 mm	V-VI

C Appelé aussi « allouchier » ou « alisier » ; arbuste ou arbre à plusieurs troncs, à ramure dense. Écorce gris-noir, à taches blanches, longtemps lisse, se gerçant et brunissant avec l'âge. Feuilles à long pétiole de 1-2 cm, ovale, feutre blanc en dessous. Corymbes hermaphrodites blancs à odeur agréable, pédonculés, à l'extrémité des jeunes pousses. Pollinisation par les insectes. Fruits (p. 72) : à partir de X, baies écarlates ou rouge-orange, plus grosses que les sorbes, à chair farineuse et pulpeuse. **H** Pentes sèches et ensoleillées, forêts de feuillus et mixtes, taillis, terrains calcaires. **P** Bois blanc-jaune très dur, à travailler au tour. Baies très appréciées par les oiseaux.

Aubépine monostyle
Crataegus monogyna

de 3 à 6 m	10-16 mm	V-VI

C Arbuste buissonnant à ramure très divisée et rameaux épineux. Écorce qui s'écaille et se gerce. Jeunes rameaux glabres, gris-brun à brun-rouge, puis brun-gris avec l'âge. Épines caduques de 1 cm de long. Feuilles à trois ou cinq lobes, vert sombre dessus, vert-bleu dessous, duvetées aux angles des nervures. Fleurs blanches ou roses, groupées par 5-10 en corymbes serrés, à l'extrémité des jeunes pousses. Fruits (p. 72) : à partir de IX, fruits rouges globuleux groupés en longues grappes, à chair farineuse jaune, avec un seul noyau. **H** Forêts de feuillus clairsemées, haies, lisières de bois. **P** L'aubépine épineuse *(C. Oxyacantha)*, très proche, a 2 styles par fleur (au lieu d'un) et 2 noyaux dans le fruit. C'est le signal du printemps par excellence.

Framboisier
Rubus idaeus

2-3 m	10 mm	V-VII

C Buisson à tiges redressées et épines fines. Feuilles alternes, imparipennées (3-7), glabres dessus, feutrées de blanc dessous, à folioles ovales, dentées, ridées dessus. Fleurs blanches en panicules pauciflores, sur les pousses latérales de l'année précédente. Pollinisation par les insectes. Fruits (p. 72) : fruits rouges aromatiques et savoureux, à partir de VII. Ce ne sont pas des baies, mais des fruits composés à multiples pépins. **H** Lisières des bois, clairières, taillis. **P** Se reproduit essentiellement par rejet des racines. Souvent cultivé en jardin pour ses fruits.

Ronce arbrisseau
Rubus fruticosus

2-3 m	15-30 mm	V-VIII

C Arbuste buissonnant à tige retombant en arceaux, très épineuse. Feuilles alternes, divisées-palmées, avec des épines très acérées au pétiole, de forme et de taille variées selon les espèces. Les folioles sont feutrées de blanc au-dessous. Fleurs hermaphrodites en panicules multiflores, sur les pousses latérales de l'année précédente. Pollinisation par les insectes. Fruits (p. 72) : fruits composés savoureux, de VIII à X, comparables à ceux du framboisier (voir ci-dessus). Verts au départ, ils virent au rouge, puis au bleu-noir. **H** Chemins, talus, taillis, lisières et clairières des bois. **P** Forme rapidement des réseaux rampants inextricables. Genre divisé en une dizaine d'espèces, difficiles à différencier.

Rosier de chien
Rosa canina

jusqu'à 3 m	40-50 mm	V-VI

C Appelé aussi églantier ou églantine. Nombreuses espèces. Tiges en arceaux, très épineuses. Feuilles alternes en spirale, imparipennées, avec 5 à 7 folioles ovales ou elliptiques, sciées, aiguës et glabres, longues de 2-4 cm. Grandes fleurs hermaphrodites rose pâle, isolées ou en panicules, à l'extrémité des pousses courtes feuillues, avec pétiole de 1-2 cm, à vie très brève. Pollinisation par les insectes. Fruits (p. 72) : à partir de IX, fruits rouge corail, à petites noix anguleuses. **H** Haies, prairies pauvres, lisières des bois. **P** Les fruits de l'églantier sont des fruits composés.

Épine noire
Prunus spinosa

jusqu'à 4 m	10-15 mm	III-IV

C Appelé aussi prunellier. Arbuste buissonnant et touffu, très épineux. Écorce gris foncé, facilement écaillée. Pousses brun-rouge, à duvet plus ou moins dru. Feuilles elliptiques sur pétioles courts, à dents de scie aiguës, disposées en spirale, apparaissant après les fleurs. Fleurs hermaphrodites blanches, à bref pédoncule, isolées sur les pousses courtes déjà feuillues, éphémères. Pollinisation par les insectes. Fruits (p. 73) : baies bleu-noir, globuleuses, de 1 cm de Ø maximum, à partir de X ; monospermes. **H** Bois de feuillus, lisières des bois, des champs et de chemins, pentes rocheuses, prairies fluviales. **P** Forme des haies fournies. Fruits très âcres, récoltés après la première gelée, très riches en vitamines et en tanins.

Merisier à grappes
Prunus padus

jusqu'à 15 m	5-10 mm	V-VI

C Arbre à ramure épaisse et port érigé, aux branches brillantes et brun-rouge. Écorce gris-noir, gercée et croûteuse sur le tronc. Les feuilles à pétiole portent deux nectaires à la base du limbe. Feuilles ovales ou lancéolées, au bord finement dentelé, feutrées de blanc ou de brun au-dessous, dans les angles des nervures. En même temps que les feuilles apparaissent les fleurs blanches et odorantes, en longues grappes qui peuvent atteindre 8-15 cm. Pollinisation par les insectes. Fruits (p. 73) : fruits mononucléaires mûrs à partir de VI, noirs, globuleux, lisses, brillants, de 1 cm de Ø. **H** Souvent individus isolés dans les gorges humides, marécages de plaine, taillis, forêts de feuillus, sur les berges des rivières. **P** Les feuilles grandissent après la floraison.

Marronnier
Aesculus hippocastaneus

jusqu'à 30 m	20-30 mm	IV-V

C Arbre ornemental acclimaté, originaire de Turquie, à l'écorce brun-gris, lisse, qui se desquame en fines écailles. Ramure dense, en coupole bombée. Rameaux brun-rouge jaunâtre. Feuilles opposées, en forme de grandes « mains » à 5-7 doigts, à folioles ovales atteignant 25 cm ; bord inégalement scié. Fleurs hermaphrodites blanches, grandes de 2-3 cm, en inflorescences compliquées hautes de 20-30 cm. Fruits (p. 73) : gainés d'une bogue épaisse garnie de piquants mous, ils contiennent de 1 à 3 graines luisante(s), brunes et polies : les marrons. **H** Parcs, allées ; rarement forêt sauvage, en clairière. **P** L'extrait de marron est utilisé en homéopathie contre les inflammations des veines.

Sycomore
Acer pseudoplatanus

jusqu'à 40 m	5-10 mm	IV-V

C Ramure abondante, dense, en coupole étalée et régulière. Écorce lisse, jaune-gris, se desquamant. Longs pétioles de 5-15 cm, pour des feuilles opposées, vert sombre dessus, vert-gris dessous, de 10-20 cm de largeur et de hauteur, à 5 lobes profonds et bord scié irrégulièrement. A l'éclosion des feuilles apparaissent de longues grappes de fleurs verdâtres, unisexuées et hermaphrodites. Pollinisation par les insectes. Fruits (p. 73) : doubles graines pourvues d'organes de vol très développés, implantés à angle droit l'un de l'autre, à partir de IX-X. **H** Sols humides, profonds et riches en substances nourricières. **P** Bois d'un blanc brillant, très dur. Il ressemble un peu au platane, d'où le nom latin.

Plane
Acer platanoides

jusqu'à 30 m	10-12 mm	IV-V

C Ramure dense et ovoïde. Écorce brun-noirâtre, gercée à la longue et fissurée en grandes écailles. Rameaux glabres, bruns, brillants, produisant à la cassure une sorte de latex. Feuilles opposées, à bords lisses, avec 5 lobes profonds terminés en pointe ; montées sur un long pétiole rougeâtre de 8-12 cm. Avant l'éclosion des feuilles apparaissent les fleurs vert jaunâtre, unisexuées et hermaphrodites, groupées en corymbes terminaux de 4-8 cm de long. Pollinisation par les insectes. Fruits (p. 73) : grands, à ailes nervurées de vert formant un angle très obtus ; fruit et pédicelle glabres. **H** Parcs, allées. **P** Bois d'un blanc brillant, très dur, recherché pour le tournage et la sculpture artistique.

Érable champêtre
Acer campestre

jusqu'à 15 m	6-8 mm	V

C Tronc court, ramure sphérique. Écorce brune, épaisse, gercée et écailleuse. Rameaux brun-jaune olive, produisant un latex. Feuilles à 5 lobes à pointes mousses, aux flancs sinués, souvent feutrées en dessous, sur un pétiole rougeâtre de 5-10 cm. En même temps que le feuillage apparaissent les fleurs vert-jaune, groupées en corymbes de 10-20 éléments, unisexués et hermaphrodites. Pollinisation par les insectes. Fruits (p. 73) : par opposition aux variétés d'*Acer* ci-dessus décrites, le champêtre produit des fruits avec des ailes dans le prolongement l'une de l'autre, qui évoluent du vert au pourpre pendant la maturation (IX). **H** Bois de feuillus clairsemés, lisières des forêts, haies, pentes ensoleillées. **P** Variété de petite taille, à croissance lente, qui reste souvent buissonnant et vit jusqu'à 150 ans. Son bois rougeâtre, joliment veiné, très dur, est apprécié en sculpture d'art.

Fusain
Evonymus europaeus

jusqu'à 6 m	6-10 mm	V-VI

C Arbrisseau aux branches grises ou brun-rouge, avec des rameaux quadrangulaires verts. Feuilles opposées en croix, ovales-lancéolées, finement sciées sur les bords et pointues ; vert foncé dessus, vert-bleu dessous, rouges en automne. Fleurs vert jaunâtre, la plupart hermaphrodites, avec un pétiole de 1,5-2,5 cm, groupées en grappes de 2-9 éléments à l'aisselle des rameaux ; apparaissent en même temps que le feuillage. Pollinisation par les insectes. Fruits (p. 74) : à partir de IX-X mûrissent de curieux fruits, capsules à 3 ou 4 angles roses et rouge carmin, avec des graines entourées d'une peau rouge orangé. **H** Chemins, lisières, petits bois. **P** Bois dur, jaunâtre, utilisé pour fabriquer les fusains à dessiner.

Bourdaine
Frangula alnus (Rhamnus frangula)

jusqu'à 3 m	2-6 mm	V-VIII

C Écorce lisse, brun-gris. Branches et rameaux lisses, alternées ; rameaux violet-gris à feuillage clairsemé. Feuilles alternées, à bord plein, elliptiques, avec 9-12 nervures ; duveteuses en dessous au début. Fleurs blanches hermaphrodites, sur pétioles de 5-10 mm, groupées par 3-7 en fausses ombelles implantées aux aisselles des feuilles ; apparition en même temps. Pollinisation par les insectes. En été, concomitance des fleurs et des fruits (p. 74) : baies vertes, puis rouges, puis noires, avec 2-3 graines lenticulaires ou trigones, vénéneuses. **H** Taillis, forêts de conifères, de feuillus et mixtes, marécages de plaine. **P** Odeur désagréable de l'écorce. Plante médicinale laxative (écorce desséchée depuis 1 an).

Nerprun cathartique (ou purgatif)
Rhamnus cathartica

jusqu'à 3 m	10-12 mm	V-VI

C Rameaux opposés en croix, fourchus, épineux aux extrémités ; écorce brun noir, lisse et luisante, qui se gerce et se desquame avec l'âge. Feuilles alternées, ovales, acuminées, à base légèrement cordiforme, finement sciées, avec 3-5 nervures pennées de part et d'autre. Dioïque par avortement. Fleurs jaunâtres en inflorescences de 2 à 8 éléments ombelliformes, sur pétiole de 10 mm de long. Pollinisation par les insectes. Fruits (p. 74) : apparition au début de l'automne de fruits à pépins, verts, puis noir violacé, en forme de baies, à la chair verte. **H** Taillis, forêts de feuillus, pentes sèches, pierreuses et ensoleillées, marais, fossés. **P** Plante médicinale : la tisane faite avec les fruits séchés est utilisée comme laxatif.

Cornouiller sanguin
Cornus sanguinea

jusqu'à 5 m	10-12 mm	V-VI

C Rameaux annuels teintés de rouge, puis brun olive. A la fin de l'automne et en hiver, tous les rameaux sont rouge sang. Feuilles opposées par paires, elliptiques à ovales, pointues, vertes des deux côtés, velues, de 10 cm de long au maximum ; rouges en automne. Les fleurs blanches hermaphrodites apparaissent après l'éclosion des feuilles, en groupes ombelliformes de 20 à 50 éléments, larges de 5-7 cm et sur un pétiole de 2-4 cm de long, à l'extrémité des jeunes pousses feuillues. Pollinisation par les insectes. <u>Fruits (p. 74)</u> : à partir de IX-X, fruits globuleux noirs, à queue rouge, avec des pépins. **H** Rives, prairies, marais, lisières des forêts, taillis, pentes sèches. **P** Le bois, très dur, est utilisé pour la fabrication des outils.

Saule marsault
Salix caprea

jusqu'à 3 m	3-6 mm	III-V

C Arbuste de belle allure, à l'écorce lisse qui se fendille avec l'âge. Rameaux bruns et brillants, glabres. Feuilles largement elliptiques ou ovales, à bord plein ou ondulé ; cotonneuses des deux côtés dans la jeunesse, puis vert sombre et glabres au-dessus, vert-gris et cotonneuses au-dessous, avec des nervures jaunes saillantes. Éclosion des feuilles après la floraison. Dioïque. Fleurs unisexuées, en chatons ovoïdes, gris argenté. Pollinisation par les insectes. <u>Fruits (p. 74)</u> : à partir de IV-V, les fruits mûrs laissent s'envoler les graines avec leur fine « chevelure » verte et soyeuse. **H** Fossés, marais, taillis, prairies et lisières humides. **P** Bois rougeâtre, excellent bois de chauffe. Les chatons sont utilisés (voire vendus !) comme ornements à Pâques...

Tilleul à grandes feuilles
Tilia platyphyllos

20-40 m	12-16 mm	VI

C Arbre majestueux à ramure dense, régulière et ample. Écorce grise, puis couverte de gerçures et de sillons irréguliers. Feuilles cordiformes, acuminées, dissymétriques, avec, dessous, de petites touffes de poils aux aisselles des nervures ; limbes souvent poisseux. Les fleurs hermaphrodites n'apparaissent qu'après la venue complète du feuillage. Pollinisation par les insectes. <u>Fruits (p. 74)</u> : à partir de VIII-IX mûrissent les fruits secs, ronds et durs, à duvet gris, regroupés sur une bractée de couleur « tilleul » de 5-7 mm de long, qui est leur organe de vol. **H** Forêts de feuillus, allées, arbres isolés. **P** Atteint 1 000 ans ! Le bois tendre, blanc jaunâtre à rouge, se laisse bien sculpter.

Sureau noir
Sambucus nigra

| jusqu'à 12 m | 5-8 mm | VI |

C Arbre et arbuste. Écorce gris clair à brune, vert-gris sur les jeunes rameaux, avec des pores, qui se gerce et s'écaille avec l'âge. La mœlle blanche contenue dans les rameaux est typique de l'espèce. Feuilles composées imparipennées, 3/5/7 folioles ovales acuminées. Feuillaison avant les fleurs (III-IV). Fleurs odorantes en corymbes plats et blancs de 10-15 cm, hermaphrodites. Pollinisation par les insectes. Fruits (p. 75) : à partir de IX-X, baies noir violacé, globuleuses, brillantes, à trois noyaux, sur pédicelles violet-rouge. **H** Forêts de feuillus, haies, taillis. **P** La tisane faite avec les fleurs ainsi que les fruits cuits sont bons contre les refroidissements !

Viorne obier
Viburnum opulus

| jusqu'à 4 m | 6-20 mm | V-VI |

C Appelée aussi « boule de neige ». Arbuste buissonnant à rameaux glabres, écorce gris clair, s'écaillant avec l'âge. Feuilles à 3/5 lobes découpés, irrégulièrement dentés, glabres dessus, duvetés dessous, avec un pétiole allongé et glanduleux. Inflorescences en corymbes plats et blancs, de 10 cm de Ø ; les fleurs du pourtour sont grandes et stériles, sans doute pour attirer les insectes sur les fleurs du centre, plus petites, sexuées et nectarifères. Fruits (p. 75) : à la fin de l'été, fruits globuleux, rouge vif, juteux, à une seule graine plate et rouge, légèrement vénéneux et demeurant sur l'arbrisseau jusqu'en hiver. **H** Forêts feuillus, taillis humides et prairies. **P** On faisait naguère des sifflets et des cannes avec le bois des rameaux et des troncs.

Viorne lantane (mancienne)
Viburnum lantana

| jusqu'à 5 m | 6-8 mm | V-VI |

C Arbrisseau aux branches flexibles, avec rameaux velus dans la jeunesse. Feuilles opposées, à court pétiole, elliptique à ovales, légèrement acuminées, à bord denticulé, avec des poils simples dessus, des poils ramifiés dessous, d'où une teinte gris blanchâtre. Fleurs hermaphrodites serrées et odorantes en gros corymbes blancs de 5-10 cm de Ø. Pollinisation par les insectes et par autofécondation. Fruits (p. 75) : dès VII, sortes de baies à tous les degrés de maturation, vertes, puis rouges, puis noires, dans le même corymbe. **H** Lisières des forêts, prairies, taillis, pentes pierreuses et ensoleillées. **P** On tressait naguère des paniers avec les rameaux flexibles et on en liait les gerbes de blé.

Chèvrefeuille
Lonicera xylosteum

1-3 m	10-15 mm	V-VI

C Arbrisseau buissonnant à branches brun-gris sombre et creuses, rameaux à court duvet tendre. Écorce s'écaillant. Feuilles rondes-elliptiques, acuminées, pétiolées, à bord plein, vert-gris et duveteuses dessous, vert éclatant dessus. Fleurs hermaphrodites blanches à faible parfum, virant au jaune pâle. Pollinisation par les bourdons. Fruits (p. 75) : maturation VIII-X ; baies rouge écarlate, brillantes, portées par deux sur un pédicelle commun. Vénéneux ! **H** Haies, parcs, taillis, lisières des forêts. **P** Fruits vénéneux. Le nom scientifique se réfère au bois (« xylon ») à consistance d'os (« osteon »).

Frêne élevé
Fraxinus excelsior

jusqu'à 40 m	3-4 cm	V

C Arbre imposant, au tronc droit et cylindrique, à ramure peu dense, ovoïde. Écorce jaune-gris, crevassée avec l'âge. Pousses annuelles gris clair brillant. Feuilles à long pétiole, opposées, imparipennées, avec 11 folioles lancéolées, acuminées, longues de 7-11 cm, dessous duveteux à la nervure médiane. Feuillaison après la floraison (VI). Fleurs en panicules, unisexuées ou hermaphrodites. Pollinisation éolienne. Fruits (p. 75) : maturation à partir de IX ; noisettes brun clair, aplaties, enchâssées dans une aile de 1 cm de largeur et 4 cm max. de longueur, en forme de languette. Tombent en hiver de l'arbre dénudé. **H** Sols profonds et riches en substances nourricières, humides voire marécageux ; souvent replanté. **P** Bois dur et élastique, utilisé en ébénisterie, en archerie, pour les équipements de sport et pour les skis.

Troène vulgaire
Ligustrum vulgare

jusqu'à 5 m	3-5 mm	VI-VII

C Arbrisseau aux branches droites, à écorce grise. Jeunes rameaux glabres, olive ou brunâtres, finement duvetés vers la pointe, pouvant former des marcottes naturelles. Forme par multiplication des buissons étendus (excellent pour les haies). Feuilles à court pétiole, glabres, opposées, allongées-lancéolées, dessus vert sombre, dessous plus clair. Fleurs hermaphrodites, blanc jaunâtre, en panicules pyramidales, à odeur fétide. Pollinisation par les insectes. Fruits (p. 75) : maturation à partir de VIII-IX ; baies globuleuses de 5 à 10 mm de Ø, noires, charnues, en grappes composées, avec 2-4 graines oléagineuses. Vénéneuses, elles restent souvent tout l'hiver sur l'arbrisseau. **H** Forêts de feuillus clairsemées, taillis, haies, sols calcaires et légers ; souvent cultivé. **P** Le jus violet des baies était utilisé naguère en teinturerie.

70

Epicéa (p. 46)

Genévrier commun (p. 48)

Pin sylvestre (p. 46)

Epine-Vinette (p. 48)

Mélèze (p. 46)

Noisetier coudrier (p. 48)

Charme Faux-Bouleau (p. 50)

Hêtre des bois (p. 52)

Aune blanchâtre (p. 50)

Chêne rouvre (p. 52)

Aune glutineux (p. 50)

Orme champêtre (p. 52)

Sorbier des oiseleurs (p. 54)

Framboisier (p. 56)

Allier (p. 54)

Ronce arbrisseau (p. 56)

Aubépine monostyle (p. 54)

Rosier de chien (p. 56)

Epine noire (p. 58)

Sycomore (p. 60)

Merisier à grappes (p. 58)

Plane (p. 60)

Marronnier (p. 58)

Erable champêtre (p. 60)

74

Fusain (p. 62)

Cornouiller sanguin (p. 64)

Bourdaine (p. 62)

Saule marsault (p. 64)

Nerprun purgatif (p. 62)

Tilleul à grandes feuilles (p. 64)

Sureau noir (p. 66)

Chèvrefeuille (p. 68)

Viorne obier (p. 66)

Frêne élevé (p. 68)

Viorne lantane (p. 66)

Troène vulgaire (p. 68)

Nénuphar blanc
Nymphaea alba

jusqu'à 3 m	100-200 mm	VI-IX

C Calice de 4 sépales entourant environ 20 pétales qui se transforment progressivement en étamines jaunes multiples. Les fleurs comme les feuilles, ovales, très échancrées, flottantes et coriaces, sont pourvues de longs pétioles élastiques, sortis de la racine rampant dans la vase. On trouve aussi des feuilles subaquatiques. **H** Appartient à la flore des plantes flottantes des étangs, marais et lacs, d'une profondeur max. de 3 m. **P** Les superbes fleurs blanches du nénuphar sont ouvertes de 7 heures à 16 heures, heure à laquelle elles se ferment rapidement, quelle que soit l'intensité du soleil. Excellent abri pour le frai des poissons.

Clématite-Vigne blanche
Clematis vitalba

3-8 m	20-30 mm	VI-IX

C Les fleurs de cette liane vénéneuse ont une odeur désagréable ; blanc jaunâtre, elles sont larges de 20-30 mm et pourvues d'un long pédoncule ; en fausses ombelles terminales partant de l'aisselle des feuilles. Une seule enveloppe florale faite de 4-5 sépales blancs intérieurement, jaune verdâtre à l'extérieur ; nombreuses étamines. Longs pistils pour les nombreux fruits ressemblant à des pelotes de laine ; ils s'allongent après la pollinisation pour former un organe de vol duveteux. **H** On trouve les clématites (une des rares lianes de l'Europe centrale) dans tous les types de forêts, où elles couvrent fréquemment les taillis qui la supportent. **P** La plante a des pétioles vrillants et demande beaucoup de lumière. Le pollen des fleurs est très apprécié par les abeilles et les mouches.

Anémone Sylvie
Anemone nemorosa

10-25 cm	20-40 mm	III-IV

C Cette Renonculacée a des fleurs blanches, souvent teintées de rougeâtre à l'intérieur des pétales ; ceux-ci (6-8) entourent de nombreuses étamines jaunes. Fleurs isolées. Trois feuilles radicales palmées, à bord grossièrement et irrégulièrement scié. **H** Forêts de feuillus et de conifères, dans les taillis et sur les pâturages de montagne. **P** Cette variété très répandue est une des fleurs précoces les plus typiques de nos forêts, à cause de son grand besoin de lumière. On la trouve fréquemment en colonies importantes. Elle est pollinisée par de nombreux insectes, les fruits étant disséminés par les fourmis. Fleur à pollen abondant, très appréciée des insectes pour cette raison.

Renoncule flottante
Ranunculus fluitans

jusqu'à 6 m	10-20 mm	VI-VIII

C Les fleurs blanches à long pédoncule de cette plante d'eau, de 1-2 cm de grandeur, se composent de 5 sépales verts et de 5 pétales blancs, jaunes à la base. Les tiges rondes, souples, s'allongent jusqu'à 6 m et portent des feuilles pétiolées immergées flottant parallèlement. Feuilles aériennes retombant en brosse très fine de cheveux ; très rares feuilles flottantes. **H** Cette variété se trouve de préférence dans des eaux courantes riches en oxygène (torrents et rivières rapides), en colonies importantes. **P** Pollinisation et fructification sont souvent gênées par les variations de niveau de l'eau. Pollinisation habituelle par les coléoptères et par les mouches.

Fraisier des bois
Fragaria vesca

5-20 cm	10-15 mm	IV-VI

C Les pétioles duveteux, sans feuilles, portent des fleurs blanches à 5 pétales qui entourent des étamines très jaunes. Les feuilles sont composées de trois folioles à bord scié, duveteuses en dessous. Sous le calice se développent à la saison les fruits délicieux, d'un rouge vif. **H** Cette Rosacée se trouve sur les lisières des bois, dans les clairières et sur les bords des taillis et des fourrés. **P** La fraise des bois n'est pas un fruit simple, mais composé : l'aisselle de la fleur porte de multiples petites graines. La multiplication se fait aussi par essaimage. On confond parfois cette variété avec le fraisier vert, mais les fruits de ce dernier restent généralement jaunâtres et sont fades.

Spirée ulmaire
Filipendula ulmaria

50-150 cm	5-10 mm	VI-VIII

C La tige glabre et anguleuse porte de multiples fausses ombelles ramifiées, très odorantes, d'un blanc jaunâtre. Cette « reine des prés » a des feuilles imparipennées, vert sombre, glabres dessus, feutrées de blanc en dessous ; la foliole terminale est palmée, divisée en 3-5 parties, les folioles latérales forment de 2 à 5 paires le long du pétiole. On faisait naguère macérer la plante pour obtenir un ersatz de boisson fermentée. **H** On trouve cette plante en colonies nombreuses et caractéristiques dans les prairies et alpages très humides, marais et forêts de marais, sur sols sablonneux ou argileux. **P** Cette variété contient des glucosides vénéneux, utilisés naguère en plante médicinale ; on mangeait le tubercule souterrain. On utilisait de la même façon la Filipendule *(F. vulgaris)*, très répandue.

Trèfle rampant
Trifolium repens

15-45 cm	8-12 mm	V-IX

C On a tendance à baptiser uniformément « trèfle » les innombrables variétés de cette espèce de Papilionacée. Les capitules ovoïdes et blancs de cette variété sont des fleurs uniques avec un calice de 10 nervures, sur de longs pédoncules. Après la floraison, les fleurs deviennent brun clair et pendent. Le capitule peut atteindre un Ø de 8-12 mm. Les feuilles se composent de 3 folioles ovales-renversées, finement dentelées ; on remarquera de surprenantes folioles violet-rouge sur la tige rampante qui peut atteindre 45 cm. **H** Le Trèfle rampant se trouve dans les prairies, dans les champs, dans les parcs et sur les bords des chemins. **P** La haute teneur en albumine de cette plante en fait un excellent fourrage.

Mélilot blanc
Melilotus albus

30-120 cm	4-5 mm	VI-IX

C Les fleurs blanches, de 4-5 mm de grandeur, sont disposées en grappes de 4 à 6 cm, aux extrémités des tiges hautes de 30 à 120 cm. Les feuilles palmées tripartites ont de 6 à 12 paires de nervures latérales et autant d'indentations. Le fruit, sorte de gousse noire longue de 5 mm, est nervuré et glabre. **H** Bords de chemins, mais aussi champs d'épandage et autres biotopes typiques des « mauvaises herbes », pour cette Papilionacée. **P** Comme toutes les autres variétés de Mélilot, celle-ci dégage, une fois desséchée, un parfum d'aspérule odorante (coumarine). Grâce à sa forte teneur en azote, cette plante, comme toutes les Papilionacées, est utilisée comme engrais. Elle est également très appréciée par les abeilles.

Oxalis
Oxalis acetosella

5-15 cm	10-15 mm	IV-V

C Appelée aussi « petite oseille » et « pain de coucou ». Les 5 pétales de cette Oxalidacée sont veinés de pourpre violet et entourés de sépales ovales allongés. Chaque fleur est unique sur un long pédoncule pourvu de deux stipules en écaille. Les feuilles de base ont de longs pétioles et sont tréflées. **H** L'oxalis affectionne les places ombreuses des forêts mixtes, aux sols humides riches en humus. **P** Un rhizome souterrain produit cette plante. Par grand soleil, les feuilles s'inclinent pour diminuer l'évaporation. Le goût amer des feuilles est dû à l'acide oxalique et aux oxalates, qui rendent la plante légèrement vénéneuse. On l'utilisait naguère pour relever les assaisonnements de salade...

Sanicle d'Europe
Sanicula europaea

| 20-50 cm | 3 mm | V-VII |

C Les feuilles de base à long pétiole de cette Ombellifère sont persistantes, palmées et divisées en 3-5 parties. Tige sans feuille, ou avec 1-2 petites. Fleurs en ombelles capitulées, blanchâtres ou jaunâtres. **H** Cette variété se trouve en abondance dans les forêts mixtes de feuillus et de conifères. **P** La plante contient des saponines, du tanin et du chicotin : on l'utilisait naguère pour soigner les blessures externes et les hémorragies internes. Les fruits globuleux, de 4-5 mm de Ø, sont pourvus de poils en brosse qui s'accrochent aux toisons des animaux, assurant ainsi la dissémination.

Grande Astrance
Astrantia major

| 30-100 cm | 2-4 cm | VI-IX |

C Les fleurs blanches, roses ou verdâtres de cette Ombellifère sont disposées en ombelles capitulées rondes caractéristiques, entourées de bractées blanches ou rougeâtres en forme de lancettes, longues de 10-30 mm. Les fleurs uniques ont de longs pétioles. Les feuilles de base, pétiolées, sont larges de 10-20 cm, palmées et profondément indentées en 5-7 parties. Les folioles sont grossièrement dentelées. **H** La variété affectionne les forêts de prairies, les taillis, les forêts de conifères et les pâturages de montagne. **P** La taille des bractées augmente celle des fleurs, ce qui a pour effet d'attirer les insectes, qui assurent la pollinisation. La fécondation de la fleur par elle-même est interdite par le fait que les fleurs femelles se développent avant les fleurs mâles.

Anthrisque des bois
Anthriscus silvestris

| 60-150 cm | 6-12 cm | IV-VIII |

C Appelée aussi « persil d'âne » et « cerfeuil sauvage », cette Ombellifère a 60-150 cm de haut. La tige est anguleuse, à poils durs à la base, les feuilles sont 2-3 fois pennées. Les fleurs sont en ombelles de 8-16 rayons, blanches ; pas d'involucre, mais des involucelles à 4-8 feuilles, ciliées sur les bords. Les fruits, lisses et brillants, atteignent 5-10 mm ; leur pédicelle reste toujours plus court. **H** On trouve l'Anthrisque des bois dans les prairies grasses et bien fumées, sur les lisières des chemins et des forêts, et dans les taillis. **P** La plante est un bon indicateur des terrains azotés, et se trouve en colonies importantes. Le cerfeuil cultivé *(A. Cerefolium sativum)* se distingue de l'Anthrisque des bois par son ombelle à 2-6 rayons et par sa tige faiblement cannelée.

Podagraire
Aegopodium podagraria

| 50-100 cm | 5-12 cm | V-IX |

C Appelée aussi « égopode des goutteux », cette Ombellifère a une tige juteuse de section triangulaire, creuse et glabre, avec des feuilles de base 2 fois tripartites. Les feuilles supérieures sont en ovale allongé, longues de 5-10 cm et sciées très aiguës. Fleurs en grandes ombelles composées plates, de 12-20 rayons, blanches ; ni involucre, ni involucelles dans cette variété. Les fruits ovales allongés ressemblent au cumin et sont longs de 3 mm environ. Rhizome souterrain. **H** Cette plante très répandue affectionne les forêts de prairies et de gorges, les haies, les jardins, les bords de chemin et les rives. **P** Plante médicinale appliquée en cataplasme contre la goutte et les rhumatismes, en lotion contre les piqûres d'insectes.

Berce spondyle
Heracleum sphondyleum

| 30-180 cm | 10-15 cm | VI-X |

C Les tiges creuses de cette Ombellifère sont fortes, anguleuses, à soies dures et profondément striées. Feuilles inférieures atteignant 40 cm, 3-4 fois lobées. Les feuilles supérieures tombent en raison du gonflement de leurs stipules. Fleurs en ombelles de 15-30 rayons, pouvant atteindre 15 cm de Ø. Pas d'involucre, mais involucelles lancéolées. Les fruits de la plante sont ailés et longs de 11 mm max. **H** Affectionne les prairies riches, les fossés, les forêts de marais, les buissons et les rives. **P** Pollinisation par les mouches et les coléoptères. Plante médicinale qui renferme de l'huile essentielle et de la furocoumarine. Elle donne aussi un très bon fourrage pour les lapins.

Carotte sauvage
Daucus carota

| 50-80 cm | 3-7 cm | V-VIII |

C Ombellifère haute de 80 cm et fleurissant de mai à août. Tige creuse, velue et striée, avec des feuilles 2 à 4 fois pennées. Fleurs en ombelles blanches, étalées en coupoles doucement bombées, qui changent de forme à maturité, formant alors une sorte de nid d'oiseau car les rayons de l'ombelle se recroquevillent. Involucre pennée, involucelles linéaires et simples. **H** La carotte sauvage se trouve dans les prairies, les champs, les chemins et les décombres, sur sols légers, cailouteux ou sablonneux. **P** Très fréquente, cette plante est la forme originale de la carotte cultivée. Riche en vitamines, utilisée pour ses vertus médicinales.

Alliaire officinale
Alliaria petiolata

20-100 cm	5-8 mm	V-VII

C Tige anguleuse, velue dans sa partie inférieure, atteignant 100 cm de haut ; les feuilles de base sont pétiolées, réniformes ou cordiformes, avec un bord largement crénelé ; les feuilles supérieures à pétiole court, sont triangulaires et dentelées irrégulièrement. On trouve de mai à juin les grappes de fleurs en fausse ombelle de cette Crucifère, formées d'éléments de 6 mm de long. Se développent ensuite des gousses de 3-7 cm de longueur sur le pistil écartelé. **H** Cette plante se trouve dans tous les biotopes des « mauvaises herbes ». **P** La plante, écrasée, dégage une forte odeur d'ail. Jadis utilisée comme plante médicinale.

Cresson officinal
Nasturtium officinale

10-90 cm	8-10 mm	V-VII

C Plante persistante sortant d'un axe rampant horizontal. Feuilles inférieures tripartites, feuilles supérieures imparipennées ; les folioles sont cordiformes, la foliole terminale étant plus grosse. Les petites fleurs blanches sont disposées en corymbes clairsemés ; anthères jaunes. **H** Appelé aussi « cresson de fontaine » et « santé du corps », on le trouve dans les ruisseaux clairs et les sources à fond sablonneux, eau courante froide. **P** Sa teneur en huiles essentielles et en vitamine C en fait une plante médicinale importante, utilisée pour les maladies rénales, pulmonaires, la goutte, le diabète et les carences vitaminées. Cueillies avant la floraison, les jeunes pousses sont mangées crues en salade ; on peut les associer aux pissenlits et aux feuilles d'ortie.

Cardamine des prés
Cardamine pratensis

10-40 cm	15-25 mm	IV-VI

C Fleurs blanches, roses ou d'un violet tendre, avec des étamines jaunes, pourvues de 4 sépales et de 4 pétales. Fleurs en grappes. Tige creuse, ronde, pouvant atteindre 40 cm. Les feuilles de base sont en rosettes, imparipennées ; les feuilles caulinaires, en revanche, sont linéaires. Les fleurs donnent naissance à des gousses de 2-4 cm de long, qui projettent au loin leurs graines. **H** On trouve cette variété dans des prairies humides, des marécages, des forêts de marais, sur les sols argileux à eaux souterraines. **P** Les prairies de la fin d'avril sont souvent semées de ces fleurs d'aspect très printanier. On trouve neuf autres variétés de *Cardamine*, mais limitées à des biotopes plus spécifiques.

Capselle-Bourse à Pasteur
Capsella bursa-pastoris

| 10-50 cm | 4-5 mm | II-XI |

C Les fruits, petites gousses triangulaires en forme de cœur, sont bien connus des enfants. Cette Crucifère a une tige ramifiée de 50 cm de hauteur max. Les fleurs, en grappe lâche à fausse ombelle terminale, sont larges de 4-5 mm, avec des pétales plus grands que les sépales. Les feuilles de base sont en rosette, à dents de scie, pennées ; les feuilles supérieures entourent presque la tige, elles sont entières et ont une base en pointe de flèche. **H** On trouve cette variété sur le bord des chemins, dans les champs et dans les décombres. **P** Plante médicinale qui contient de la choline et de l'acéthyl-choline.

Tabouret des champs
Thlaspi arvense

| 10-40 cm | 4-6 mm | IV-X |

C Les caractéristiques de cette Crucifère sont les silicules entourées d'une sorte d'aile membraneuse qui donnent aux fruits l'aspect de pièces de monnaie, malgré l'échancrure sommitale. Le Tabouret des champs atteint 40 cm de hauteur. Les feuilles supérieures vert clair sont sessiles, lancéolées, échancrées et dentelées ; celles de la base sont pétiolées et ovales allongées. Écrasées, elles dégagent une odeur de poireau. Des inflorescences en grappes apparaissent d'avril à octobre, faites de fleurs blanches larges de 4-6 mm. **H** On trouve le Tabouret des champs dans les décombres et dans les champs, parmi les mauvaises herbes. **P** Les graines sont projetées au loin par la plante elle-même, qui assure ainsi la dissémination.

Airelle-vigne-du-mont-Ida
Vaccinium vitis-idaea

| 5-25 cm | 6-10 mm | V-VIII |

C Fleurs pédonculées en grappes terminales, blanches, souvent teintées de rose. Les 5 sépales de ces fleurs hermaphrodites sont soudés par le bas, mais leurs pointes triangulaires sont distinctes et rougeâtres. Le calice de la fleur, blanc parfois veiné de rougeâtre, est fait de 5 pétales finement dentelés à la pointe ; d'abord ventru, il s'épanouit ensuite en recourbant vers l'extérieur l'extrémité des pétales. Les 10 étamines ont une base élargie et duveteuse, et des anthères jaune foncé à deux pointes ; elles sont plus courtes que le pistil du fruit noué plus ou moins abrité. **H** On trouve les airelles dans les forêts de feuillus et de conifères, sur les landes et dans les marais. **P** Les feuilles sont utilisées en tisane dans les maladies des voies urinaires ; les baies accompagnent merveilleusement les plats de gibier.

Radis ravenelle
Raphanus raphanistrum

20-60 cm	20-30 mm	V-IX

C Les fleurs blanches ou jaunes de cette Crucifère sont veinées de violet ; elles ont 4 sépales dressés. On trouve des graines mûrissantes dans les inflorescences : égrenées comme des perles, elles atteignent 10 cm de long, les gousses se terminant par un élément stérile en forme de bec. Les feuilles inférieures sont en forme de lyre et pennées ; les feuilles supérieures sont entières, irrégulièrement dentelées. La tige à poils raides atteint 60 cm max. de hauteur. **H** On le trouve en abondance sur les chemins qui passent près des champs de céréales ; il indique l'acidité des sols. **P** Diverses variétés assez proches de cette Ravenelle sont cultivées dans nos jardins comme le raifort et le radis noir.

Stellaire intermédiaire
Stellaria media

10-40 cm	6-10 mm	I-XII

C Appelée aussi « mouron des oiseaux », cette Caryophyllacée constitue souvent, avec ses tiges basses, de petits gazons. Les pousses sont rondes de section, garnies d'une rangée de poils alternant d'un nœud à l'autre. Les feuilles, ovales et pointues, sont pétiolées dans le bas de la tige et sessiles dans la partie supérieure. Les fleurs blanches sont caractérisées par des pétales fourchus qui ne dépassent que fort peu les sépales ; au centre de la fleur, 3-10 étamines avec des anthères violettes. Le fruit est une capsule qui ne dépasse que fort peu du calice et qui est très recherchée par les oiseaux. **H** La Stellaire affectionne les champs, les jardins, les rives et les forêts, ainsi que les décombres. **P** Cette plante très répandue accompagne les cultures et aime les terrains riches en azote. Elle est un peu utilisée en herboristerie.

Stellaire holostée
Stellaria holostea

10-40 cm	20-30 mm	IV-VI

C Les fleurs blanches, surprenantes, ont des pétales divisés jusqu'à mi-hauteur environ, deux fois plus longs que les sépales. La capsule du fruit qui se développe est globuleuse et s'ouvre en six volets. Les feuilles, persistantes, sont étroites et lancéolées, opposées et pointues, sessiles, sur une tige de section quadrangulaire. Celle-ci est duvetée légèrement dans sa partie supérieure. **H** Cette Caryophyllacée se trouve dans les forêts de feuillus, les taillis et les buissons, sur sols limoneux et sablonneux de préférence. **P** Les inflorescences de cette variété, fausses ombelles à rameaux fourchus, sont caractérisées par un mode de croissance spécial : deux pousses latérales poursuivent leur croissance, tandis que la pousse axiale marque une pause. On connaît 6 autres variétés de *Stellaria* outre la *media* et l'*holostea*.

Silène enflé
Silene vulgaris

| 10-50 cm | 10-20 mm | V-IX |

C Cette Caryophyllacée atteint 50 cm de haut, et surprend par les calices enflés de ses fleurs, à nervures réticulées (20). Les pétales sont divisés au 1/3 de la hauteur. Fausse ombelle lâche sur une tige dressée non gluante. Les feuilles elliptiques ou lancéolées, opposées, sont de couleur vert-bleu. **H** Affectionne particulièrement les pelouses mi-sèches, les chemins, les bosquets, les clairières et autres terrains pierreux. **P** Naguère plante médicinale à cause de la saponine. Les fleurs sont riches en nectar ; elles sont pollinisées par de nombreux papillons de nuit. Nombreuses variétés.

Lychnide blanc
Silene alba

| 30-100 cm | 20-30 mm | VI-IX |

C Caryophyllacée assez rare, résistante, dont les fleurs ne s'ouvrent que l'après-midi. Calice à 10 nervures, profond et ventru, long de 15-30 mm, qui laisse échapper un léger parfum. Les pétales blancs sont profondément divisés, la couronne est large de 20-30 mm. Fleurs dioïques groupées par 3 en inflorescences à l'aisselle des feuilles, légèrement velues et gluantes. La tige dressée, à plusieurs ramifications, porte des feuilles lancéolées ou ovales, pétiolées en bas, sessiles en haut ; la tige est alors duvetée et gluante. Le fruit est une capsule ovale à 10 indentations. **H** Cette variété affectionne les bords des chemins, les décombres. **P** La pollinisation de ces fleurs très odorantes se fait surtout par les papillons de nuit.

Liseron des haies
Calystegia sepium

| 1-3 m | 30-60 mm | VI-IX |

C Avec ses tiges longues de 1 à 3 m, cette Convolvulacée a un mouvement de recherche de 1 h 3/4 et s'enroule autour des autres plantes. Les feuilles longues de 8-15 cm sont cordiformes et profondément échancrées. Fleurs blanches en entonnoir, à l'aisselle de la feuille, atteignant 6 cm de Ø, avec des étamines serrées et velues. Le calice nu de la fleur est entouré de deux stipules cordiformes qui dépassent largement les sépales. Des tiges souterraines et rampantes propagent rapidement la plante. **H** Jardins et haies, mais aussi forêts et buissons humides, lisières des bois et des étangs, bords des eaux courantes. **P** La pollinisation se fait par les papillons de nuit qui déroulent leur trompe à l'intérieur du calice profond de la fleur. On connaît deux sous-espèces. C'est aussi une plante médicinale (glucosides et tanins).

Gaillet mou
Gallium mollugo

30-100 cm	2-5 mm	V-IX

C Cette Rubiacée atteint 70 cm de haut, avec une tige dressée, quadrangulaire, pourvue de feuilles lancéolées généralement verticillées par 8. La feuille elle-même est large de 2-8 mm, terminée en pointe effilée. Les 4 pétales des fleurs groupées en panicules blanches sont terminés par une pointe très fine, les pédoncules des fleurs étant plus longs que celles-ci. Appelé vulgairement « caille-lait », le gaillet est très fréquent dans nos campagnes ; il appartient à une espèce très largement représentée. **H** Il affectionne particulièrement les prairies riches en substances nourricières. **P** On utilisait naguère la plante pour la fabrication du fromage, grâce à la présure qu'elle contient. Employé également en médecine et en teinturerie.

Reine des bois
Gallium odoratum

10-30 cm	5 mm	IV-VI

C Les fleurs blanches de cette Rubiacée bien connue se présentent en fausses ombelles à longs pédoncules. La corolle en entonnoir est faite de 4 pétales. La tige quadrangulaire porte des feuilles lancéolées et effilées, verticillées par 6-9 et rugueuses sur les bords. Possède des émissaires souterrains rampants et des fruits hérissés et crochus. **H** La reine des bois est très fréquente dans les forêts mixtes clairsemées de feuillus, notamment de hêtres. **P** Les fleurs fanées sont très odorantes (coumarine). Ses propriétés dépuratives et sudorifiques la font employer contre les névralgies et les maux de tête. Enfin, on l'utilise également en parfumerie.

Euphraise vulgaire
Euphrasia rostkoviana

5-25 cm	10-15 mm	VI-X

C La plante peut atteindre 25 cm de haut. La fleur, unique, comporte une lèvre supérieure teintée de violet, une lèvre inférieure trilobée, à rayures violettes et taches jaunes. Les feuilles ovales sont dépourvues de pétioles, mais dotées de poils glanduleux, comme l'épi de la fleur. Tige montante ramifiée. **H** On trouve cette Scrophulariacée sur les prairies et pelouses mi-sèches. **P** La plante vit en semi-parasite, tirant l'eau et les sels nourriciers des autres plantes. Son nom populaire (« casse-lunettes ») vient de son emploi contre les inflammations des yeux, dû à sa teneur en aucubine, tanin et huiles essentielles. D'autres variétés de cette espèce sont largement répandues (*E. stricta*, etc.).

Lamier blanc
Lamium album

20-50 cm	20-25 mm	IV-X

C Le lamier blanc, appelé aussi « ortie blanche », appartient à la famille des Labiées. Il est dépourvu de poils urticants. Les feuilles pétiolées, opposées en coin, ont des dents pointues ; elles s'attachent à une tige creuse quadrangulaire. Les fleurs bilobées ont une lèvre supérieure en forme de casque à rebord tuyauté cilié. **H** On trouve les lamiers sur les bords des chemins et des prairies, dans les fossés, les haies et les décombres. **P** La plante est pollinisée par les bourdons. Elle révèle des terrains azotés. Plante médicinale, employée contre les maladies inflammatoires des voies digestives et respiratoires.

Raiponce
Phyteuma spicatum

20-80 cm	4-10 cm	V-VII

C Les fleurs blanc jaunâtre de cette Campanulacée sont disposées en épi, d'abord arrondi, puis allongé. A la pointe, les fleurs simples sont soudées. Les feuilles de base, cordiformes, doublement sciées, ont un long pétiole ; les feuilles caulinaires plus étroites, ont des pétioles de plus en plus court, pour finir par être sessiles en haut de la tige. **H** On trouve la raiponce dans toutes les forêts à sols légers, un peu humides, riches en humus. **P** La racine de la raiponce, comestible, est en forme de rave. La capsule du fruit foisonne de graines et possède des ouvertures par lesquelles la dissémination se fait au gré du vent. La pollinisation est assurée par les insectes.

Achillée au millefeuille
Achillea millefolium

15-80 cm	3-6 mm	V-X

C Les fleurs sont disposées en petits capitules de fausses ombelles, au bout d'une tige dressée et vivace ; elles sont ligulées, blanches ou rose-rouge à l'extérieur, tubuleuses et jaune-blanc à l'intérieur. Les sépales sont bordés de brun. Les feuilles sont allongées, bipennées, alternées sur la tige. **H** Pâturages, prairies, pelouses mi-sèches, bord des chemins sont les terrains de prédilection de cette composée très répandue. **P** Les propriétés vulnéraires de cette plante sont dues à sa teneur en huile essentielle et furocoumarine. On l'utilise en infusions toniques, stimulantes et antispasmodiques. Mais son suc peut irriter l'épiderme sensible si celui-ci est exposé au soleil, d'où d'indispensables précautions.

Pâquerette vivace
Bellis perennis

| 3-20 cm | 1-2,5 cm | II-XI |

C Fleurs en un capitule isolé appelé à tort « fleur », à l'extrémité d'une tige sans feuilles qui peut atteindre 20 cm de haut. Fleurs ligulées blanches ou teintées de rose à l'extérieur, fleurs tubuleuses jaune d'œuf à l'intérieur. Les feuilles spatulées, à bord crénelé, ovales-renversées, sont disposées en rosettes avec leur court pétiole à la base de la tige. **H** Cette fleur Composée, très répandue, se trouve dans les prairies, les pelouses, sur les bords des sentiers. **P** La pâquerette ayant besoin de lumière pousse de préférence sur les prairies rases et les pâturages régulièrement utilisés. Elle apparaît immédiatement après la fonte des neiges et supporte des froids de −15 °C.

Marguerite des prés
Leucanthemum vulgare

| 20-80 cm | 3-5 cm | V-IX |

C Fleurs en capitules isolés, comme pour la pâquerette, mais d'un diamètre plus grand ; fleurs ligulées blanches à l'extérieur, fleurs tubuleuses jaunes à l'intérieur. Tige dressée, qui peut atteindre 80 cm, pourvue de feuilles de base à long pétiole et crénelées ; feuilles supérieures sessiles, lancéolées et allongées, à bord scié. La coriacité de la tige velue est remarquable. **H** Prairies hautes, où on la trouve en masse, par groupes caractéristiques ; en montagne, elle pousse entre les rochers, dans des endroits ensoleillés. **P** Racines profondes pour cette plante composée pollinisée par les insectes. Dissémination par le vent et par les ruminants.

Scabieuse des champs
Galinsoga ciliata

| 10-80 cm | 0,3-0,8 cm | V-X |

C Les Allemands l'appellent « l'herbe aux Français » ! C'est une Composée à tige ramifiée et feuilles opposées dentées. Les petits capitules composent de fausses ombelles, à fleurs extérieures ligulées blanches (4-5), fleurs intérieures tubuleuses jaunes, et pédoncule glanduleux rouge et poilu. Les stipules des capitules sont entiers, lancéolés-linéaires. **H** « Mauvaise herbe » typique répandue dans les champs, les jardins, les vignobles et autres terrains azotés, légers et sablonneux. **P** Plante annuelle originaire d'Amérique du Sud, puis apportée en Europe et répandue vers le milieu du siècle dernier. On la confond souvent avec une espèce très voisine, la *Galinsoga parviflora*, dans laquelle les stipules sont divisés en trois.

Matricaire camomille
Matricaria chamomilla

| 15-40 cm | 1-2,5 cm | V-VIII |

C Appelée vulgairement « camomille allemande », cette Composée se distingue de la matricaire inodore par le réceptacle creux de ses capitules paniculés, et par sa forte odeur aromatique. Fleurs extérieures ligulées blanches, vite tombantes, fleurs intérieures tubuleuses jaunes à 5 indentations. Le capitule atteint un Ø de 25 mm. La tige dressée, glabre et ramifiée, de 40 cm de hauteur max., a des feuilles sessiles bi- ou tripennées avec de petites pointes linéaires. **H** Cette camomille se trouve dans les champs et au bord des chemins, sur des sols argileux non calcaires, azotés. **P** Ses vertus médicinales bien connues sont dues à l'huile essentielle qu'elle renferme, surtout dans ses fleurs, que l'on prépare en infusion.

Matricaire inodore
Matricaria inodora

| 10-50 cm | 3-4 cm | VI-X |

C A l'inverse de la Matricaire camomille décrite ci-dessus, cette variété de matricaire est sans odeur. Le réceptacle des capitules est pulpeux, et pourvu de fleurs tubuleuses jaunes, entourées de fleurs extérieures ligulées blanches, au nombre de 12 à 20. Les capitules ont un Ø de 30-40 mm. La tige, qui ne se ramifie que dans le haut, porte des feuilles 2-3 fois pennées, creusées d'un sillon en dessous ; elle peut atteindre 50 cm de haut. **H** Champs entretenus à l'engrais, bords des chemins et décombres sont les biotopes d'élection de cette plante qui aime les sols azotés. **P** Autre contraste avec la Matricaire camomille, l'inodore ne contient que très peu d'huile essentielle d'éther ; elle est cependant utilisée comme plante médicinale. On connaît encore deux autres variétés de *Matricaria*.

Carline à tige courte
Carlina acaulis

| 3-30 cm | 3-8 cm | VII-IX |

C Le capitule de cette Composée, large de 3 à 8 cm, n'est constitué que de fleurs tubuleuses blanches ou rosâtres. Les bractées intérieures longues de 3-4 cm, avec leur brillance d'un blanc argenté, donnent à la plante son aspect caractéristique. Les feuilles longues de 8-25 cm, profondément découpées, à pointes épineuses, forment une rosette au ras du sol. **H** La carline pousse sur les sols secs souvent cailloux, les pelouses mi-sèches, les landes, voire les lisières de forêt. **P** Pollinisée par les insectes, la carline est disséminée par le vent à l'aide des organes de vol chevelus des graines. Les bractées sont sensibles à l'humidité : elles se ferment par temps humide, et régulièrement le soir venu ; par temps sec, elles sont très largement ouvertes.

Plantain d'eau
Alisma plantago-aquatica

| 20-100 cm | 5-8 mm | VI-IX |

C La panicule verticillée en forme de pyramide de cette Alismacée s'élève jusqu'à 90 cm sur une tige dressée, pourvue de feuilles sur longs pétioles à la base, au-dessus de l'eau. Les fleurs isolées, hermaphrodites, ont des pédoncules longs et minces de 2 cm ; les 3 pétales extérieurs sont verts, largement ovales ; les 3 de l'intérieur sont 2 à 3 fois plus gros, blancs ou rougeâtres, avec un pistil jaune. Outre les feuilles aériennes en forme de cœur allongé, les jeunes individus ont des fleurs aquatiques sessiles étroites et onduleuses. **H** Le plantain commun pousse au bord des eaux dormantes (fossés, marais et marécages). **P** La plante contient un suc qui est légèrement vénéneux pour les bovins.

Stratiote Faux-Aloès
Stratiotes aloides

D

| 15-40 cm | 30-40 mm | V-VII |

C Au début de l'été, l'épaisse rosette de feuilles en entonnoir du stratiote se dégage de la vase où il a passé l'hiver et le printemps. Elle flotte à demi-immergée à la surface de l'eau. Un entrelacs de racines se forme à la base des feuilles gladiées, à bord scié et épineux, vert sombre, longues de 40 cm. A l'aisselle des feuilles se développent entre mai et juillet des inflorescences pédonculées. Les fleurs (3-4 cm) se composent de 3 sépales verts et de 3 pétales blancs ; ♂, elles sont pétiolées ; ♀, sessiles. **H** On trouve les colonies de stratiotes, souvent mêlées aux hydrocharides auxquelles ils sont apparentés, sur les bords des eaux dormantes ou à faible courant, riches en substances nourricières. **P** La prolifération se fait par les nombreux émissaires subaquatiques.

Ail des ours
Allium ursinum

| 20-50 cm | 15 mm | IV-VI |

C Cette Liliacée a généralement deux feuilles de base, ovales ou lancéolées, avec de longs pétioles. A la pointe de la tige triangulaire se trouve une fausse ombelle à fleurs nombreuses (5-20), d'un blanc éclatant, avec 6 pétales lancéolés et pointus caractéristiques. Les gousses sont absentes de l'inflorescence. **H** Pousse souvent en tapis très dense dans les forêts à sols argileux légers, riches en humus, avec des eaux souterraines. **P** Forte odeur d'ail à l'écrasement, perceptible également dans l'air ambiant. Huile essentielle d'éther et vitamine C font la valeur médicinale de cette plante, utilisée comme l'ail normal dans les problèmes de circulation. C'est un bon indicateur d'eaux souterraines. Dissémination par le vent, mais aussi par les fourmis.

Maïanthème à deux feuilles
Maianthemum bifolium

| 5-15 cm | 3-5 mm | IV-VI |

C Cette Liliacée délicate a des inflorescences en grappes paniculées de 8-15 éléments. Les fleurs, blanches, ont de courts pétioles et 4 pétales fort petits. Les feuilles de la tige sont deux, à court pétiole et cordiformes. Rhizome souterrain. Les feuilles de base à long pétiole se fanent à la floraison. **H** Aime l'ombre des forêts de feuillus et de conifères, au sol riche en humus. **P** Cette plante pousse assez isolée sur des sols à la surface légèrement acide, dont elle est ainsi un bon indicateur. Des baies rouges y viennent à l'automne, la dissémination étant alors assurée par de nombreux animaux. Légèrement vénéneuse.

Sceau de Salomon
Polygonatum multiflorum

| 30-70 cm | 10 mm | IV-VI |

C Les inflorescences, toutes du même côté de la tige généralement courbée, portent des petites fleurs campaniformes, groupées par 3-5 à l'aisselle des feuilles, blanches teintées de vert. Les feuilles ovales de cette Liliacée sont alternes en deux rangées, sur une tige ronde. **H** On trouve cette espèce à l'ombre des forêts de feuillus mélangés, parfois dans les forêts de conifères mélangés et dans les taillis. **P** Son surnom de « Sceau de Salomon » se réfère à la forme du stigmate visible sur les pousses mortes du rhizome rampant. Ce rhizome est très employé en herboristerie, contre la goutte et les rhumatismes. Les fleurs ne peuvent être pollinisées que par des bourdons à longue trompe ; la dissémination se fait par les animaux. Variétés voisines : *P. odoratum, P. verticillatum, P. vulgare.*

Muguet de mai
Convallaria maialis

| 10-25 cm | 5-8 mm | V-VI |

C Les fleurs blanches et odorantes de cette Liliacée sont égrenées en grappe unilatérale décombante. Les feuilles de base (2-3) sont largement lancéolées. Le parfum de la fleur est très intense et perceptible à grande distance. **H** Forêts de feuillus claires, mais aussi pinèdes, au sol léger riche en calcaire, sont les lieux de prédilection du muguet. **P** Les glucosides qu'elle contient rendent la plante vénéneuse : c'est un poison cardiaque, partiellement soluble dans l'eau où les fleurs ont séjourné. Nombreux cas d'empoisonnement par utilisation abusive en « remède de bonne femme ». Les baies rouge sang sont également vénéneuses ; les semences bleues sont disséminées par les animaux ; les insectes assurent la pollinisation.

Perce-neige
Galanthus nivalis

D | 8-25 cm | 20-25 mm | II-IV

C Appelée aussi « galanthe des neiges », cette Amaryllidacée très connue offre une fleur par tige, composée de 6 pétales inégaux : 3 grands blancs à l'extérieur, 3 petits verdâtres à l'intérieur, moitié moins longs, au bord profondément incurvé. Les deux feuilles de base sont étroites, charnues, de couleur vert-bleu, larges de 4 mm environ. H Forêts de feuillus au sol argileux, humide, riche en humus, à eaux souterraines ; prairies. P Ce sont très souvent des fleurs de jardin retournées à l'état sauvage. Les véritables fleurs sauvages sont rares. C'est la première nourriture annuelle des insectes, qui assurent la pollinisation.

Nivéole de printemps
Leucojum vernum

D | 10-30 cm | 15-25 mm | II-IV

C A l'opposé du perce-neige, fort proche, les 6 pétales de la fleur de cette Amaryllidacée sont identiques et se terminent en pointe avec une tache jaune-vert. Les clochettes sont également inclinées. De temps en temps, 2 fleurs sur une même tige. Stipules épaisses entourant la tige de la fleur sur 3-4 cm. Les feuilles sont linéaires, longues de 20-30 cm et larges de 1 cm. H Forêts humides, forêts des gorges et prairies humides. Sols calcaires. Vient souvent en masses importantes. P Les fleurs de cette plante vénéneuse ont un parfum intense. Elles sont pollinisées par les insectes. Assez proche, une variété estivale *(L. aestivium)* fleurit un peu plus tard.

Calle des marais
Calla palustris

D | 15-30 cm | 3-7 cm | V-IX

C Les feuilles cordiformes et brillantes de cette plante ont de longs pétioles et sont très coriaces ; elles sortent d'une racine permanente. Bractée blanche et massue ovoïde-sphérique sont caractéristiques de cette Aroïdée ; la massue est ici longue de 2-4 cm et multiflore, avec des fleurs hermaphrodites à la base et uniquement ♂ au sommet ; la bractée peut atteindre 7 cm de longueur. H Affectionne les rives des mares et des étangs, les marécages de forêt, les aulnaies et les tourbières, où elle forme d'importantes colonies. P Les fleurs sont pollinisées par les escargots. Les fruits rouges ressemblent à ceux de l'arum tacheté. Plante vénéneuse, que l'on utilisait jadis contre les morsures de serpent.

Céphalanthère à grandes fleurs
Cephalanthera damasonium

20-60 cm	15-20 mm	V-VI

C Tige dressée, à l'extrémité de laquelle se trouve un épi de 3 à 10 fleurs de couleur blanc crème, aux pétales serrés. Le rebord intérieur est jaune-orange. L'ovaire torsadé remplace le pédoncule. Les feuilles à 5-10 nervures ont une forme ovale-lancéolée. **H** Affectionne les sols calcaires légers des forêts de hêtres, plus rarement les forêts d'autres feuillus et de conifères. **P** Les fleurs de cette Orchidacée ne s'ouvrent que très peu et sont pollinisées par les insectes ; mais l'auto-pollinisation existe aussi. Un rhizome très ramifié permet à la fleur de survivre en hiver. Typique des coins ombreux de nos forêts.

Epipactis des marais
Epipactis palustris

D

20-50 cm	10-20 mm	VI-VIII

C La tige anguleuse de cette Orchidacée porte des feuilles allongées-lancéolées, larges de 1-2 cm, vert-gris. La grappe de fleurs 8-15 est presque unilatérale ; les 3 pétales extérieurs sont brunâtres, les intérieurs blancs. La lèvre bifide est caractéristique ; labelle à veines rougeâtres, arrondie à l'avant, séparée de la lèvre basale par une profonde encoche, cette dernière étant veinée de blanc et de rouge. **H** La plante affectionne les marais et les prairies marécageuses, les sols calcaires. Elle est assez rare. **P** L'avant du labelle permet aux insectes pollinisateurs de se poser (abeilles et guêpes). L'autopollinisation se produit aussi.

Orchis à deux feuilles
Platanthera bifolia

D

20-40 cm	10-18 mm	V-VII

C La tige de cette Orchidacée porte de petites feuilles lancéolées. Elle se termine par une inflorescence aux fleurs espacées, longue de 5 à 10 cm. Les 3 pétales extérieurs de la fleur odorante sont écartés, les pétales intérieurs forment un casque ; le labelle, d'une seule pièce, est linéaire et beaucoup plus long que large. Caractéristiques également, les étamines parallèles et l'éperon fin et allongé (15-22 mm). 2 ou 3 feuilles basales de forme ovale. **H** Affectionne les forêts claires de feuillus et de conifères, et les pelouses clairsemées. **P** La pollinisation est assurée par les papillons de nuit, attirés par l'odeur de la fleur ; une capsule riche en graines se développe en guise de fruit. A l'opposé de la céphalanthère décrite ci-dessus, l'orchis a besoin de lumière.

Nénuphar jaune
Nuphar luteum

jusqu'à 4 m	40-60 mm	VI-IX

C Appelée aussi « lys des étangs », cette Nymphacée possède un rhizome très ramifié. Les larges feuilles ovales, découpées en forme de cœur, flottent au bout des tiges pouvant atteindre 4 m de longueur ; elles portent des nervures pennées. Les 5 pétales jaunes entourent de 7 à 24 étamines, avec un stigmate rayonnant au centre. Pour attirer les insectes pollinisateurs, les fleurs répandent un parfum très intense, légèrement alcoolisé. **H** On trouve les nénuphars jaunes dans les eaux stagnantes ou de faible courant, riches en substances nourricières. **P** A l'opposé du nénuphar blanc, les pétales ne sont pas de vrais pétales, mais des sépales colorés. Les pétales se sont transformés en étamines.

Caltha des marais
Caltha palustris

15-35 cm	15-45 mm	III-VI

C Peu de plantes offrent au regard le jaune éclatant des fleurs, comme cette Renonculacée. Les fleurs atteignent un Ø de 45 mm et sont composées de 5 grands sépales jaunes. Les feuilles d'un vert sombre profond sont cordiformes ou réniformes, larges de 15 cm, avec un bord finement crénelé. La tige, couchée ou montante, est creuse. **H** Cette variété est très difficile sur ses conditions de vie : elle n'accepte que les lieux très humides, riches en eaux souterraines (prairies marécageuses, bords des étangs et des rivières, forêts des marais). **P** Légèrement vénéneuse, la plante est pollinisée par les insectes. Ses graines peuvent se disséminer en flottant. Il existe plusieurs sous-espèces.

Ficaire fausse Renoncule
Ranunculus ficaria

5-20 cm	20-30 mm	III-V

C La corolle de cette fleur précoce est formée de 3 sépales et de 8-12 pétales d'un jaune éclatant. La tige, montante ou couchée, porte des feuilles rondes ou cordiformes, brillantes, au bord crénelé. **H** On trouve cette Renonculacée dans les forêts humides, les forêts mixtes et les parcs humides. **P** Avec ses tiges poussant à chaque nœud, cette plante forme souvent de petites étendues de gazon. La multiplication végétative est assurée par de petits bulbes qui se développent à l'aisselle des feuilles. La pollinisation est assurée par de nombreux insectes, la dissémination par les fourmis. Le nom allemand de la plante (« l'herbe au scorbut ») se réfère à l'utilisation qu'on en faisait naguère contre cette maladie, à cause de sa richesse en vitamine C. Utilisée aussi contre les verrues.

Bouton d'or
Ranunculus acris

20-100 cm	15-25 mm	IV-X

C Cette Renonculacée peut atteindre 1 m de hauteur, avec des fleurs jaunes d'or légèrement tombantes qui peuvent mesurer jusqu'à 2,5 cm de Ø. Les sépales et la tige sont couverts de poils appliqués. Les feuilles de base sont divisées en 5-7 parties et longuement pétiolées ; les feuilles supérieures sont divisées en 3-5 parties, sessiles ou pourvues d'un très court pétiole. **H** On trouve le bouton d'or (appelé aussi « renoncule âcre » et « bassin d'or ») dans les prairies, les pâturages et sur les bords des chemins. **P** Le goût très amer de la plante empêche les bestiaux d'en manger : elle est vénéneuse à ce moment. Séchée, elle perd ce caractère. Très répandu, le bouton d'or donne à nos prairies, d'avril à mai, leur aspect caractéristique.

Renoncule rampante
Ranunculus repens

10-50 cm	20-30 mm	V-IX

C Parmi les nombreuses Renonculacées, celle-ci est l'une des plus fréquentes. De mai à septembre, ses fleurs d'un jaune d'or, larges de 2 à 3 cm, parsèment les prairies. Elles sont portées par une tige à rejets rampants de 10 à 50 cm, les pétales étant enserrés par les sépales. Les rejets se forment au point d'insertion des feuilles. Les feuilles de base, tripartites, sont formées de pennes à triple indentation. Les feuilles supérieures ressemblent aux feuilles de base, mais sont sessiles. **H** Cette variété se trouve dans les prairies humides, sur les chemins et sur les rives ; également dans les régions alpines. **P** Bon indicateur de la présence d'azote dans le sol, la plante est légèrement vénéneuse. Le genre *Ranunculus* comporte 30 variétés dans notre flore.

Adonis du printemps
Adonis vernalis

D

10-30 cm	30-70 mm	IV-V

C Les fleurs isolées terminales peuvent atteindre 7 cm de Ø ; 10-20 pétales en forment la corolle, entourée à la base par des sépales ovales légèrement duvetés. Tout près de la fleur, 3 feuilles verticillées ; les autres feuilles sont à la base. Toutes les feuilles sont pennées et laciniées et presque dépourvues de pétiole. **H** Pelouses ensoleillées, prairies de landes, forêts de conifères clairsemées ; sols calcaires et sableux. **P** L'autopollinisation est interdite par un phénomène de maturité retardée des fleurs mâles. L'adonis du printemps contient des glucosides de digitale, particulièrement vénéneux, que l'on utilise parfois en médecine dans les maladies cardiaques.

Grande Chélidoine
Chelidonium majus

30-70 cm	10-20 mm	V-IX

C Les fleurs jaunes d'or, larges de 1-2 cm, forment des ombelles de 2 à 8 éléments. Les 4 pétales de la corolle fanent et tombent rapidement. La tige ramifiée, légèrement velue, haute de 70 cm max., porte des feuilles sessiles pennées. Les folioles sont crénelées ou dentées, vert-gris au-dessous. De longues gousses de 2-5 cm de long sortent des fleurs et se dressent verticalement. **H** On trouve la Grande Chélidoine sur les bords des chemins, dans les décombres, dans les murs et les haies. **P** L'extrait de la racine de cette plante était jadis employé contre les maladies de foie. Le suc laiteux jaune orangé de la plante était employé populairement contre les verrues. Cette plante accompagne les cultures et indique les terrains azotés.

Sédum âcre
Sedum acre

5-15 cm	12-15 mm	VI-VII

C La fausse ombelle pauciflore de cette Crassulacée présente des fleurs à 5 pétales en forme d'étoile, dont la longueur peut atteindre 8 mm. La tige, rampante ou dressée, porte des feuilles sessiles, épaisses, charnues, ovales, de 5 mm de longueur max. **H** On trouve le sédum âcre (appelé aussi « orpin brûlant ») dans les fentes des murs, les empierrements de chemin de fer, sur les sols peu profonds, caillouteux. Il ne vient que par individus clairsemés. **P** Le nom latin vient de *sedere* (« s'asseoir ») et fait allusion à la situation favorite de la plante sur les sols caillouteux. Les feuilles charnues contiennent un alcaloïde vénéneux qui provoque des vomissements mais constituent, pour la plante, les réserves d'eau qui lui permettent de tenir sur les terrains secs. Pollinisation par les insectes.

Alchémille vulgaire
Alchemilla vulgaris

10-50 cm	2-4 mm	V-IX

C Les fleurs vert-jaune clair sont peu visibles ; elles se présentent en panicules terminales assez lâches. Larges de 2-4 mm, elles ne sont composées que de sépales, renfermant 4 étamines. Les feuilles sont rondes et réniformes, avec 7-11 lobes dentés sur les bords, avec des indentations au 1/3 de la largeur. Le duvet peut se trouver aussi bien sur la tige que sur l'inflorescence. **H** Cette Rosacée aux sous-espèces nombreuses se trouve dans les prairies, les lisières des bois, et autres lieux humides au sol argileux. **P** Aux premières heures du matin, les feuilles ont de l'eau au milieu du limbe, secrétée pendant la nuit. On utilisait jadis la plante pour soigner les parturientes.

Potentille anserine
Potentilla anserina

| 10-50 cm | 18-25 mm | V-VIII |

C Tiges rampantes ou montantes, rougeâtres, qui émergent de la touffe de feuilles de la base dans toutes les directions. Elles poussent à l'endroit des nœuds et servent ainsi à la multiplication végétative. Les feuilles (25 cm de long max.) de cette Rosacée sont multipaires et pennées, avec des folioles profondément sciées duvetées de blanc au-dessous. De mai à août se développent des fleurs jaune d'or à long pédoncule ; les 5 pétales arrondis sont deux fois plus longs que les sépales du calice. **H** Sols humides, riches en substances nourricières. **P** Le nom latin de la plante, dérivé de *potentia* (« puissance »), fait référence à l'usage médicinal que l'on faisait naguère de cette plante dans de nombreuses maladies.

Potentille rampante
Potentilla reptans

| 30-100 cm | 15-25 mm | V-VIII |

C Appelée aussi « quintefeuille », cette variété de Rosacée est très proche de la précédente. La tige rampante ou montante peut atteindre 1 m, avec des radicelles à chaque nœud. Les feuilles sont longuement pétiolées, divisées en 5-7, avec des folioles ovales-renversées, grossièrement sciées sur les bords. Aux aisselles des feuilles se développent des fleurs à 5 pétales, apparaissant de mai à août, de couleur jaune d'or. Leur Ø atteint 2,5 cm. **H** Bords de chemins, champs, prairies, rives et décombres. **P** Variété pinière souvent associée à la précédente, indicatrice des terrains azotés. De nombreuses espèces hybrides se sont développées.

Benoîte des villes
Geum urbanum

| 20-60 cm | 6-15 mm | V-IX |

C Fleurs jaune d'or en panicule lâche pour cette Rosacée. Son style est recourbé en forme de crochet, à partie haute glabre. Le calice vert est toujours rabattu à l'époque de la fructification. La tige, très ramifiée, porte des feuilles tripennées, avec des stipules foliolées. **H** La plante aime les sols azotés et humides ; on la trouve dans les forêts de feuillus et les forêts mixtes, dans les décombres, sur les chemins, dans les buissons, souvent en grande quantité. **P** La racine contient une huile essentielle légèrement vénéneuse ; on l'employait autrefois desséchée en guise de condiment. On y trouve également des tanins qui la faisaient employer dans les cas de fièvre, de maladie de foie. Surnom populaire : « herbe à la fièvre ».

Sarothamne à balais (Genêt à balais)
Sarothamnus scoparius

50-200 cm	20-25 mm	V-VII

C Tige dressée, striée et anguleuse, qui porte des feuilles digitées tripartites, entières dans le haut de la plante. Les fleurs jaune clair de cette Papilionacée sont isolées ou par deux. Leur long pistil est enroulé. **H** Terrains sablonneux, pauvres en calcaire : bords de chemins, lisières des bois, clairières. Plante typique des endroits secs. **P** On utilise les branches pour confectionner des balais, d'où le nom. La teneur en alcaloïdes divers explique l'utilisation en herboristerie, pour les maladies de cœur et de circulation. La pollinisation se fait par les bourdons et les abeilles.

Mélilot des champs
Melilotus officinalis

30-100 cm	5-7 mm	V-IX

C Cette plante bisannuelle de 1 m de hauteur max. a une tige anguleuse, ramifiée, porteuse de feuilles tripartites digitées, aux folioles allongées et dentées. Ses petites fleurs jaunes, à odeur de miel, sont disposées en longues grappes étroites. Odeur caractéristique de coumarine après séchage. **H** Cette Papilionacée affectionne les bords de chemins et de champs, les murs et les décombres. **P** Le glucoside contenu dans la plante (mélilotoside) se combine pour donner de la coumarine, utilisée en médecine pour ses vertus calmantes et émollientes, contre les ulcères et les traumatismes. Mais l'absorption peut provoquer des vomissements. Indicateur d'azote, le mélilot accompagne les cultures et fournit un bon fourrage et des fleurs pour les abeilles.

Luzerne lupuline
Medicago lupulina

10-60 cm	2-5 mm	IV-IX

C Papilionacée fréquente et très robuste, dont les fleurs, isolées, n'ont que 5 mm max. de longueur, mais sont groupées par 10-50 en capitules sphériques d'un bel effet. Les feuilles sont tripartites et digitées, chaque foliole étant ovale allongée, souvent bordée à l'extrémité et pourvue d'une petite indentation. Le dessous des feuilles est velouté. Le bord des feuilles est finement scié. Les fruits qui se développent à partir des fleurs sont courbés ou enroulés. **H** Pelouses mi-sèches, bords des chemins, champs, empierrements de chemins de fer, et autres sols pauvres en substances nourricières. **P** Plante indicatrice des sols azotés, avec une tendance nette au foisonnement.

Anthyllis vulnéraire
Anthyllis vulneraria

| 10-30 cm | 10-20 mm | V-VIII |

C La tige de la vulnéraire, qui peut atteindre 30 cm de haut, est couchée ou montante. Les feuilles sont imparipennées, avec une foliole terminale plus grande que les folioles latérales, qui manquent parfois aux feuilles inférieures. Toutes les folioles sont ovales-allongées. Les fleurs jaunes sont groupées en un capitule qui peut atteindre 2 cm de Ø. **H** Sols sablonneux ou caillouteux, légers ; pelouses sèches et mi-sèches, bords des chemins, carrières. **P** Comme le nom latin l'indique, la plante était autrefois utilisée contre les blessures. Cette Papilionacée est pollinisée par les bourdons.

Lotier corniculé
Lotus corniculatus

| 10-45 cm | 15 mm | V-IX |

C Appelée aussi « pied de poule », cette Papilionacée tire son nom latin des fruits recourbés en forme de cornes. Les fleurs sont groupées par 5-10 en capitules d'ombelles ; l'étendard de chaque fleur est redressé et souvent teinté de rouge. La tige anguleuse est montante ou couchée et pourvue de feuilles à 5 parties, avec 2 folioles sessiles à la base. **H** On trouve le lotier dans toutes sortes de prairies, sur les bords des chemins et dans les carrières. **P** Ses racines profondes peuvent atteindre 1 m, ce qui lui permet de vivre dans des endroits très secs. On distingue deux autres sous-espèces (*L. siliquosus* et *L. uliginosus*).

Gesse des prés
Lathyrus pratensis

| 20-100 cm | 10-20 mm | VI-VIII |

C Atteignant 1 m de hauteur, cette Papilionacée porte à l'extrémité de la tige anguleuse des fleurs jaunes groupées en grappes par 3-10 éléments. Chaque fleur mesure 1 à 2 cm. Feuilles pennées à deux folioles lancéolées et vrille. Au bas du pétiole de chaque feuille, deux stipules sont à peu près de même taille que les folioles, mais sagittées. **H** Très fréquente dans les prairies grasses, prairies marécageuses et autres sols riches en substances nourricières, par groupes clairsemés. **P** Cette plante contient du chicotin et le bétail ne la mange pas. Indicateur des sols azotés, elle contient une forte proportion d'albumine, ce qui en ferait un excellent fourrage pour sa valeur nutritive. La genèse de l'azote se fait sans l'intervention de minéraux contenus dans le sol.

Onagre bisannuelle
Œnothera biennis

50-100 cm	25-30 mm	VI-IX

C Venue de l'Amérique du Nord, cette Onagrariée a une tige dressée et normalement non ramifiée, avec des fleurs de 3 cm de large groupées en grappe terminale. Près du sol, des feuilles longues de 15 cm forment une rosette. Les feuilles de tige sont nettement plus petites et finement sciées. Une capsule linéaire de 3 cm de longueur se développe en guise de fruit, avec des graines glabres et des poils étonnamment feutrés. **H** Affectionne les sols sablonneux, mais aussi les rives des eaux et les carrières. **P** La pollinisation de cette variété se fait par les papillons de nuit.

Impatiente ne-me-touchez-pas
Impatiens noli-tangere

30-80 cm	20-30 mm	VII-IX

C Les fleurs jaunes de cette Balsaminacée sont disposées en grappes de 2-4 fleurs. Les pétales sont soudés par deux, mouchetés de rouge à l'intérieur. A remarquer l'éperon étonnant recourbé vers le bas. La tige, ramifiée et translucide, porte des feuilles alternées ovales, grossièrement dentées. **H** Affectionne les forêts de feuillus, de conifères et de marais humide. On trouve également l'impatiente sur les bords des eaux. **P** Le nom de la plante vient du mode de dissémination. Les graines, contenues dans une capsule sous pression, sont projetées jusqu'à 2 m dès qu'on effleure la capsule. Il existe une autre variété, *I. parviflora*. Plante typique des sous-bois.

Euphorbe petit Cyprès
Euphorbia cyparissias

15-50 cm	5-8 cm	IV-VII

C Dans la famille des Euphorbiacées, l'Euphorbe petit Cyprès est l'une des plus répandues. Son suc laiteux contient une substance vénéneuse qui caractérise le genre *Euphorbia* tout entier. La tige, qui peut atteindre 50 cm de hauteur, porte des feuilles linéaires étroites, vert clair, très nombreuses sur les pousses non fleuries. Les fleurs se présentent en fausses ombelles à 9-15 éléments, avec des petites glandes à deux cornes, de couleur jaune. Chaque inflorescence possède un involucre jaune clair réduit. Le fruit est une capsule à fines verrues. **H** Pelouses sèches et mi-sèches, bords de chemins, buissons et falaises. **P** Un champignon à demi parasite, l'*Uromyces pisi*, (« rouille des petits pois ») envahit parfois la plante, modifiant alors totalement son aspect.

Millepertuis perforé
Hypericum perforatum

30-100 cm	20-30 mm	VI-VIII

C La tige dressée, ramifiée de cette Hypéricacée porte des feuilles opposées, ovales-allongées, marquées de points transparents, avec des glandes noires sur les bords. Les fleurs jaunes se présentent en ombelles paniculées exubérantes. Les pétales sont asymétriques et ponctuées de noir. Un fruit à capsule se forme le moment venu. **H** Forêts clairsemées, pelouses mi-sèches, taillis et bords des chemins sont les lieux de prédilection. **P** Cette plante, qui apparaît perforée de mille trous (« pertuis » en vieux français), contient dans les glandes de ses feuilles des huiles essentielles qui la font employer pour les brûlures et les coupures.

Violette des champs
Viola arvensis

5-20 cm	10-15 mm	IV-X

C Cette Violacée discrète étonne par sa variabilité. Alors qu'elle n'a que 20 cm de hauteur max., ses fleurs larges de 15 mm sont tout de suite visibles sur les bords des chemins. Les pétales jaunâtres, striés de violet (assez proches de ceux d'une variété voisine, *V. tricolor*), sont au maximum de la taille des sépales. Les feuilles secondaires sont pennées, ovales-lancéolées ou linéaires. **H** On trouve cette violette dans les champs, sur les bords des chemins, et dans les décombres. **P** Plante médicinale utilisée en décoction contre les maladies digestives et intestinales, et contre les refroidissements.

Herbe d'or
Helianthemum nummularium

10-30 cm	8-20 mm	V-IX

C La tige ligneuse de cette Cistacée est caractéristique ; elle porte des feuilles roulées sur les bords, duvetées de gris sur la face inférieure, et ciliées. Les stipules lancéolées sont plus longues que le pétiole. Les sépales sont souvent colorés de rougeâtre. **H** Plante aimant la chaleur, l'Herbe d'or (ou « hélianthème vulgaire ») affectionne les pelouses sèches et mi-sèches, les landes, les lisières des bois et les forêts de conifères au sol léger, souvent calcaire, et plat. **P** Les fleurs sont photosensibles, ouvertes par grand soleil, refermées verticalement par mauvais temps. On connaît 2 autres variétés d'hélianthème, l'*H. alpestre* et l'*H. canum*.

Sisymbre officinale
Sisymbrium officinale

20-80 cm	3-5 mm	V-IX

C Les fleurs jaunes de « l'herbe aux chantres » sont assez petites et toujours redressées, bien qu'elles soient disposées en grappe terminales. Ces grappes, courtes au moment de la floraison, s'allongent ensuite. Les fruits sont des gousses nervurées longues de 1-2 cm. Les feuilles du bas de la tige sont sessiles, avec de profondes échancrures entre les folioles ; celles du haut sont linéaires et aiguës avec deux stipules allongés. **H** Cette Crucifère se plaît dans les champs, sur le bord des chemins et autres sols azotés, qu'elle indique bien. **P** Plante médicinale utilisée autrefois contre les infections du larynx et des poumons. Plante pionnière, accompagne généralement les cultures.

Moutarde des champs
Sinapis arvensis

30-80 cm	8-12 mm	V-IX

C La tige et les feuilles de cette Crucifère sont velues. Les fleurs, de 1,2 cm de largeur max., ont les sépales séparés et écartés en angle droit. Les feuilles du bas de la tige sont pétiolées, très échancrées et irrégulièrement dentelées ; elles atteignent 20 cm de longueur. Celles du haut sont sessiles, entières, ovales-lancéolées. Le fruit, caractéristique, est une gousse glabre longue de 2-4 cm, avec une excroissance noire, étroite, longue de 1-1,5 cm, qui renferme les graines. **H** Champs, lisières des chemins, décombres, parfois aussi dans les jardins. Sols calcaires ou argileux, riches en substances nutritives. **P** Plante médicinale, dont les graines contiennent de l'huile essentielle de moutarde. Pour la fabrication de la moutarde, on utilise les graines d'une autre variété, la *S. alba* (« moutarde blanche »).

Réséda jaune
Reseda lutea

20-50 cm	8-12 mm	V-IX

C La tige dressée de cette Résédacée porte des feuilles 1-2 fois pennées, au bord onduleux, avec quelques sections grossièrement sciées. Le pétiole est petitement stipulé. Les fleurs jaune clair sont disposées en grappes à forme d'épi ; 2 des 6 pétales (ceux d'en haut) sont plus longs que les autres. **H** Le Réséda jaune se trouve sur les remblais de chemin de fer, sur le bord des chemins, dans les décombres, les carrières et autres sols cailloux, mais nourriciers. Il se propage le long des voies ferrées. **P** Plante médicinale, à cause de l'huile essentielle de moutarde contenue dans les graines. Deux autres variétés se trouvent : *R. luteola*, plante tinctoriale, et *R. odorata*, qui orne les jardins de ses fleurs blanc jaunâtre, et surtout les embaume de son parfum.

Primevère officinale
Primula veris

10-20 cm	8-12 mm	IV-V

C Cette Primulacée est fort connue, mais bien peu savent qu'il existe deux variétés, la P. officinale et la P. élevée décrite ci-dessous. Comparées l'une à l'autre, les deux frappent par leur couleur intense. Les fleurs du « coucou » (c'est le nom populaire de la *P. veris*) sont disposées en ombelles unilatérales, avec un calice ventru. La gorge des fleurs est tachetée de rouge et la corolle s'épanouit en forme de cloche. La tige peut atteindre 20 cm de hauteur. Feuilles de base disposées en rosette, de forme ovale-allongée, avec un bord crénelé. **H** Prairies, forêts clairsemées, pelouses sèches, sols calcaires. **P** La pollinisation est faite par les abeilles et les bourdons, la dissémination des graines par le vent.

Primevère élevée
Primula elatior

10-30 cm	15-20 mm	III-V

C La « grande primevère » se distingue de sa sœur officinale par le rebord plat de sa corolle d'un jaune soufre. Le fond de la corolle est d'un jaune plus sombre. Le calice serre de près la corolle et se compose de sépales lancéolés dentelés. Fleurs faiblement odorantes. Les feuilles sont situées vers le bas de la tige ; elles sont longues de 10-20 cm, irrégulièrement dentelées, et vont en se rétrécissant. **H** Forêts de feuillus, spécialement des gorges et des prairies humides. **P** Pollinisée par les abeilles et les bourdons, la plante développe un fruit en capsule, dont les graines sont disséminées par le vent. Pas d'autofécondation à cause des déformations d'étamines de certains individus.

Lysimaque nummulaire
Lysimachia nummularia

10-50 cm	12-15 mm	V-VII

C La tige couchée ou montante de cette Primulacée porte des feuilles alternées rondes ou elliptiques. A l'aisselle de ces feuilles se développent, par 1-2, des fleurs d'un jaune citron à long pédoncule. L'intérieur de la corolle est ponctué de glandes d'un rouge sombre. **H** Aimant l'azote et les sols argileux, la Lysimaque se trouve dans les prairies humides, sur les rives, dans les fossés, sur le bord des chemins et dans les forêts au sol humide. Très fréquente et abondante sur les sols favorables. **P** Le nom fait référence à la forme de pièces de monnaie, mais aussi au médecin grec antique Lysimaque. Les feuilles contiennent des saponines et des tanins. La pollinisation est faite par les mouches ; des émissaires des racines assurent également une extension assez rapide de la plante. Variété assez proche de la *L. vulgaris* (voir p. 130).

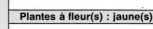

Lysimaque vulgaire
Lysimachia vulgaris

50-150 cm	10-15 mm	VI-VIII

C Génétiquement proche de l'espèce ci-dessus décrite, la Lysimaque vulgaire s'en distingue par plusieurs traits. Les fleurs jaunes sont disposées en panicules terminales à bractées. Les pétales sont enserrés dans des sépales pointés de rouge en leur extrémité. La tige, velue et légèrement anguleuse, porte des feuilles opposées ou verticillées par 3-4, ovales-allongées, qui atteignent 14 cm de long et sont ponctuées de glandes. **H** Cette Primulacée, appelée vulgairement « chasse-bosse », se trouve dans les fossés, sur les rives des marais et des cours d'eau, dans les sols tourbeux et très humides. **P** La pollinisation se fait par les mouches et d'autres insectes. Un fruit en capsule se développe à la saison.

Gaillet vrai
Galium verum

10-100 cm	2-4 mm	V-IX

C Les fleurs de cette Rubiacée se présentent en panicules terminales multiflores, de couleur dorée à jaune citron, avec de petits pétales pointus. Forte odeur de miel. Les feuilles en forme d'aiguille sont duvetées en dessous, et verticillées par 6-12. La tige est dressée ou montante, arrondie, avec quatre lignes saillantes. **H** Pelouses sèches ou mi-sèches, forêts de mélèzes, prairies, buissons. **P** Appelé aussi « caille-lait jaune » et « fleur de la Saint Jean », le Gaillet était employé jadis pour la fabrication du fromage, à cause de la présure qu'il contient. C'est toujours une plante médicinale utilisé pour les maux d'estomac, les maladies cutanées et les troubles nerveux.

Bouillon blanc
Verbascum thapsus

10-170 cm	20-25 mm	VII-IX

C La grande taille de cette Scrophulariacée attire les regards. Les fleurs d'un jaune clair se présentent sous forme d'une longue grappe dense à poils glanduleux. 2 des 5 étamines (celles du dessous) sont glabres, les 3 autres sont laineuses. Des feuilles forment une rosette de base, ovales-allongées, de 40 cm de longueur max. ; sur la tige, feuilles ovales-lancéolées au limbe décurrent jusqu'à la feuille du dessus. Feuilles et tige sont densément feutrées. Le fruit est une capsule. **H** Décharges, bords des chemins, rives, remblais de chemin de fer et autres sols légers, azotés. Très fréquente. **P** Indicateur des terrains azotés, le bouillon blanc était jadis utilisé comme vulnéraire extérieur, et contre les maladies de foie et de vésicule en décoction. Contient des saponines et des mucilages.

Linaire commune
Linaria vulgaris

20-60 cm	15-30 mm	VI-IX

C La Linaire vulgaire est une Scrophulariacée qui fleurit de juin à septembre. Les fleurs d'un jaune soufre forment une grappe volumineuse, avec des éléments en forme de gueule pourvue d'un long éperon droit et un point jaune orangé sur la lèvre inférieure. La tige unique, qui peut atteindre 60 cm, porte des feuilles sessiles vert-bleu, linéaires-lancéolées, de 3-8 cm. **H** Fossés, chemins, décombres, carrières ; sols légers. **P** On l'utilisait au Moyen Âge pour faire une décoction tinctoriale pour le lin ; plante médicinale laxative. Les fleurs sont pollinisées par les bourdons.

Rhinanthe hirsute
Rhinanthus alectorolophus

20-60 cm	15-20 mm	V-IX

C Les fleurs isolées, à calice velu comme le haut de la tige, sont situées à l'aisselle des feuilles. La lèvre supérieure porte une indentation violette caractéristique. Les feuilles, velues, sont allongées-lancéolées, opposées, avec un bord scié. **H** Fleurissant de mai à septembre, cette Scrophulariacée se trouve sur les prairies grasses, pelouses mi-sèches et dans les champs. **P** Comme tous les Rhinantes, cette plante vit en semi-parasite de son environnement, auquel elle prend l'eau et les sels nourriciers grâce à des organes suceurs qui se fixent sur les racines de la plante-hôte. La pollinisation se fait par les bourdons. Plante vénéneuse (aucubine).

Mélampyre des prés
Melampyrum pratense

10-50 cm	12-20 mm	V-IX

C Scrophulariacée dont les fleurs blanc jaunâtre se présentent sous la forme d'un épi unilatéral pauciflore, à élément en forme de tuyaux disposés perpendiculairement à l'axe de l'inflorescence. Les sépales sont lancéolés et pointus, moitié moins longs que le « tube » corollaire. Les feuilles rugueuses sont linéaires-lancéolées. **H** Forêts de feuillus, de conifères, buissons, landes et autres lieux au sol acide riche en humus. Vivent en colonies importantes. **P** Plante semi-parasite, qui pompe sur les racines de la plante-hôte l'eau et les sels nourriciers. Graines vénéneuses.

Lamier galéobdolon
Lamium galeobdolon

20-60 cm	15-25 mm	IV-VII

C Les fleurs de cette Labiacée (appelée aussi « ortie jaune ») se présentent par 6 en faux verticilles à l'aisselle des feuilles supérieures. Elles sont jaune d'or, avec des taches brun-rouge sur la lèvre inférieure à trois pointes. La corolle est duvetée à l'extérieur. Les feuilles pétiolées sont ovales, pointues, avec un bord irrégulièrement scié, et faiblement velues. La tige est dressée ou montante et porte les feuilles opposées en croix. **H** Endroits ombreux de diverses forêts. Très répandu. **P** Malgré sa ressemblance avec l'ortie, le lamier n'a aucun caractère urticant. Il se propage par des émissaires rampants en surface. La plante est pollinisée essentiellement par les abeilles.

Tanaisie vulgaire
Tanacetum vulgare

60-100 cm	0,7-1,2 cm	VII-IX

C La tige angulaire creuse de cette Composée, qui peut atteindre 1 m de hauteur, porte des feuilles doublement pennées très serrées, profondément échancrées, au bord scié, composées de 16 à 24 folioles au bord scié. Les fleurs jaune d'or forment des petits capitules groupés en fausses ombelles à multiples éléments tubuleux. Feuilles et fleurs sont fortement aromatiques. Après la floraison, de juillet à septembre, se forment des fruits sans aigrette de 1-2 mm de longueur, à 5 côtes. **H** La Tanaisie se trouve sur les terrains familiers aux mauvaises herbes, décharges, lisières des bois, clairières. **P** Contient des huiles essentielles et du chicotin, qui la rendent vénéneuse sans précautions d'emploi. Utilisée cependant comme vermifuge et dans les maladies digestives.

Tussilage
Tussilago farfara

5-20 cm	2-3 cm	III-IV

C De petits groupes de cette Composée apparaissent dès les premiers soleils du printemps. Les capitules sont composées de fleurs à pétales rayonnants multiples, entourées de sépales verts. Par temps couvert, la corolle se ferme et laisse voir la tige avec ses stipules rougeâtres. Après la floraison, les tiges s'inclinent et les feuilles commencent à pousser : elles sont rondes ou cordiformes, de 10 à 30 cm de largeur, légèrement dentelées sur les bords et feutrées de blanc en dessous. **H** Décharges, bords des chemins et des routes, remblais de chemin de fer et autres sols avec peu de végétation. **P** Plante médicinale contenant des mucilages et des tanins, employée extérieurement contre les inflammations, en décoction contre les maladies pulmonaires.

Séneçon commun
Senecio vulgaris

| 10-30 cm | 0,8-1 cm | II-XI |

C Le Séneçon commun se trouve dans le monde entier. Les fleurs jaunes se présentent en panicules de capitules ; elles sont toutes ligulées. De 8 à 12 bractées tachées de noir et 21 sépales verts entourent les capitules. L'inflorescence se situe à l'extrémité d'une tige qui peut atteindre 50 cm. Feuilles pennées ou très échancrées, sessiles, dentelées dans le bas, en formes d'oreillons dans le haut. Les fruits sont duveteux, avec une aigrette. **H** Niches de toutes les mauvaises herbes. **P** Plante vénéneuse, à cause des alcaloïdes qu'elle contient.

Séneçon de Fuchs
Senecio fuchsii

| 60-180 cm | 2-3 cm | VII-IX |

C Les fleurs jaunes de cette Composée se présentent en petits capitules paniculés. 6-15 fleurs tubuleuses à l'intérieur, 5 fleurs ligulées à l'extérieur, 8 sépales glabres. La tige, dressée et glabre, porte des feuilles lancéolées finement sciées sur les bords, au limbe décurrent. **H** Coupes forestières, rives des eaux, forêts mixtes. **P** On trouve cette variété jusqu'à plus de 2 000 m dans les Alpes. Assez proche du Séneçon des bois *(S. sylvaticus)*, dont les feuilles sont nettement plus larges à la base de la tige. L'espèce *Senecio* compte de multiples variétés de « mauvaises herbes », dont les hybridations sont également fort nombreuses : *S. viscosus, S. erucifolius, S. jacobea*, etc.

Cirse maraîcher
Cirsium oleraceum

| 50-150 cm | 1-2,5 cm | VI-IX |

C Cette Composée caractéristique est légèrement épineuse, avec des feuilles assez lâches. Celles-ci sont tendres, lancéolées et pennées dans la partie inférieure de la tige, entières, ovales et embrassant la tige dans sa partie supérieure. Les fleurs blanc jaunâtre, toutes tubuleuses, sont groupées en capitules terminaux entourés de grandes bractées d'un vert pâle, à épines molles. Les fruits sont velus. **H** Prairies humides, forêts de prairies, marécages, rives, fossés, et autres sols argileux riches en eaux souterraines. Le Cirse maraîcher est un indicateur d'humidité du sol et du sous-sol. **P** La pollinisation est assurée par les phalènes et les abeilles ; la dissémination des graines se fait par le vent, les poils légers de la graine faisant office de « parachutes ». Utilisé dans de nombreuses régions comme légume.

Salsifis des prés
Tragopogon pratensis

30-70 cm	4-6 cm	VI-VII

C Cette Composée, appelée aussi « barbe de bouc », attire le regard par le jaune éclatant de ses capitules, qui peuvent atteindre 6 cm de Ø. Les fleurs sont toutes ligulées, et entourées de 5-8 sépales. Les fleurs sessiles entourent la tige ; étroites et lancéolées, elles se terminent en longues pointes. Le nom populaire de la plante vient des longs poils insérés sur l'ovaire et qui se développent sur les capitules fanés comme une barbe. **H** Prairies riches en substances nourricières, mais aussi pelouses mi-sèches. **P** Les fleurs ne sont ouvertes que de 8 heures à 14 heures au plus tard. On utilisait jadis la plante comme légume.

Pissenlit
Taraxacum officinale

10-50 cm	3-5 cm	IV-X

C Une tige creuse et sans feuilles, qui produit à la cassure un suc laiteux blanc, porte un grand capitule unique, fait seulement de fleurs ligulées et atteignant 6 cm de Ø, entouré de sépales éversés. Les feuilles forment une rosette à la base ; elles sont allongées, pennées, avec des indentations profondes, et peuvent atteindre 30 cm de long. Les fruits portent des organes de vol caractéristiques. **H** Plante composée quasi universelle. **P** Le pissenlit (appelé aussi « dent-de-lion ») a des racines très profondes. Ses fleurs donnent aux prairies printanières leur aspect caractéristique. Les feuilles se mangent en salade quand elles sont jeunes. Plante médicinale, qui contient du chicotin, utilisée pour les maladies du foie et des reins, et contre les rhumatismes.

Laiteron maraîcher
Sonchuis oleraceus

30-100 cm	2-2,5 cm	VI-X

C Tige ramifiée pourvue de feuilles tendres, vert-bleu et ternes pour cette Composée. Limbes à grandes dents de scie. A la base, petites feuilles lobées acuminées. Fleurs en capitules, toutes ligulées ; le calice est glabre et occupe les 2/3 de l'inflorescence. **H** Décombres, jardins, murs, champs et autres terrains à mauvaises herbes. **P** Mêmes racines profondes que pour le pissenlit, même robustesse. On peut confondre cette variété avec le *S. asper*, bien que les feuilles de ce dernier soient à dents épineuses, avec des petits lobes ronds et écartés, mais on dénombre encore deux autres variétés de *Sonchus*.

Gagée à fleurs jaunes
Gagea lutea

| 10-30 cm | 20-25 mm | III-V |

C L'inflorescence de cette plante délicate comporte 2-7 fleurs jaunes groupées en fausse ombelle. Les pétales de chaque fleur, arrondis à leur extrémité, forment une étoile. Une seule feuille radicale linéaire et large, à sommet recourbé en capuche, pour cette Liliacée ; le limbe de cette feuille est légèrement creusé au centre, ou plat. **H** La Gagée affectionne les forêts clairsemées de feuillus, les buissons, les bords des rivières et les jardins fruitiers. **P** Un seul bulbe donne naissance à cette plante. La pollinisation de la plante, qui aime l'ombre et l'humidité, est assurée par les insectes. On la trouve fréquemment associée à l'ail des ours (*Allium ursinum*, voir p. 102).

Iris faux Acore
Iris pseudoacorus

| 50-120 cm | 100 mm | V-VII |

C Appelé aussi « iris des marais », cette Iridacée possède des fleurs jaunes avec des pétales larges, ovales et ronds et des pétales intérieurs plus petits et linéaires. Les pétales extérieurs sont veinés de brun à la base et glabres. Les fleurs sont entourées de deux grandes bractées ou *spathes* qui forment comme deux larges glaives de 1 à 3 cm de largeur. **H** On trouve cette plante parmi les roseaux d'eaux stagnantes ou courantes, dans les forêts de prairies humides, les fossés et autres lieux partiellement submergés, mais de façon clairsemée. **P** Les racines divisées expliquent la présentation en touffes de cette plante. Les fruits sont disséminés par flottation. Plante vénéneuse, évitée pour cela par le bétail.

Sabot de Vénus
Cypripedium calceolus

D | 20-50 cm | 60-90 mm | V-VI |

C La caractéristique essentielle de la plus connue de nos Orchidées est cette grande lèvre jaune gonflée qui forme une poche rappelant la forme d'une chaussure, longue de 3-4 cm. Les pétales extérieurs lancéolés, brun-rouge, au nombre de 4 encadrent le « sabot ». Une tige comporte le plus souvent 1 ou 2 fleurs uniques, mais aussi des feuilles elliptiques et larges, vert clair et sessiles, embrassant véritablement la tige, avec des nervures nettes et duvetées. **H** Forêts clairsemées de feuillus et de conifères, avec un sol calcaire. **P** La lèvre recourbée de cette fleur est un piège à mouches, qui ne peuvent en sortir qu'en suivant un seul parcours qui détermine la pollinisation de la fleur ; les parois lubrifiées de la corolle interdisent tout autre trajet. Pourtant, aucune nourriture pour les insectes ne se trouve dans la corolle.

Pavot Coquelicot
Papaver rhoeas

| 20-80 cm | 40-80 mm | V-VIII |

C Les fleurs rouge-écarlate de cette Papavéracée sont bien connues des amateurs de Monet. Elles se trouvent, isolées, sur de longs pédoncules, aux extrémités de tiges dressées, peu ramifiées et à soies écartées, qui peuvent atteindre 80 cm. Les pétales, tachetés de noir à leur base, peuvent mesurer jusqu'à 4 cm de longueur. Ils entourent des étamines nombreuses violet sombre, et un ovaire glabre pourvu d'un stigmate à 8-12 rayons. C'est de là que se forme la capsule. Les feuilles velues, sessiles, sont profondément lobées et dentées. **H** Champs, bords des chemins, décharges, décombres. **P** On utilisait naguère cette plante en herboristerie ; elle contient, particulièrement dans son suc laiteux, un alcaloïde légèrement vénéneux.

Corydale creuse
Corydalis cava

| 10-30 cm | 18-28 mm | III-V |

C La tige dressée de cette Papavéracée porte 6-20 fleurs pourpres ou blanches groupées en grappe terminale. Les deux pétales intérieurs sont atrophiés à la pointe ; le pétale supérieur, au-dessus, porte un éperon vers l'arrière et un élargissement vers le devant ; le pétale extérieur inférieur forme la lèvre inférieure élargie. Les feuilles vert-bleu sont doublement tripartites. **H** Forêts de feuillus, forêts de prairies humides, buissons et jardins. **P** Bulbe souterrain creux, qui contient divers alcaloïdes vénéneux. On en extrayait naguère des remèdes en herboristerie. La pollinisation se fait par les abeilles et les bourdons ; fruits en capsules. Bon indicateur des sols nourriciers.

Fumeterre officinal
Fumaria officinalis

| 10-30 cm | 6-9 mm | V-X |

C Fumariacée proche des Papavéracées comme le coquelicot. Appelée également « fiel » ou « fleur de terre », cette plante délicate présente une tige dressée qui peut atteindre 40 cm, avec de nombreuses feuilles gris-vert doublement pennées. Grappe de fleurs longues de 6-9 mm, rouge-rose, avec une pointe rouge-noir. Les sépales ne mesurent qu'1/3 de la longueur totale de la fleur, d'aspect tubuleux. Après la floraison se développent des fruits réniformes montés sur pédoncules. **H** Champs, jardins, et autres sols très argileux. **P** Utilisée naguère contre les maladies de peau et les maladies du système digestif.

Sanguisorbe officinale
Sanguisorba officinalis

30-100 cm	10-30 mm	VII-IX

C Appelée également « grande pimprenelle », cette Rosacée porte, à l'extrémité d'une tige dressée qui peut atteindre 1 m de hauteur, des capitules ovoïdes rouge sombre. Il s'agit là de fleurs hermaphrodites pourvues chacune de 4 étamines et d'1 pistil. Les feuilles de base forment une rosette ; les autres feuilles, imparipennées, ont des folioles ovales-allongés, pétiolés, longs de 2-4 cm, au bord nettement denteló (12 indentations de chaque côté environ) ; elles sont vert-bleu par-dessous. **H** Affectionne les lieux humides, prairies de marais et autres prairies tourbeuses, mais aussi le bord des chemins. **P** Apparentée à la *S. minor* (« pimprenelle sanguisorbe »), parfois employée comme condiment.

Benoîte des ruisseaux
Geum rivale

20-60 cm	12-15 mm	V-VI

C La deuxième partie du nom vernaculaire de cette Rosacée vient de l'un de ses biotopes familiers. Les fleurs inclinées sont juchées nombreuses sur la tige ramifiée aux poils glanduleux. Les pétales de la corolle sont rougeâtres à l'extérieur, jaunes à l'intérieur et entourés de sépales brun-rouge lancéolés. Les feuilles inférieures ont de longs pétioles, tripartites, avec un bord grossièrement denté. Elles ne sont que peu lobées dans la partie supérieure de la tige. **H** Exclusivement dans les prairies humides, sur la rive des rivières et dans les forêts de marais avec un sol à eaux souterraines. **P** Pollinisation surtout par les bourdons, qui mordent la fleur parfois pour atteindre le nectar. Huile essentielle dans la racine de cette plante, jadis médicinale.

Ononis épineuse
Ononis spinosa

20-60 cm	8-26 mm	VI-VIII

C La tige très dure et ramifiée, souvent boisée à la base, sort d'une longue racine pivotante ; elle porte des rameaux épineux, avec des bourgeons glanduleux et velus. Les feuilles inférieures de cette Papilonacée sont tripartites, les feuilles supérieures entières. Folioles ovales, finement dentées sur les bords. Aux aisselles des feuilles, particulièrement aux extrémités des rameaux, poussent des fleurs, isolées ou par 3 ; elles sont pourpres ou roses, avec un court pétiole et un calice légèrement duveteux. Parfum douceâtre. **H** Pelouses sèches, pâturages, bords des chemins, friches ; sols calcaires. **P** Huiles essentielles et glucosides sont contenus dans cette plante, employée en herboristerie contre les maux de rein et de poumons, les rhumatismes et l'arthrite.

Trèfle des prés
Trifolium pratense

10-30 cm	10-20 mm	V-IX

C Les capitules sphériques, roses ou rouges, odorants, de cette Papilionacée, sont groupés par deux au-dessus de 2 bractées. Le calice est à 10 nervures et velu. Les feuilles trilobées sont typiques, avec leurs folioles ovales au bord plein, tachetées. **H** On trouve cette variété dans les prairies aux sols riches et profonds, sur les bords des chemins, et dans les forêts clairsemées. **P** La haute teneur en albumine du trèfle en fait un fourrage idéal, de même que sa capacité à former de l'azote avec les bactéries associées en font un régénérateur des sols, souvent associé aux semences de gazon. La pollinisation se fait grâce aux bourdons ; les fourmis aident à la dissémination des graines.

Coronille variée
Coronilla varia

30-100 cm	8-15 mm	V-IX

C La tige, couchée ou rampante, porte des feuilles pennées à court pétiole et groupées par 4-12 paires de folioles ovales. Inflorescences en ombelles de 10-20 fleurs, en forme d'oriflammes et de nacelles : les premiers sont roses, les secondes blanches avec une pointe violette et entourées des deux bractées blanches. Le fruit qui se développe est une gousse verticale et droite, longue de 2-8 cm, quadrangulaire, avec un bec recourbé en forme de crochet, et 3-6 étranglements bien marqués. **H** Cette Papilionacée affectionne les pelouses mi-sèches, les lisières des bois, les buissons, les carrières ; sols calcaires de préférence. **P** Les glucosides qu'elle contient rendent cette plante légèrement vénéneuse ; elle est pourtant cultivée comme fourrage.

Salicaire
Lythrum salicaria

50-150 cm	8-12 mm	VI-IX

C La tige dressée, légèrement duvetée, est quadrangulaire ou polygonale selon la disposition des feuilles sessiles. Celles-ci, lancéolées-pointues, cordiformes à la base, atteignent 12 cm de longueur. Fleurs verticillées en grappe allongée terminale, mais avec 3 types de fleurs différentes qui interdisent l'autopollinisation, par la grandeur du style et des étamines, ainsi que du pollen. Les 6 pétales sont pourpres. La grappe est quelquefois lâche. **H** Cette Lytracée aime les sols azotés, lourds et humides : fossés, rives, roseaux, prairies humides et forêts de marais, où la plante forme de gros buissons pouvant atteindre 1,50 m de haut. **P** Appelé aussi « Lysimaque rouge », le Salicaire est astringent et hémostatique, car il contient des tanins.

Osier fleuri
Epilobium angustifolium

20-150 cm	20-30 mm	VI-VIII

C Cet « épilobe fleuri » ou « laurier de Saint Antoine » a une tige aux arêtes mousses, qui porte en son extrémité une grappe assez lâche de fleurs roses ou pourpres. Les pétales sont plus larges en haut que sur le reste de la corolle. Les feuilles étroites, linéaires-lancéolées, de cette Onagrariée sont souvent légèrement ondulées sur les bords. **H** Plantes typiques des coupes forestières, des lisières de bois et des chemins de forêts. **P** La pollinisation se fait, entre autres, par les abeilles. Les graines ont des aigrettes longues et vaporeuses qui donnent à l'épi, au moment de la maturité, l'aspect d'un coussin floconneux. On utilisait autrefois cette plante en herboristerie (tanins), mais aussi comme légume.

Mauve commune
Malva neglecta

10-50 cm	15-25 mm	VI-X

C La tige, couchée ou montante, porte à l'aisselle des feuilles les fleurs d'un rose tendre, souvent presque blanches. Les pétales sont longs de 8-10 mm et dépassent le calice des 2/3. Après la floraison, les pédoncules s'inclinent et les fruits lisses ou légèrement ridés se développent. Les feuilles de cette Malvacée ont de longs pétioles ; elles sont rondes et palmées ; le bord est nettement crénelé, le dessous des feuilles velu. **H** On trouve la plante en abondance dans les décharges, au bord des champs, dans les jardins, les vignes, les remblais de chemin de fer et les murs. Indicateur d'azote. **P** Contient divers mucilages qui la faisaient utiliser comme plante médicinale.

Myrtille
Vaccinium myrtillus

15-60 cm	4-5 mm	V-VI

C Les fleurs de cette Éricacée se trouvent en mai/juin, poussées aux aisselles des feuilles à la base des jeunes pousses, suspendues à un pédoncule recourbé. Les sépales verts se sont soudés à l'ovaire et forment un petit ourlet large. Les pétales sphériques sont verdâtres à rougeâtres, avec une pointe de 0,5-1,5 mm de long recourbée vers l'extérieur. Les 8 étamines soudées aux pétales sont plus courtes que le pistil, avec des sacs polliniques prolongés par un connectif dressé et pourvu d'un éperon. **H** Forêts de tous types à sols légers acides, landes et alpages. **P** Vieillissant plus de 30 ans, cet arbrisseau produit des fruits recherchés (qu'on appelle également « airelles ») dont on fait des confitures et des conserves ; en herboristerie, on les utilise en décoction contre les diarrhées.

Œillet des Chartreux
Dianthus carthusianorum

| 15-40 cm | 20-25 mm | VI-IX |

C Cette Caryophyllacée apprécie la chaleur. Les fleurs terminales sont serrées par 4-10, entourées de bractées sèches et brunes ; elles sont pourpre foncé. Le calice est brun-rouge. Les pétales sont dentelés à leur extrémité. Les feuilles linéaires, larges de 2-4 mm, sont alternes, avec un bord rugueux ; celles de la base sont soudées à la tige en stipules. Les tiges fleuries sont nettement plus longues que les autres. **H** Pelouses sèches à sol calcaire, landes et forêts clairsemées. **P** Les moines de l'ordre des Chartreux auraient particulièrement apprécié cette plante, d'où son nom. La pollinisation se fait par les papillons ; la plante contient des saponines.

Silène dioïque
Silene dioica

| 30-80 cm | 20-30 mm | IV-IX |

C Les fleurs rouges et monosexuées de cette Caryophyllacée sont groupées en fausse ombelle lâche. Les pétales sont bifides, profondément échancrés ; les 5 pistils sont caractéristiques. Un calice ventru, velu, entoure la corolle ; il est marqué de 10 nervures. Les feuilles, ovales-acuminées, sessiles, sont portées par une tige molle, ramifiée vers le haut. Les capsules des fruits, rondes, portent 10 indentations. La plante entière a des poils glanduleux. **H** Forêts de marais, prairies humides, forêts humides (mixtes et de conifères), haies. Le Silène dioïque (ou « compagnon rouge ») est un bon indicateur d'humidité. **P** Les fleurs ne sont ouvertes que le jour ; elles sont pollinisées par les papillons diurnes et les bourdons. Cela distingue le *S. dioica* du *S. alba* (« Lychnide blanc ») et du *S. vulgaris* (« Silène enflé »).

Lychnis fleur de Coucou
Lychnis flos-cuculi

| 30-80 cm | 30-40 mm | V-VIII |

C Les pétales profondément fendus en 4 de cette Caryophyllacée sont caractéristiques ; de couleur rose, les fleurs sont groupées en fausse ombelle assez lâche. Le calice est marqué de 10 nervures et le plus souvent rougeâtre. Les feuilles de la base sont spatulées, ciliées et pétiolées ; les feuilles caulinaires sont lancéolées. **H** Indicateur d'humidité, le Lychnis fleur de Coucou se trouve dans les prairies humides ou marécageuses, au sol argileux riche en humus. **P** Le nectar est si profondément placé dans la corolle que seuls les papillons de jour à longue trompe peuvent l'atteindre, assurant du même coup la pollinisation.

Renouée bistorte
Polygonum bistorta

30-80 cm	3-5 cm	V-VII

C Cette Polygonacée tire son nom de sa racine noueuse, d'où sort une tige qui peut atteindre 80 cm de hauteur maximum. Cette tige porte à son extrémité un épi cylindrique long de 5 cm max., fait de grandes fleurs rose clair longues de 5 mm. Les feuilles, longues de 20 cm max., sont ovales-allongées. Les feuilles de base sont pétiolées, les feuilles caulinaires sessiles. **H** La Renouée est un bon indicateur d'humidité ; on la trouve dans les prairies humides, dans les forêts de marais, dans les alpages proches des sources. Elle s'y trouve alors en abondance. **P** La racine contient des tanins, utilisés en herboristerie pour diverses préparations.

Renouée amphibie
Polygonum amphibium

30-100 cm	3-5 cm	VI-IX

C De juin à septembre, on voit les inflorescences roses de cette Polygonacée dépasser la surface des eaux. Les fleurs, longues de 4 mm, forment un faux-épi serré au bout d'une tige qui peut atteindre 1 m de longueur, parcourue de canalicules d'air. Les feuilles flottantes, à long pétiole, sont lancéolées-elliptiques, vert sombre et coriaces. **H** On trouve cette Renouée dans des eaux stagnantes ou à faible courant, la forme terrestre dans les prairies très humides et sur les rives graveleuses. **P** Les deux formes de cette plante constituent de grandes colonies. Elles passent l'hiver grâce à leur racine ronde et rampante. La dissémination des graines est assurée par l'eau.

Valériane officinale
Valeriana officinalis

50-150 cm	3-6 mm	VI-VIII

C La tige, dressée, est striée et creuse, et peut atteindre 1,50 m de haut ; elle porte plusieurs paires de feuilles opposées, imparipennées, avec 9-21 folioles lancéolées au bord plein ou dentelé grossièrement. Les feuilles du bas sont pétiolées, celles du haut sessiles. L'ombelle paniculée terminale, multiflore, est faite de fleurs rouge clair à lilas, parfois blanches, fortement odorantes. Leur parfum attire les chats (d'où le nom populaire d'« herbe au chat »). **H** On la trouve sur la lisière des forêts, dans les prairies de marais, sur les rives, dans les fossés, les clairières. **P** On connaît depuis longtemps les vertus médicinales de cette plante, utilisée pour ses propriétés calmantes, décontractantes et soporifiques. C'est principalement la racine que l'on cueille avant la floraison : huiles essentielles, alcaloïdes, tanins et polysaccharides s'y trouvent contenus.

Liseron des champs
Convolvulus arvensis

| 30-60 cm | 25-30 mm | V-X |

C La tige, rampante ou vrillant à gauche, qui peut atteindre 1 m de longueur, porte des feuilles alternes, pétiolées et sagittées à la base, longues de 3-4 cm. Aux aisselles des feuilles se développent d'étonnantes fleurs roses en entonnoir, pourvues d'un pédoncule. Elles peuvent atteindre un Ø de 3 cm et sont fort odorantes. On distingue plus ou moins 5 rayures roses ou pourpres sur la corolle. Le stigmate est bipartite, l'ovaire et la capsule ont deux compartiments. **H** Cette Convolvulacée se trouve dans les vignes, les jardins, les bords de chemin et les champs. **P** Une décoction de la plante était utilisée naguère comme laxatif.

Belladone
Atropa belladonna

| 50-150 cm | 25-30 mm | VI-VIII |

C Les fleurs isolées ont une corolle campaniforme avec une courte collerette à 5 lobes ; violet-brun à l'extérieur, elles sont vert-jaune veiné de violet à l'intérieur. Le calice enfle à la fructification. Les feuilles ovales, à bord plein de cette Solanacée sont décurrentes. La plante entière possède des poils glanduleux. **H** Clairières, coupes forestières, bords des chemins de forêts (feuillus et essences mélangées). **P** Les baies brillantes, noires et lisses, semblables à des cerises, sont très vénéneuses, à cause des alcaloïdes qu'elles contiennent. Employée comme narcotique, la plante servait aussi jadis à faire « les dames belles » en leur dilatant la pupille par instillation de gouttes d'extrait (atropine).

Digitale pourpre
Digitalis purpurea

| 40-150 cm | 30-50 mm | VI-VIII |

C La tige feutrée de gris porte à son extrémité une inflorescence unilatérale en grappe composée de fleurs tubuleuses pourpres. La corolle campaniforme allongée présente une collerette à 4 lobes ; elle est ponctuée de rouge sombre entouré de blanc à l'intérieur. Les feuilles sont ovales-lancéolées, crénelées et feutrées de gris à la face inférieure ; celles du bas de la tige sont pétiolées, celles du haut sessiles. **H** On trouve cette Scrophulariacée, appelée aussi « queue de loup » et « gant de Notre-Dame », dans les coupes forestières, sur les bords des chemins et dans les forêts de montagne. **P** Comme la variété *D. grandiflora*, la *D. purpurea* est très vénéneuse à cause de la digitaline, glucoside utilisé dans les affections cardiaques. La pollinisation se fait par les bourdons, la dissémination par le vent. La plante forme souvent de grandes colonies dans les clairières.

Clandestine
Lathraea squamaria

10-25 cm	10-15 mm	III-IV

C Les fleurs rose-rouge sont disposées en grappe unilatérale dense, inclinée. La corolle ne dépasse que de peu le calice quadrilobé campaniforme. Des feuilles en écailles se trouvent sur la tige rose pâle dressée, dépourvues de pétioles. **H** La Clandestine affectionne les forêts de gorges et de montagnes, en liaison avec certaines essences d'arbres feuillus. **P** C'est un parasite sans chlorophylle et sans feuillage véritable, qui vit grâce aux organes spécialisés de son rhizome, suceur des substances nourricières des racines des plantes-hôtes (aulnes, ormes, hêtres, noisetiers). Ce rhizome peut atteindre un poids de 5 kg.

Galéopsi
Galeopsis pubescens

20-60 cm	18-25 mm	VI-X

C Les caractéristiques de cette Lamiacée sont les nœuds de la tige, avec leur léger renflement, leur duvet léger et leurs glandes à long pédoncule. Les feuilles ont des poils couchés sur la face supérieure, pendants sur la face inférieure. La fleur rouge sombre se compose d'une corolle allongée qui est deux fois plus longue que le calice, avec une gorge jaune. A la base de la lèvre inférieure se trouvent deux excroissances en forme de dent creuse. **H** Champs, coupes forestières, buissons, bords des chemins ; sols riches en substances nourricières et argileux. **P** Nombreuses variétés et hybrides de ce genre ; tous sont caractérisés par les « dents » de la lèvre inférieure.

Epiaire des bois
Stachys sylvatica

30-100 cm	4-7 mm	VI-IX

C Cette Labiée a une odeur désagréable à l'écrasement. Ses fleurs d'un pourpre sombre sont groupées par 4-10 en faux verticilles dans les aisselles des feuilles, le tout formant une fausse grappe terminale. Le calice très velu est moitié moins long que les fleurs. Les feuilles pétiolées sont cordiformes, dentelées grossièrement et en pointe, et couvertes, comme la tige, de poils couchés. **H** Forêts de feuillus humides, forêts de prairies, rives des eaux, lisières des bois, chemins forestiers. **P** Plante à rhizome rampant, peu gourmande de lumière, qui peut pousser en sous-bois obscur. Nombreuses variétés, dont la *S. officinalis* (Epiaire vulgaire), employée depuis toujours en herboristerie.

Lamier tacheté
Lamium maculatum

20-80 cm	20-30 mm	IV-XI

C Par opposition au Lamier pourpre (voir ci-dessous), le Lamier tacheté est plus grand et plus vigoureux. Cette Labiée a des fleurs pourpres dont la lèvre inférieure est tachetée de blanc, avec un grand lobe central divisé et deux lobes de côté, plus petits. Couronne de poils à l'intérieur de la corolle. Des feuilles à long pétiole, qui peuvent atteindre 8 cm, se trouvent opposées en croix sur la tige aux poils clairsemés ; elles sont ovales et triangulaires, dentelées sur les bords et acuminées. **H** Buissons et haies, et autres lieux à demi-ombragés. **P** La plante est pollinisée par divers insectes ; les fourmis disséminent les graines.

Lamier pourpre
Lamium purpureum

10-30 cm	10-15 mm	III-XI

C Plante à odeur désagréable, du genre Ortie, dont les inflorescences sont disposées par faux verticilles qui forment une sorte de pyramide. Les fleurs sont pourpres, avec les pétales dépassant le calice de moitié. A l'intérieur de la corolle, une couronne de poils est identifiable. Bractées triangulaires-ovales ; feuilles caulinaires rondes ; toutes les feuilles sont crénelées, duvetées et souvent teintées de rougeâtre. La constitution de la fleur est typique des Labiées, avec une lèvre inférieure à grand lobe biparti central et 2 lobes latéraux plus petits. **H** Le Lamier pourpre, appelé aussi « ortie rouge », se trouve en lisière de forêt, dans les décharges, sur les chemins, dans les jardins et les vignes, comme toutes les « mauvaises herbes » ; sols argileux riches en substances nourricières. **P** Indicateur d'azote, accompagne les cultures.

Origan vulgaire
Origanum vulgare

3U-bU cm	3-5 mm	VII-IX

C Les inflorescences en fausses ombelles paniculées de cette Labiée ont une odeur très aromatique. Chaque fleur, pourpre claire, a une corolle composée d'une lèvre supérieure dressée et ourlée et d'une lèvre inférieure trilobée. Les bractées rondes de même que les sépales sont teintés de pourpre. Les feuilles à court pétiole sont ovales-allongées, avec un bord plein ou légèrement dentelé ; leur face inférieure est ponctuée de glandes. **H** Pelouses sèches, forêts de chênes et de pins sylvestres, haies, buissons. **P** Appelé aussi « marjolaine sauvage », l'Origan est utilisé dans la cuisine et en herboristerie ; ses huiles essentielles et ses tanins stimulent l'appétit et améliorent l'expectoration. Utilisé dans les affections des voies respiratoires et digestives.

Thym
Thymus pulegioides

5-20 cm	3-6 mm	VI-X

C La tige de cette Labiée est quadrangulaire, à arêtes aiguës et velues. Les feuilles ovales sont glabres, parfois légèrement duvetées sur la face supérieure. Les fleurs pourpres sont groupées en verticille sphérique, avec des pétales ciliés à la partie supérieure de la fleur. **H** Pelouses sèches et mi-sèches, lisières des forêts et landes sont les lieux de prédilection de cette plante aux multiples variétés. **P** Elle est pollinisée par les abeilles et autres insectes. Plante médicinale, utilisée également en cuisine (surtout la variété *T. serpyllum*, le thym-serpolet).

Eupatoire chanvrine
Eupatorium cannabinum

50-150 cm	0,8-1 cm	VII-IX

C La tige rougeâtre de cette Composée porte un grand nombre de feuilles opposées, le plus souvent 3-5 partites, avec des folioles lancéolées et grossièrement dentelées. Fleurs groupées en fausses ombelles de capitules, par 4-6, avec des éléments roses tous tubuleux. Le stigmate dépasse nettement de la corolle. **H** L'Eupatoire se trouve sur les rives, dans les fossés et les coupes forestières, sur les lisières des bois et dans les forêts de prairie humide. Indicateur d'humidité, aimant les sols calcaires, humides, riches en substances nutritives. **P** Les feuilles ressemblent à celles du chanvre. La plante est pollinisée par les papillons diurnes, qui viennent nombreux sur les fleurs. Plante médicinale contenant du chicotin.

Pétasite officinal
Petasites hybridus

30-120 cm	0,4-1,2 cm	III-V

C Plante vivace à rhizome souterrain, qui pousse des émissaires atteignant 1,50 m de longueur. Les feuilles de base peuvent mesurer 1 m de long et 60 cm de large ! Elles sont réniformes, avec des lobes arrondis à la base et un bord denté. Avant les feuilles apparaissent des inflorescences en grappes de capitules ovoïdes, composées de multiples fleurs tubuleuses blanc rougeâtre. Les capitules ♂ sont deux fois plus gros que les capitules ♀ . **H** Prairies inondées, rives des torrents de montagne aux eaux rapides, forêts humides et gorges ; sols pierreux et calcaires. **P** On pensait jadis que la plante était efficace contre la peste ! La pollinisation se fait par les abeilles, la dissémination des graines par le vent.

Bardane tomenteuse
Arctium tomentosum

| 50-120 cm | 1,5-3 cm | VII-IX |

C Cette Composée présente des capitules paniculés caractéristiques, sphériques, très laineux. Les bractées extérieures, vertes, ont une pointe en forme de crochet ; celles du dedans, veinées de rouge, ont une courte pointe émoussée et droite. Les fleurs sont toutes ligulées et de couleur pourpre. Les feuilles ovales-cordiformes sont pétiolées et duvetées de blanc à la face inférieure. H Comme les « mauvaises herbes », les Bardanes se trouvent sur les bords des chemins, dans les décharges et sur les rives. P La dissémination des graines se fait par les animaux, les « crochets » se fixant dans le pelage. Nombreuses hybridations entre les diverses variétés d'*Arctium*.

Cirse lancéolé
Cirsium vulgare

| 60-180 cm | 2-4 cm | VII-IX |

C Les extrémités épineuses des lobes foliaires piquent de manière vigoureuse. Par opposition au Cirse des champs (voir ci-dessous), les feuilles profondément lobées sont décurrentes ; elles sont feutrées de gris au-dessous. Les capitules groupés par deux ou trois, longs de 4 à 8 cm, sont violet-rouge, avec un involucre surprenant, sphérique, rarement laineux. H Affectionne les lieux ouverts et ensoleillés, en compagnie d'autres « mauvaises herbes », chemins et décombres divers. P Indicateur d'azote, très gourmand de substances nourricières. Pollinisation par les bourdons et les scarabées, mais aussi autopollinisation.

Cirse des champs
Cirsium arvense

| 50-150 cm | 1-2 cm | VII-IX |

C « Mauvaise herbe » monumentale, avec son 1,50 m de hauteur maximum, cette Composée possède une tige fortement ramifiée qui porte des feuilles lancéolées ou elliptiques, non décurrentes, à lobes marqués et bords sinués. La surface des feuilles est brillante, le limbe épineux sur ses bords, vert-gris au-dessous. Nombreuses fleurs en capitules violets à l'extrémité des ramifications, longues de 1,5 à 3 cm, entourés de bractées pourpres et acuminées. Les involucres sont laineux. H Bords des chemins, décharges, rives et champs sont les lieux de prédilection de cette plante. P Racines très profondes, qui peuvent descendre jusqu'à 3 m ! Comme le *C. vulgare*, le *C. arvense* affectionne les sols argileux profonds et azotés.

Lis martagon
Lilium martagon

D	30-120 cm	30-50 mm	VI-VIII

C Les fleurs inclinées de cette Liliacée pendent en grappe lâche ; elles sont de couleur chair, tachetées de rouge sombre. Les 6 pétales, enroulés en forme de turban, dégagent les étamines et le pistil. Les feuilles ovales-lancéolées sont verticillées par 3-10 et alternées dans la partie supérieure de la tige. **H** Le Lis martagon se trouve dans les forêts de feuillus et de conifères, sur les alpages et dans les hautes futaies. **P** Plante à bulbe, très appréciée par les chevreuils comme une friandise, ce qui explique la rareté de la fleur et sa protection. Divers papillons réalisent la pollinisation.

Fritillaire pintade
Fritillaria meleagris

D	15-30 cm	30-40 mm	IV-V

C Le coloris général de la fleur inclinée varie du rose-pourpre au brun-pourpre ; les pétales arrondis sont recourbés à leur extrémité. Fleurs généralement isolées, rarement par 2-3. Les 4-5 feuilles sont vert-gris, linéaires et creusées de rides ; leur largeur n'excède pas 5 mm. **H** Cette Liliacée se trouve en prairies humides, dans les forêts de marais au sol inondé et riche en substances nourricières. **P** La plante contient des alcaloïdes vénéneux, concentrés dans le bulbe sphérique. Le fond de la corolle renferme des glandes nectarifères qui attirent les abeilles, agents de la pollinisation. Indicateur d'humidité. Devenue très rare, cette plante est absolument interdite de cueillette.

Céphalanthère rouge
Cephalanthera rubra

20-50 cm	15-20 mm	V-VII

C Les fleurs roses et pourpres de cette Orchidée sont disposées en une grappe pauciflore assez lâche. Les pétales pointus se courbent en cloche, cachant la lèvre pointue, dont la partie antérieure possède un bord rougeâtre, avec une pointe violette. Les feuilles, ovales-lancéolées et acuminées, se trouvent vers le haut de la tige, où se pressent les poils glanduleux. Rhizome ramifié. **H** Forêts de feuillus clairsemées, mais aussi de pins et d'épicéas. Le sol doit être calcaire, riche en substances nutritives. **P** Cette Orchidée se satisfait d'un éclairage faible. Elle est pollinisée par les abeilles et par d'autres insectes. Voir page 108 une autre variété du genre *Cephalanthera*.

Orchis moucheron
Gymnadenia conopsea

20-60 cm	10-15 mm	VI-VIII

C La plante atteint 70 cm, dont 10 cm pour l'épi allongé à fleurs nombreuses dont les couleurs varient du rose au violet et qui ont une faible odeur. Elles se caractérisent par un éperon très long et pointu, courbé vers le bas, qui est presque 2 fois plus long que l'ovaire. Les bractées latérales sont ovales, la lèvre trilobée est plus large que longue. Les feuilles peuvent atteindre 15 cm de longueur et sont lancéolées. H Pelouses sèches à sol calcaire mais aussi prairies de marécage et autres lieux humides. P Tubercules palmés. La pollinisation est faite par les papillons diurnes.

Ophrys mouche
Ophrys insectifera

D
15-40 cm	10-15 mm	IV-VI

C Le nom de cette Orchidée est dû à la forme des fleurs. Les inflorescences sont des grappes pauciflores de 2-10 éléments ; les fleurs ont une lèvre trilobée brun-rouge, avec une tache carrée, gris-bleu, au centre. Les pétales intérieurs sont filiformes ; ceux de l'extérieur (3) sont ovales et verdâtres. Feuilles lancéolées sessiles sur la tige. H Pelouses mi-sèches et ensoleillées, au sol calcaire. P Les fleurs ressemblent à des insectes ♀ et sont visitées par les insectes ♂ abusés par cette ressemblance et par le parfum « sexuel » que dégagent les fleurs. Les insectes assurent ainsi la pollinisation. La symbiose entre flore et faune est ici remarquable.

Orchis à larges feuilles
Dactylorhiza majalis

D
15-60 cm	10-15 mm	V-VI

C Les feuilles, longues de 5 à 10 cm, sont lancéolées et tachetées pour la plupart. Les inflorescences sont des épis denses multiflores, avec des bractées herbacées plus longues que les fleurs, rouge pourpre à lilas. Lèvre trilobée, avec les lobes latéraux rabattus et un dessin de lignes rouges. H Fossés, marécages plats et prairies humides sont les habitats de prédilection de cette Orchidée. P Hybridation possible avec d'autres orchidées partageant la même niche écologique. Alors que la plupart des orchidées sont très sensibles à la présence de l'azote dans le sol, cette variété semble l'être moins.

Orchis bouffon
Orchis morio

D | 8-30 cm | 12-20 mm | IV-VII

C Inflorescence très courte et compacte pour cette Orchidée de couleur rose clair à violet foncé. Pétales resserrés vers le haut, formant un casque ; lèvre trilobée avec les lobes latéraux très larges et arrondis. Le lobe médian est très souvent ponctué ou tacheté de rouge. Un éperon épaissi en massue se dresse horizontalement ou légèrement relevé. La tige anguleuse porte des feuilles sans taches, allongées-lancéolées. **H** Prairies pauvres en substances nourricières, qu'elles soient sèches ou humides. **P** Le tubercule de la plante contient des mucilages. Cette Orchidée est la première à fleurir dans l'année.

Orchis guerrier
Orchis militaris

D | 20-50 cm | 12-20 mm | V-VI

C Le « casque » de la fleur, particulièrement marqué ici, est rose pâle à l'extérieur et de forme ovale-allongée. La lèvre pourpre est blanchâtre au milieu et ponctuée de violet et de rouge sombre ; son lobe central est deux fois plus large que les lobes latéraux, et profondément fendu. L'inflorescence forme d'abord une pyramide à fleurs nombreuses, puis un épi assez lâche. Les feuilles elliptiques sont soudées vers le sommet de la tige. **H** Pentes, lisières des bois et autres pelouses mi-sèches. **P** Comme pour l'*O. morio* ci-dessus décrit, le tubercule contient des mucilages employés en herboristerie contre les maux de ventre. Espèce très protégée.

Orchis brûlé
Orchis ustulata

D | 20-30 cm | 8-10 mm | V-VI

C Les fleurs supérieures de l'inflorescence en épi sont rouge-brun sombre avant l'éclosion, de sorte que la fleur a un aspect « brûlé » qui a valu son nom à cette Orchidacée. Chaque fleur se compose de pétales d'un pourpre sombre, qui se rejoignent en casque, et d'une lèvre trilobée blanche, avec des points rouges. Le lobe médian est fendu en deux. L'éperon très court est tourné vers l'arrière. Les feuilles allongées-lancéolées sont sans taches. **H** Pelouses sèches et prairies de montagne à sol calcaire. **P** Les fleurs répandent une odeur de miel et attirent ainsi les papillons diurnes pour la pollinisation. Dans les années climatiquement favorables, la plante connaît en plaine une deuxième floraison. Espèce en voie de disparition, très protégée.

Anémone pulsatille
Pulsatilla vulgaris

| D | 5-10 cm | 40-50 mm | III-V |

C Les fleurs de cette Renonculacée ont sépales et pétales confondus. 6 pétales violets, duvetés sur le revers, encadrent les étamines d'un jaune lumineux, moitié moins grandes qu'eux. En haut de la tige à duvet blanc, un verticille de bractées engaine le pédoncule de la fleur. Les feuilles de base qui apparaissent après la floraison sont 2-3 fois pennées. **H** Pelouses sèches et mi-sèches à sol calcaire. **P** La fructification s'accompagne d'un allongement du pédoncule ; à l'extrémité du pistil se forme une graine velue. Plante médicinale, mais très vénéneuse, aux propriétés sédatives (alcaloïdes).

Vesce des haies
Vicia sepium

| 30-60 cm | 12-15 mm | V-VIII |

C A l'aide de ses vrilles, cette Papilionacée accroche sa tige grimpante à d'autres plantes, tout en ayant suffisamment de vigueur pour que la tige se dresse seule. Fleurs violet brunâtre, groupées par 2-5 en grappes. Chaque fleur a des sépales d'inégales longueurs. Les feuilles se divisent en 8-14 folioles ovales pennées, terminées par des vrilles ramifiées. **H** Prairies, buissons et forêts clairsemées sont les lieux de prédilection de cette plante. **P** La Vesce des haies porte sur la face inférieure de ses stipules des poches à nectar qui attirent les fourmis. Plante fourragère très riche en protides (albumine).

Vesce Cracca
Vicia cracca

| 20-150 cm | 8-12 mm | VI-VIII |

C Comme la plante ci-dessus décrite, la « grande vesce » accroche ses vrilles aux autres plantes. Elle appartient de même aux Papilionacées. Les fleurs violet-bleu atteignent 1,2 cm et sont groupées en grappes longuement pédonculées de 10-30 individus. La bractée est aussi longue que la grappe. La tige anguleuse porte des feuilles sessiles pennées, composées de 15-20 folioles lancéolées larges de 2-6 mm. **H** On trouve cette plante dans les prairies, les buissons, sur les lisières des forêts et comme « mauvaise herbe » des champs. **P** Très appréciée des abeilles, elle accompagne les cultures et indique les sols azotés et argileux qu'elle affectionne. Les graines sont éjectées par un mécanisme de fronde naturelle.

Gesse de printemps
Lathyrus vernus

| 20-40 cm | 15-20 mm | IV-V |

C Les grappes à 3-8 fleurs de cette Papilionacée offrent des couleurs changeantes avec le temps : rouges au début, elles deviennent ensuite bleu-violet puis bleu-gris. La tige dressée et unique porte des feuilles à 4-6 pennes, avec des folioles ovales et larges à longue pointe. **H** Forêts à essences mélangées de feuillus et de conifères. Assez fréquente. **P** Le changement de couleur de la fleur s'explique par le changement de composition dans le degré d'acidité du suc cellulaire de la plante.

Géranium des prés
Geranium pratense

| 20-60 cm | 20-40 mm | V-VIII |

C Le nom latin du genre (= « bec de grue ») fait allusion à la forme des fruits, recourbés vers le bas ; il a donné le genre des Géraniacées, dont le géranium des prés est le représentant le plus fréquent dans nos prairies. Les fleurs, bleu-violet, sont groupées le plus souvent par deux. La tige dressée porte en sa partie supérieure des poils glanduleux et des feuilles divisées en 7, et doublement pennées ou palmées, au bord dentelé en fer de lance. **H** Le Géranium des prés affectionne tous les types de prairies, les bords des chemins et les fossés. **P** Les abeilles se chargent de la pollinisation, après quoi les pédoncules se rétractent. Les graines sont disséminées par un mécanisme naturel d'éjection. Bon indicateur des sols profonds et nourriciers, des bons pâturages.

Daphné mézéréon
Daphne mezereum

| 40-120 cm | 10-14 mm | II-V |

C Longtemps avant la feuillaison apparaissent les fleurs très odorantes et hermaphrodites de cette Thymélacée très vénéneuse. Les fleurs rose-violet poussent le plus souvent par trois sur les rameaux de l'année précédente. Le calice tubulaire, long de 4-10 mm, porte des poils couchés à l'extérieur ; le sommet des sépales, élargi, est grossièrement triangulaire et forme la « fleur ». Deux cercles de 8 étamines sortent du calice, dont on ne voit que le plus élevé. Les feuilles, longues de 4-9 cm, sont cunéiformes à la base et poussent à l'extrémité des rameaux de la tige ramifiée, dressée, à écorce ridée. **H** Tous types de forêt avec un sol calcaire riche en substances nourricières. Rare. **P** La pollinisation se fait grâce aux insectes à longue trompe, comme les papillons ; les oiseaux assurent la dissémination des graines. Plante médicinale populaire.

Violette odorante
Viola odorata

5-10 cm	15 mm	III-V

C Les fleurs de cette Violacée sont d'un violet sombre, avec un éperon droit, et fortement odorantes. Les feuilles cordiformes constituent une rosette basale ; elles sont finement duvetées et brillent à la face inférieure. Les stipules sont ovales-élargies, de 4-5 mm de large, entières pour la plupart. Emissaires aériens. H Lisières des forêts à essences mélangées de feuillus et de conifères, sur les rives des eaux et dans les vergers. P On utilise les sucs odorants en parfumerie. C'est aussi une plante médicinale aux vertus calmantes et sudorifiques, utilisée dans les affections des bronches. Dans l'Antiquité, la violette avait une valeur cultuelle funéraire.

Violette des bois
Viola reichenbachiana

10-30 cm	12-15 mm	IV-VI

C Les fleurs, violet rougeâtre, sont pourvues d'un éperon long de 5-6 mm, violet foncé, recourbé vers l'arrière. Les pétales ne sont pas jointifs. Les feuilles basales sont cordiformes, avec un duvet clairsemé sur le dessus, et violettes au-dessous ; les stipules sont longuement frangées, étroites et lancéolées. H Forêts à essences mélangées, de feuillus et de conifères. P Le genre *Viola* connaît de nombreuses variétés et de nombreux hybrides. Le nectar destiné à attirer les insectes pollinisateurs est produit dans un sac pollinique qui se trouve dans l'éperon. Les graines de la violette des bois sont très appréciées des fourmis, qui les entassent et travaillent ainsi à la dissémination.

Bruyère
Calluna vulgaris

20-50 cm	3-5 mm	VII-X

C Cette Ericacée très connue a des feuilles linéaires-lancéolées, longues de 1-3 mm seulement, aciculaires et ordonnées sur quatre rangs. Les fleurs sont violet clair, et groupées en grappes presque unilatérales. Chaque fleur a un court pétiole, avec un calice vert de 4 sépales distincts et une corolle de 4 pétales soudés. A l'intérieur se trouvent 8 étamines avec des anthères caractéristiques cornées. H La Bruyère se trouve sur les landes, dans les forêts de feuillus, les forêts à essences mixtes, les forêts de conifères, sur les bords des chemins et marais ; elle aime les sols pauvres, sablonneux, acides. P La Bruyère couvre de grandes étendues, très appréciées des abeilles. Goutte, rhumatisme et troubles biliaires sont soignés par des extraits de cette plante.

Scabieuse des champs
Knautia arvensis

| 30-100 cm | 20-40 mm | V-X |

C La tige de cette Dipsacacée est le plus souvent ramifiée, avec des poils écartés au-dessous des capitules. Fleurs bleu-violet, les marginales plus grandes que les fleurs intérieures ; le réceptacle est sans stipules. Les feuilles caulinaires sont opposées, pennées, gris-vert ; les feuilles basales, sessiles, sont au contraire lancéolées et pétiolées. **H** Très répandue dans nos champs et nos prairies, ainsi que sur les bords des chemins et des forêts ; aime les sols calcaires. **H** La plante contient des tanins et du chicotin, utilisés en herboristerie. Les abeilles et les papillons assurent la pollinisation ; la dissémination des graines se fait par les fourmis.

Pulmonaire officinale
Pulmonaria officinalis

| 15-30 cm | 10 mm | III-V |

C Les fleurs, d'abord rouge-violet, puis bleu-violet, se présentent sous forme de fausses ombelles poilues. La corolle couronnée de 5 touffes de poils dépasse nettement le calice dentelé. Les feuilles basales, ovales-cordiformes, sont souvent tachetées de blanc et rétrécissent soudain sur le pétiole ; les feuilles caulinaires sont ovales et embrassent la tige. **H** La Pulmonaire se trouve dans les forêts à essences de feuillus mélangées très humides, sur les lisières des bois et dans les buissons. **P** Plante médicinale, utilisée contre les blessures et dans les affections pulmonaires (d'où le nom). Le changement de couleur s'explique de la même façon que pour la Gesse de printemps (voir page 172). La pollinisation est assurée par les abeilles et les bourdons, la dissémination par les fourmis.

Consoude officinale
Symphytum officinale

| 30-100 cm | 12-18 mm | V-IX |

C Borraginacée à racine pivotante, la Consoude officinale ou « grande consoude » (dite encore « herbe à la coupure »), a une tige dressée, creuse, à poils raides, avec des feuilles nettement décurrentes, aussi poilues que la tige, atteignant une longueur de 25 cm. Les fleurs, violet-rouge ou blanc jaunâtre, sont en fausses ombelles ; elles sont campaniformes. **H** Prairies humides, rives, fossés, forêts de marais, décombres et chemins. **P** Plante médicinale, utilisée jadis pour réduire les fractures des os, et pour ses propriétés calmantes, émollientes et astringentes (grippes, bronchites, etc.). Elle contient des alcaloïdes, des tanins et du chicotin.

Lierre terrestre
Glechoma hederacea

15-60 cm	10-20 mm	III-VI

C La tige rampante ou montante de cette Labiée porte des feuilles réniformes-arrondies à cordiformes, avec un bord crénelé ; leur face supérieure est brillante, leur face inférieure est rougeâtre et matte. Des radicules se forment aux nœuds de la tige. Aux aisselles des feuilles naissent de faux verticilles pauciflores (2-3 fleurs). Les fleurs sont bleu-violet ; leur lèvre inférieure est trilobée, avec un lobe médian plus large ; la lèvre supérieure est droite et ourlée sur le bord. Etamines et pistil dépassent la corolle. **H** Prairies, pâtures, forêts humides de feuillus et de marais, murs et rives. **P** Jadis employée comme plante médicinale contre les blessures et les inflammations respiratoires.

Brunelle vulgaire
Prunella vulgaris

10-30 cm	8-15 mm	VI-IX

C Les longues fleurs violet-bleu de cette Labiée forment une inflorescence en épi. Chaque fleur a une lèvre supérieure en casque, avec 3 indentations pointues, celle du milieu étant plus large. Le calice est bilobé et moitié moins long que la fleur. Les feuilles sont opposées en croix, ovales-allongées et légèrement duvetées comme la tige. Des émissaires rampants à la surface du sol propagent la plante. **H** Tous types de prairies, pâturages, lisières des forêts, forêts même, partout en abondance. **P** La dissémination se fait grâce à un mécanisme naturel d'éjection déclenché par les gouttes de pluie. Plante médicinale qui contient des tanins, du chicotin et des huiles essentielles. En gargarisme contre les angines.

Menthe des champs
Mentha arvensis

10-45 cm	5-8 mm	VI-X

C La tige quadrangulaire de cette Papilionacée est couchée ou montante. Elle porte, opposées en croix, des feuilles ovales ou elliptiques, dont le bord est faiblement scié ou crénelé. Les fleurs poussent en faux verticilles à l'aisselle des feuilles. Leur corolle lilas est entourée d'un calice campaniforme, dont les 5 sépales sont triangulaires-ovales, aussi larges que longs. La tige se termine toujours par un bouquet de feuilles. **H** Champs humides, prairies inondées, fossés, rives et roseaux, – la Menthe des champs affectionne les terrains azotés humides et est un bon indicateur de l'humidité. **P** L'odeur aromatique à l'écrasement trahit la richesse en huiles essentielles. Pollinisation par les insectes.

Campanule étalée
Campanula patula

| 20-60 cm | 15-25 mm | V-VIII |

C Les fleurs lilas de cette Campanulacée se présentent en panicule très éclaté ; elles ont chacune une corolle fendue jusqu'à la moitié de la longueur de la fleur inclinée. Les sépales du calice sont lancéolés. On distinguera les feuilles basales, à pétiole court, ovales-allongées et à bord crénelé, et les feuilles caulinaires lancéolées. **H** Les Campanules (ou « clochettes étalées ») se trouvent dans les prairies grasses au sol argileux humide, mais aussi sablonneux, en grandes colonies si la niche leur convient. **P** La plante a un grand besoin de lumière. Les sacs polliniques mûrissent avant les semences, ce qui interdit toute autopollinisation. Ce sont avant tout les abeilles qui se chargent de la pollinisation.

Centaurée jacée
Centaurea jacea

| 20-80 cm | 2-6 cm | VI-X |

C Appelée encore « barbeau » et « tête de moineau », cette Composée apparaît en été dans nos prairies. Elle possède des feuilles basales pétiolées, pennatilobées et sinuées, des feuilles caulinaires sessiles et lancéolées. Les capitules sont uniquement composés de fleurs ligulées, les extérieures étant plus grandes que les autres. L'extrémité des bractées est séparée par un net étranglement, brunâtre et d'aspect sec. La tige est anguleuse, rugueuse et ramifiée dans le haut seulement. **H** Prairies, pelouses sèches, chemins et prairies marécageuses. **P** Étamines sensibles au toucher, mécanisme de sortie du pollen au contact des insectes pour que ses grains soient ainsi transportés.

Colchique d'automne
Colchicum autumnale

| 2-20 cm | 40-60 mm | VIII-XI |

C Les fleurs et les feuilles de cette Liliacée très particulière ne peuvent être vues qu'à des saisons différentes. Les fleurs apparaissent d'août à novembre. Elles se composent de 6 pétales sortis d'un pédoncule blanc sans feuilles. Sortent de là 6 étamines et 3 pistils. La grande longueur de ces derniers fait que les grains de pollen mettent plusieurs semaines à gagner les ovaires qui ont mûri sous la terre pour assurer ainsi la fécondation. Les feuilles lancéolées et larges et les capsules des fruits n'apparaissent qu'au printemps de l'année suivante. **H** Cette plante vénéneuse affectionne les prairies humides et les forêts de marais. **P** Le bulbe et les autres parties de la plante contiennent le venin colchicine, qui peut empêcher la division des cellules. On l'utilise en jardinage pour créer des plantes nouvelles.

Ancolie commune
Aquilegia vulgaris

| 30-80 cm | 30-50 mm | V-VII |

C La corolle bleue (rarement rougeâtre ou blanche) de chaque fleur de cette Renonculacée est composée de pétales allongés, prolongés vers l'arrière en un long éperon recourbé et enroulé. Les étamines jaunes, nombreuses, dépassent un peu de la corolle. Les feuilles basales sont doublement tripartites, les feuilles caulinaires sessiles et trilobées. **H** Forêts de feuillus clairsemées, buissons, lisières des forêts, pelouses sèches. **P** Le nectar contenu au fond de l'éperon est pompé par les bourdons à longue trompe, qui accomplissent ainsi la pollinisation. Les bourdons à courte trompe et les abeilles déchirent souvent cet éperon pour arriver au nectar.

Dauphinelle consoude
Consolida regalis

| 15-50 cm | 15-20 mm | V-VIII |

C Appelée aussi « pied d'alouette », cette Renonculacée a des fleurs d'un beau bleu sombre, avec un éperon caractéristique long de 2,5 cm, groupées en grappes pauciflores. L'éperon est en fait le prolongement de deux pétales intérieurs soudés. Bractées linéaires plus courtes que le pédoncule. La tige n'est ramifiée que dans le haut ; elle porte des feuilles sessiles tripartites, avec des folioles bi- ou trilobées. **H** « Mauvaise herbe » des champs, que l'on trouve aussi sur les décharges ; la plante semble en régression à la suite de l'emploi massif de désherbants spécifiques. Elle apprécie les sols calcaires. **P** La plante est pollinisée par les bourdons et les papillons de jour. Elle contient des alcaloïdes qui l'ont fait jadis utiliser comme plante médicinale contre les blessures.

Hépatique à trois lobes
Hepatica nobilis

| 5-15 cm | 15-30 mm | III-IV |

C Les feuilles basales de cette Renonculacée ont un long pétiole et sont trilobées ; vert sombre sur la face supérieure, brun-rouge ou pourpres sur la face inférieure ; elles apparaissent après la floraison et passent l'hiver. Les fleurs d'un bleu profond (rarement roses ou blanches) ont de 6 à 9 pétales et un long pédoncule ; 3 bractées forment au-dessous de la corolle un faux calice. **H** Forêts de hêtres, de chênes et forêts à essences de conifères mélangées ; sols calcaires ; vient en grande quantité. **P** Le nom de la plante évoque la forme du lobe des feuilles. On utilisait également cette herbe séchée contre les maladies de foie et de vésicule. Les insectes assurent la pollinisation, les fourmis la dissémination des graines qui les attirent.

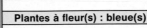
Luzerne cultivée
Medicago sativa

20-80 cm	8-12 mm	VI-IX

C La plante dressée, presque glabre, porte des feuilles par trois, avec des folioles dentelées et pointues. Les fleurs de cette Papilionacée sont en petites grappes bleues ou violettes. Le fruit est une gousse à 2-3 étranglements. **H** La Luzerne cultivée se trouve en prairies mi-sèches, sur le bord des chemins, dans les buissons et autres lieux pauvres en substances nourricières. C'est une bonne plante fourragère. **P** La valeur nutritive de cette plante riche en protides (albumine) s'explique par sa faculté de fixer l'oxygène grâce à des bactéries de l'azote qui vivent dans les tubercules de sa racine.

Petite pervenche
Vinca minor

15-20 cm	25-30 mm	IV-V

C Les tiges rampantes de cette Apocynacée portent des feuilles persistantes, lancéolées et coriaces. Les fleurs bleu clair naissent aux aisselles des feuilles ; elles ont un pédoncule, un ovaire haut placé et une corolle à cinq parties en forme de pales d'hélice. **H** On trouve la petite pervenche (appelée encore « violette des sorciers » ou « des serpents ») dans les forêts de feuillus et les buissons. **P** Toutes les Apocynacées forment un suc laiteux dans des canalicules spécifiques. On cultive cette variété pour couvrir les espaces ombragés dans les jardins. Les fleurs sont pollinisées par les papillons et les abeilles, les graines disséminées par les fourmis. Mais la plante se propage surtout grâce à ses émissaires rampants nombreux et vivaces.

Vipérine vulgaire
Echium vulgare

30-100 cm	15-20 mm	VI-X

C Borraginacée entièrement velue, à poils piquants. Les feuilles inférieures, lancéolées, forment une rosette de base ; elles atteignent 15 cm de longueur et sont pétiolées. Les feuilles caulinaires, plus petites, sont sessiles. Les inflorescences sont faites de fleurs d'abord rougeâtres, puis bleues ; les pétales dépassent de 2/3 environ le calice, pour former une corolle en biais. Les étamines dépassent la corolle. **H** On trouve cette plante au bord des chemins, sur les décombres, dans les carrières et autres biotopes de « mauvaises herbes », au sol léger et caillouteux. **P** Ancienne plante médicinale, qui contient des tanins et un alcaloïde. Le nom est dû aux étamines qui évoquent la langue d'un serpent.

Morelle douce-amère
Solanum dulcamara

| 30-200 cm | 10-12 mm | VI-VIII |

C Cette Solanacée se présente sous forme d'un arbrisseau à tige ligneuse en bas, dressée et montante. Les feuilles lancéolées, souvent bi-pennées à la base, mais aussi entières, forment un feuillage touffu. Fleurs en grappes d'ombelles, violet foncé, avec 5 pétales très étalés. Les étamines, au centre, sont soudées en forme de petite quille très caractéristique. **H** Forêts de marais, coupes forestières, rives, fossés, haies, sont les lieux de prédilection de cette plante qui aime les sols azotés, humides, riches en substances nutritives. Vient en petites quantités. **P** La plante contient divers alcaloïdes vénéneux qui la font utiliser comme plante médicinale en herboristerie.

Véronique petit Chêne
Veronica chamaedrys

| 10-30 cm | 5-10 mm | IV-VIII |

C Scrophulariacée immédiatement reconnaissable grâce à ses deux rangées de soies caulinaires. Les feuilles ovales sont opposées, pourvues de courts pétioles ou sessiles, avec un bord crénelé. Les fleurs sont groupées en grappes lâches aux aisselles des feuilles (à raison de 2 grappes par plante au plus). Le calice est à 4 pétales à veines foncées, tombant facilement, avec seulement 2 étamines. Le genre *Veronica* est riche de nombreuses variétés. **H** Prairies, clairières et lisières de forêts. **P** La floraison ne peut se faire qu'avec un éclairage suffisant. La pollinisation est assurée par les insectes. La plante contient un glucoside vénéneux, l'aucubine. Jadis utilisée comme plante médicinale (foie, digestion, poumons).

Véronique de Perse
Veronica persica

| 10-30 cm | 8-12 mm | I-XII |

C Plante importée, de la famille des Scrophulariacées, avec de délicates fleurs d'un bleu éclatant. Les pétales inférieurs sont comme éclairés par en-dessous. Des sépales ovales entourent la corolle en un calice aux feuilles pointues. Le pédoncule est nettement plus long que le calice et s'implante à l'aisselle des feuilles. La tige, couchée ou montante, porte des feuilles triangulaires-ovales, dont le bord est grossièrement denté. En guise de fruit se développe une capsule large de 8-10 mm et longue de 4-6 mm. **H** Champs, jardins, vignes, bords des chemins et autres sols riches en substances nourricières, un peu azotés. **P** Introduites dans les jardins botaniques européens au début du siècle, la plante s'est répandue au point de devenir une des « mauvaises herbes » les plus fréquentes de nos jardins.

Bugle rampante
Ajuga reptans

| 15-30 cm | 10-15 mm | IV-VIII |

C L'adjectif contenu dans le nom de cette Labiée renvoie aux émissaires aériens qui assurent le mode de propagation le plus actif de la plante. Les fleurs sont bleues, rarement roses ou blanches, et caractérisées par une lèvre supérieure manquante ou fortement réduite. La lèvre inférieure est par contre très développée et toujours trilobée. Les fleurs sont disposées en inflorescence assez lâche. Les feuilles basales sont spatulées, avec un long pétiole, et disposées en rosette ; les feuilles caulinaires sont entières et ovales, opposées en croix. **H** On trouve cette plante dans les prairies, les buissons et les forêts. **P** Elle contient des tanins et passait naguère pour une plante médicinale. Pollinisation par les insectes et autopollinisation.

Sauge des prés
Salvia pratensis

| 30-60 cm | 20-25 mm | IV-VIII |

C Les fleurs bleu sombre de cette Labiée sont disposées par 4-8 en faux verticilles à poils glanduleux. La lèvre supérieure est en forme de faucille. Les bractées sont plus courtes que le calice dentelé et recourbées vers le bas. Tige quadrangulaire à poils durs, gluante vers le haut. Les feuilles sont groupées dans le bas ; elles sont ovales, pétiolées et crénelées sur les bords. **H** Endroits secs et ensoleillés, comme la sauge cultivée dans nos jardins. Pelouses mi-sèches à sol calcaire, bords des chemins, alpages, mais aussi sols riches en substances nutritives et prairies grasses. **P** La plante est pollinisée par les bourdons, qui déclenchent avec leur trompe un mécanisme d'articulation grâce auquel le pistil et les étamines s'inclinent pour toucher le corps des insectes et répandre le pollen sur leur dos.

Campanule gantelée
Campanula trachelium

| 30-100 cm | 30-40 cm | VI-IX |

C La tige de cette Campanulacée est anguleuse et coupante, avec des poils durs ; elle porte des feuilles triangulaires-ovales, grossièrement sciées, longuement pétiolées vers le bas de la tige. Les fleurs bleues, en forme d'entonnoirs, sont groupées en grappes feuillues. Chaque fleur a un pédoncule pourvu de deux bractées à sa base. De temps en temps se trouvent des floraisons blanches. **H** La Campanule gantelée affectionne les lieux ombragés de divers types de forêts humides. **P** Le genre *Campanula* est extrêmement riche de variétés. L'autopollinisation est impossible du fait que les organes ♂ (pollen) se développent et viennent à maturité avant les organes ♀ (ovules) de la fécondation. Des capsules se développent en guise de fruits ; elles s'ouvrent par 5 trous latéraux pour laisser partir les graines.

Chicorée intube
Cichorium intybus

| 25-120 cm | 3-4 cm | VII-IX |

C Les grands capitules (3-4 cm de Ø) de cette fleur, ouverts seulement le matin, sont composés uniquement de fleurs ligulées. Des bractées sur deux rangs, à poils glanduleux, les entourent. La tige ramifiée et dure de cette Composée porte des feuilles lancéolées, à bord plein ou légèrement denteté ; les feuilles de la rosette de base sont très échancrées et pourvues de poils durs à la face inférieure. **H** Bords de chemins et de champs, décombres et pâturages. **P** La plante était cultivée au XIXe siècle pour ses racines : torréfiées et moulues, elles donnaient la « chicorée », ersatz de café. On la mangeait également en salade, et ses vertus médicinales (digestive, sudorifique et calmante) étaient aussi appréciées.

Bleuet
Centaurea cyanus

| 30-80 cm | 2-3 cm | VI-X |

C Les capitules larges de 2-3 cm de cette Composée se trouvent au bout de tiges très ramifiées et anguleuses ; ils se composent de fleurs toutes tubuleuses, les intérieures violettes, les extérieures bleues et échancrées. Calice ovoïde, long de 15 mm. La tige porte des feuilles sessiles larges de 2-5 mm, lancéolées, feutrées de blanc sur la face inférieure, comme la tige entière. **H** Les bleuets (ou « bluets » ou encore « casse-lunettes ») se trouvent dans les champs de blé, mais aussi dans les autres lieux propices aux « mauvaises herbes ». **P** Accompagnant les cultures, cette plante se signale par un bleu profond extraordinaire et caractéristique. Mais les traitements sélectifs des cultivateurs la font disparaître de plus en plus. Jadis utilisée comme plante médicinale contre les maladies oculaires et pulmonaires.

Muscari botryde
Muscari botryoides

| 10-25 cm | 2-5 mm | IV-V |

C Les inflorescences de cette Liliacée se présentent sous la forme de grappes serrées, courtes, comme de petites quilles. Les fleurs supérieures sont stériles et ne donnent aucun fruit. Toutes les fleurs sont bleu ciel, avec un collet blanc, de forme sphérique-ovoïde, et inodores : elles sont groupées par 10-20 dans une inflorescence. Les feuilles, situées à la base, sont larges de 10 mm au maximum et dressées : elles sont lancéolées et s'élargissent un peu vers le sommet. **H** On trouve le muscari botryde sur les pentes ensoleillées à pelouse sèche, dans les vignes et les forêts clairsemées de chênes ; sols argileux et calcaires. C'est une plante du sud-ouest de l'Europe, qui aime le milieu méditerranéen. **P** Pollinisée par divers insectes. On relève 4 autres variétés de *Muscari* dans notre flore ; toutes sont assez rares.

Asaret d'Europe
Asarum europaeum

5-10 cm	10-15 mm	III-V

C Appelée aussi « oreille d'homme », cette Aristolochiacée possède une tige rampante pourvue de feuilles basses en écailles brunâtres, et deux feuilles persistantes, brillantes, réniformes-arrondies ; les fleurs, insignifiantes, se trouvent au ras du sol, brun-rouge, à court pédoncule, en corolle à trois pointes ; elles se confondent souvent avec l'humus. **H** Sols humides des forêts de feuillus et de conifères, forêts de marais et buissons ombreux. **P** L'huile essentielle véneneuse, au goût poivré, contenue dans la plante la faisait utiliser jadis en médecine comme émétique. Plante autopollinisée ; les graines sont disséminées par les fourmis.

Ortie dioïque
Urtica dioica

30-120 cm	3-5 cm	VI-X

C Bien que la « grande ortie » soit universellement connue, peu savent qu'il existe diverses variétés de ce genre, comme *U. urens* (Ortie brûlante, ou « petite ortie »). L'*U. dioica* se distingue de cette dernière par le fait qu'il existe des plantes ♂ et des plantes ♀. Les deux forment de petites fleurs en panicules retombantes plus longues que le pédoncule. La haute tige anguleuse porte des poils urticants, comme les feuilles opposées en croix. Après la floraison se développent des fruits terminaux ovoïdes. **H** Bords des chemins, décombres et autres endroits humides. **P** Le simple contact des poils urticants de cette plante fait pénétrer sous l'épiderme une combinaison de substances irritantes qui provoque papules et démangeaisons.

Rossolis à feuilles rondes
Drosera rotundifolia

5-15 cm	4-6 mm	VI-IX

C Cette plante carnivore a des feuilles à long pétiole, groupées en une rosette basale, légèrement creusées, à « tentacules rouges » pourvues de poils glanduleux et gluants sur la face supérieure. Un pédoncule, long et glabre, porte un épi fourchu et pauciflore de fleurs presque invisibles. **H** Cette Droséracée pousse dans les marais et les tourbières, mais aussi dans les terrains tourbeux et sablonneux ; sols acides. **P** Pour améliorer son alimentation azotée, la plante capture des insectes avec ses « tentacules », qui se referment sur l'animal emprisonné et le dissolvent grâce au liquide secrété par les glandes des poils collants. Cette possibilité permet à la plante de vivre sur des sols très pauvres en azote, la photosynthèse assurant l'approvisionnement en substances nourricières autres.

Mercuriale vivace
Mercurialis perennis

15-30 cm	3-5 cm	IV-V

C Cette Euphorbiacée a des fleurs minuscules monosexuées avec un calice vert trilobé ; elles se présentent en glomérules aux aisselles des feuilles. La tige ronde, écailleuse vers la base, porte vers le haut des feuilles pétiolées, elliptiques ou lancéolées-allongées. Pas de suc laiteux, à la différence d'autres Euphorbiacées. **H** Vient par colonies importantes dans les forêts de feuillus denses, mais aussi dans les forêts de conifères à essences mélangées et les forêts de gorges. **P** Vénéneuse, la plante contient des saponines, de l'huile essentielle et du chicotin qui la font utiliser en herboristerie contre les maladies digestives et les rhumatismes.

Euphorbe amygdaloïde
Euphorbia amygdaloïdes

30-70 cm	10-15 mm	IV-VI

C L'inflorescence ramifiée de cette Euphorbiacée se trouve au bout de tiges très feuillues et boisées, qui ont passé l'hiver. La bractée jaunâtre est en forme de gobelet ; les étamines sont en forme de demi-lune. Immédiatement sous l'inflorescence viennent les feuilles, nombreuses et ovales-lancéolées. **H** On trouve cet euphorbe dans les forêts de hêtres, mais aussi dans les forêts d'autres feuillus et dans les buissons. **P** Les diverses variétés du genre *Euphorbia* produisent toutes un suc laiteux vénéneux, qui empêche les animaux de les manger par son action sur les muqueuses et sur la peau. Mais certaines variétés servent de nourriture favorite à certains papillons.

Chénopode blanc
Chenopodium album

20-200 cm	3-5 cm	VII-X

C La caractéristique la plus visible (mais pas la seule) de cette Chénopodiacée est sa surface entièrement « saupoudrée » de blanc. Grandeur et forme des feuilles sont très variables : de 20 cm à 2 m pour celle-là ; en ovale, en losange ou lancéolées pour celle-ci, avec parfois, des limbes trilobés à bord sinué, denté ou scié. Les inflorescences de forme pyramidale, terminales ou situées à l'aisselle des feuilles, offrent des fleurs en glomérules formant une sorte d'épi. Les bractées à 5 lobes sont également saupoudrées de blanc. **H** Bords des chemins, décharges, champs, rives et autres biotopes des « mauvaises herbes ». **P** Plante pionnière accompagnant les cultures et les défrichements ; bon indicateur d'azote. Pollinisation par le vent.

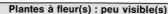

Rumex à feuilles obtuses
Rumex obtusifolius

50-120 cm	4-6 mm	VI-VIII

C Les extrémités des tiges plus ou moins dressées de cette Polygo- nacée portent des feuilles ovales-allongées à base arrondie ou cordiforme et pointe émoussée ; elles atteignent une longueur de 10-30 cm. Bractées sous l'inflorescence. Verticilles de fleurs, avec sépales intérieurs calleux et dotés de 2-5(-9) dents pointues. **H** Affec- tionne les bords de chemins, les décharges, les fossés, les coupes forestières et autres clairières. **P** Nombreuses variétés pour le genre *Rumex*, parmi les mauvaises herbes les plus coriaces du jardin. Utilisé en herboristerie pour les maladies digestives : le fruit contre la diarrhée, la racine contre la constipation.

Renouée des oiseaux
Polygonum aviculare

5-50 cm	4-7 mm	V-XI

C Appelée aussi « trainasse », cette Polygonacée aux noms expres- sifs a des tiges couchées ou montantes et très ramifiées à partir d'une certaine taille ; elles sont dotées de feuilles à court pétiole, qui atteignent 3 cm et qui forment à la base une sorte de gaine qui entoure la tige. Aux aisselles des feuilles se développent des fleurs insignifiantes (1-5), avec des pétales blanchâtres ou roses de 3 mm de longueur au plus. Mêmes dimensions pour les fruits brillants qui viennent après la floraison. **H** Bords des chemins, mais aussi fentes dans le bitume des routes peu fréquentées : aime l'azote. **P** Indicateur des terrains azotés et accompagnateur des cultures, comme d'autres mauvaises herbes. Plante médicinale utilisée contre les maux de rein et les maladies intestinales.

Hippurus vulgaire
Hippuris vulgaris

10-80 cm	2-4 mm	V-VIII

C Il faut bien regarder pour apercevoir les inflorescences de cette plante d'eau à moitié immergée. La fleur se compose en effet d'une étamine et d'un ovaire, situés à l'aisselle d'une feuille aérienne. Feuilles aériennes entières, verticillées par 6-12, perpendiculaires à la tige creuse dressée, alors que les feuilles subaquatiques pendent molle- ment. Les tiges, sorties d'un rhizome rampant subaquatique, peuvent atteindre ainsi 2 m de hauteur. **H** Pousse par grandes colonies dans des eaux à peine courantes, claires, froides et calcaires. **P** Les fleurs insignifiantes sont pollinisées par le vent ; les graines sont disséminées par les oiseaux aquatiques ou par les crues. Seul représentant de la famille des Hippuridacées en Europe.

Grand plantain
Plantago major

| 5-30 cm | 10-15 cm | VI-X |

C Les feuilles de cette Plantaginacée sont ovales-elliptiques, avec un limbe deux fois plus long que le pétiole, et nettement séparé de lui. 5-9 nervures parallèles le parcourent. Les fleurs à peine visibles sont serrées en épi dense et allongé ; leur corolle à quatre lobes est blanc jaunâtre ; les étamines, d'abord violettes, deviennent ensuite jaunâtres. **H** Chemins, pâtures, terrains de sport et décombres, avec d'autres « mauvaises herbes » ; aime les sols humides, argileux et azotés. **P** Les mucilages, le chicotin et les tanins qu'elle contient en font une plante médicinale.

Plantain lancéolé
Plantago lanceolata

| 10-40 cm | 1-2 cm | IV-X |

C Les feuilles radicales de cette Plantaginacée (appelée aussi « oreille de lièvre ») forment une rosette basale aux limbes étroits et allongés, parcourus de 5-7 nervures parallèles. La hampe est creusée de 5 sillons et se termine en épi ovoïde. Les fleurs insignifiantes ont 4 sépales, une corolle brune d'où émergent de longues étamines aux anthères jaunâtres. **H** Plante très répandue dans les prairies, les lisières des forêts, les bords des chemins, ainsi que dans les champs et les décombres. **P** Plante médicinale, comme le grand plantain ci-dessus décrit. Les feuilles écrasées étaient autrefois posées sur les blessures ; la décoction peut être absorbée contre les maux de reins et de poitrine.

Armoise commune
Artemisia vulgaris

| 50-240 cm | 3-4 mm | VI-IX |

C La tige dressée, ramifiée, de cette Composée porte des feuilles pennées avec des folioles lancéolées larges de 3-8 mm, dentelées pour les feuilles supérieures. Toutes les feuilles sont feutrées de blanc au-dessous. Les fleurs se présentent en épis de capitules grands et serrés, jaunâtres à brun-rouge, avec des bractées ovales et feutrées. **H** Affectionne les décombres, les chemins, les remblais de chemins de fer, les rives des eaux et les bords des buissons. **P** Utilisée dans maintes régions comme condiment culinaire, presque obligatoire avec l'oie rôtie par exemple. Plante médicinale, employée naguère contre l'épilepsie et les troubles de la menstruation. Variété voisine : *A. absinthium.*

Potamot nageant
Potamogeton natans

50-150 cm	5-8 cm	V-IX

C Cette plante d'eau (famille des Potamogetonacées) a deux types de feuilles : feuilles flottantes ovales-allongées, longues de 12 cm max. et feuilles immergées semblables à des joncs, fanés dès la période de floraison. Les petites fleurs monosexuées sont disposées en épi unilatéral de 8 cm de long ; elles sont pollinisées par le vent et par les escargots. **H** Eaux dormantes ou faiblement courantes, pauvres en substances nourricières. **P** Avec ses feuilles et leurs longs pétioles, le potamot offre un excellent refuge aux poissons durant la période de frai. Le rhizome très résistant était naguère récolté en automne pour nourrir les cochons.

Parisette à 4 feuilles
Paris quadrifolia

10-40 cm	40-60 mm	V-VI

C Le « raisin de renard » ou « herbe à Pâris » (autres noms populaires de la parisette) est une Liliacée à fleur unique isolée, au centre d'un verticille de 4 feuilles. Les 6-12 sépales sont longs de 20-35 mm, ceux de l'intérieur étant jaunâtres, ceux de l'extérieur verts. 6-10 étamines entourent un ovaire caractérisé par 4-5 styles libres. Les feuilles sont ovales, acuminées et portent un réseau de nervures. **H** Forêts de marais, de feuillus et de conifères ; endroits humides. **P** Plante très vénéneuse utilisée naguère en homéopathie (saponines). Les oiseaux, qui peuvent becquer le fruit empoisonné sans dommage, assurent la dissémination des graines. Le nom latin renvoie à la légende troyenne de Pâris, fils de Priam, arbitre malgré lui du concours de beauté entre Héra, Athéna et Aphrodite : le prix en était une pomme, symbolisée ici par le fruit de la plante.

Listéra ovale
Listera ovata

20-60 cm	10-15 mm	V-VII

C La grappe multiflore de cette Orchidacée est formée de très nombreuses fleurs isolées. La lèvre sans éperon, allongée, est profondément bilobée. A l'époque de la floraison, présence sur la tige de 2 grandes feuilles caulinaires opposées et ovales. **H** Espèce encore assez répandue dans les forêts de feuillus à essences mélangées, les forêts de marais et les buissons. **P** Cette plante, qui affectionne ainsi les endroits humides et légèrement ombragés, possède un rhizome très ramifié rampant. Elle est pollinisée par les guêpes et divers coléoptères. Dans les forêts de conifères et les marécages, on trouve la variété *L. cordata* (« Listéra cordée »), qui se distingue par la base cordiforme des feuilles et la lèvre rougeâtre flanquée de lèvres latérales.

Néottie-nid-d'oiseau
Neottia nidus-avis

20-50 cm	10-20 mm	V-VII

C Cette Orchidacée est entièrement brun-jaune, sans aucune touche de vert ; sa tige dressée a des feuilles en écailles qui forment comme des gaines successives. L'inflorescence en grappe multiflore porte 10-30 fleurs isolées, dont les sépales extérieurs sont soudés ensemble en forme de casque. La lèvre bilobée est profondément divisée et élargie à sa base. H Forêts ombragées de hêtres et forêts de conifères. P La plante doit son nom à la forme de ses racines, entrelacées comme les brindilles qui constituent un nid. Elle vit en symbiose avec des champignons dont elle utilise une partie des substances organiques, ce qui lui épargne ainsi la nécessité de la photosynthèse.

Massette à feuilles larges
Typha latifolia

1-2 m	10-20 cm	VII-VIII

C C'est en juillet-août qu'apparaissent les « manchons », inflorescences brunes de cette Typhacée, à l'extrémité de tiges pouvant atteindre 2 m de hauteur. Les fleurs réduites de la plante ♀ longs de 20 cm sont brun-noir et gardent cette couleur après la floraison ; les fleurs ♂, qui ne se composent que de 3 étamines chacune, forment un épi d'égale longueur, implanté directement au-dessus de la massette ♀, de couleur marron clair. Les feuilles bleu-vert, larges de 1-2 cm, sont au moins aussi longues que la tige de la plante et jaillissent directement de la racine pivotante. H Eaux dormantes et roseaux, avec des eaux riches en substances nourricières, mais profondes de 2 m au maximum. P Les racines de cette plante contribuent fortement à fixer les rives et les berges.

Rubanier dressé
Sparganium ramosum

30-50 cm	1-2 cm	VI-VIII

C Les racines rampantes de cette Typhacée donnent naissance, au bord des eaux dormantes ou faiblement courantes, à une tige qui peut atteindre 80 cm, ramifiée, et qui porte les inflorescences ♂ et ♀ l'une (♂) au-dessus de l'autre. Les fleurs insignifiantes se présentent sous la forme de petites massues sphériques réunies en capitules. Les feuilles dressées et vigoureuses, qui dépassent le plus souvent les inflorescences, sont larges de 3-15 mm et triangulaires dans le bas, avec une forte arête qui se prolonge par-dessous jusqu'à la pointe. H La plante aime les sols riches en substances nourricières et se trouve fréquemment associée avec les roseaux sur des sols limoneux. P Trois sous-espèces sont assez proches de cette variété ; elles se distinguent par les fruits.

Acore calame
Acorus calamus

60-150 cm	4-10 cm	VI-VII

C Cette Aracée au parfum aromatique développe une inflorescence verdâtre aux fleurs serrées, implantée latéralement, à l'extrémité de la tige, mais en même temps à la base d'une spathe de forme très caractéristique. Les fruits sont des baies rouges, mais qui n'arrivent pas à maturité sous nos climats. La tige canaliculée, de section triangulaire, porte des feuilles gladiées bipennes, ondulées sur les bords et larges de 2 cm. **H** Étangs, fossés et rives des eaux riches en substances nourricières, souvent en association avec des joncs et des roseaux. **P** Introduit en Europe centrale au XVIᵉ siècle comme plante médicinale, l'acore calame contient de la choline, de l'huile essentielle et du chicotin ; on l'utilise pour les maladies digestives.

Arum tacheté
Arum maculatum

15-50 cm	5-8 cm	IV-V

C Les fleurs de cette Aracée sont situées au bas d'une massue entourée d'une spathe blanc verdâtre. Dans le renflement basal de cette spathe se trouvent un cercle de fleurs ♀ et les fleurs ♂ au-dessus. Les feuilles radicales de l'arum sont sagittées, rarement tachetées. **H** Forêts humides de feuillus à essence mélangées, forêts de marais et de gorges. **P** L'inflorescence de l'arum tacheté est un piège à mouches qui attire les insectes par l'odeur de décomposition qu'elle dégage. Tombée dans la conque glissante de la spathe, la mouche pollinise immanquablement les fleurs ♀, après quoi la spathe se fane et l'insecte est libéré. La température intérieure de la « poche » à l'intérieur de laquelle se produit la fécondation est plus élevée que celle de l'air ambiant, ce qui traduit à l'évidence un métabolisme renforcé.

Petite lentille d'eau
Lemna minor

2-3 mm	infime	IV-VI

C Les frondes aplaties et arrondies de cette Lemnacée n'ont qu'une racine par-dessous, comme les deux autres variétés de *Lemna* (*L. trisulca*, « Lentille d'eau », et *L. gibba*, « Lenticule bossue »). Celle-ci est produite par la partie postérieure de la lentille (plus petite), cependant que la partie antérieure, plus grande, développe une feuille. Prolifération par multiplication végétative. **H** Plante universelle, qui recouvre les surfaces des eaux dormantes d'un tapis vert chatoyant. **P** Il est extrêmement rare et difficile d'observer les fleurs de ce type de plante. La pollinisation se fait par les gerris ; la dissémination des graines est due au mouvement des eaux et aux oiseaux aquatiques. On donnait autrefois des petites lentilles d'eau aux canetons, car on pensait que cela favorisait leur bonne croissance.

Linaigrette à feuilles larges
Eriophorum latifolium

D	20-60 cm	2-2,5 cm	IV-VI

C La tige trigone de cette Cypéracée porte des feuilles de 3-8 mm de large, à pointe également trigone. Les gaines des feuilles inférieures sont brun foncé. Les épis qui la surplombent à maturité portent 4-12 fleurs. Elles sont dioïques ; leurs pétales sont réduits à des poils tendres qui forment à la fructification des touffes cotonneuses et servent à disséminer les semences. Cette plante forme des gazons denses, bien qu'elle n'ait pas de stolons. **H** Marais et prairies marécageuses plats, avec des sols de tourbe ; cette espèce se raréfie. **P** On compte dans notre flore 4 autres variétés de Linaigrette ; toutes sont des agents actifs de formation des tourbières.

Glycérie aquatique
Glyceria maxima

90-200 cm	20-40 cm	VII-VIII

C L'extrémité de la tige dressée à allure de roseau porte de petits épis allongés à 5-8 fleurs. Vert clair d'abord, elles deviennent ensuite brunâtres ou violettes. Les feuilles vert clair s'élargissent à 1-2 cm et sont un peu rêches sous la nervure médiane. La ligule de la feuille est courte et tronquée, la gaine rugueuse. **H** Sur les bords des eaux riches en substances nourricières, dans la boue, les fossés et dans les roselières ; assez répandue encore. **P** Les tiges étaient employées jadis comme le chaume pour couvrir les maisons. On note également 3 autres variétés de Glycérie, la Glycérie flottante *(G. fluitans)*, la Glycérie plissée *(G. plicata)* et la Glycérie inclinée *(G. declinata)*.

Roseau
Phragmites communis

1-4 m	20-50 cm	VII-IX

C L'inflorescence presque unilatérale brille d'un blanc soyeux à la floraison, étant ordinairement brun-violet, avec de nombreuses fleurs. Fructification très rare ; la multiplication est surtout végétative, par rejets de la souche rampante. Les tiges dressées, raides mais flexibles (merci pour La Fontaine !), peuvent atteindre 4 m de hauteur. Les gaines des feuilles (qui peuvent atteindre jusqu'à 50 cm) sont velues. **H** Le roseau est la plante aquatique principale des roselières, sur les bords des eaux et des marécages. Elle peut être facilement replantée pour fixer les rives. **P** Cette plante bien connue forme parfois des colonies denses au bord de l'eau, offrant alors aux oiseaux, aux amphibiens, aux poissons et aux petits animaux le biotope adéquat, mais contribuant à faire avancer la terre sur les eaux basses.

Pâturin annuel
Poa annua

2-30 cm	2-5 cm	I-XII

C Des panicules assez lâches, à rameaux écartés souvent disposés par 2, portent des épillets multiflores (1-8) de 3 mm de long, vert pâle à blanchâtres, légèrement duvetés sur le pétiole et sur les bords. Les panicules inférieurs portent 3-10 de ces épillets. Les touffes sont faites de tiges montantes ou dressées, légèrement rugueuses sur les bords. Les ligules blanchâtres sont longues de 2-4 mm. **H** Comme beaucoup d'autres Graminées, le Pâturin annuel forme des pelouses ; on le trouve fleurissant presque toute l'année le long de nos champs et de nos chemins. **P** Cette variété de Pâturin (il y en a 9 autres) est extrêmement accomodante et peut se trouver dans des lieux apparemment peu hospitaliers.

Brize tremblante
Briza media

20-50 cm	3-5 cm	V-VIII

C Appelée également « Amourette », cette Graminée est caractérisée par une tige dressée, mince et lisse. Les panicules lâches portent des épillets multiflores ovales ou triangulaires, verts ou pourprés, à l'extrémité de longs pédicelles grêles remués par le moindre souffle, avec 15 fleurs au max. Les limbes des feuilles sont larges de 2-5 mm et rêches sur les bords. La ligule est très courte et tronquée (1 mm). **H** Pelouses sèches et mi-sèches. **P** La qualification de cette Brize (il en existe 2 autres variétés) s'explique par la fragilité de ses terminaisons. Pourtant, la Brize tremblante s'accommode des terrains les moins riches en substances nourricières et on la trouvera dans des biotopes apparemment peu favorables.

Dactyle aggloméré
Dactylis glomerata

50-120 cm	3-5 cm	V-VII

C Graminée vert gris, avec des épillets souvent teintés de violet. Les feuilles de la tige sont sessiles et larges de 4-10 mm. Les inflorescences inférieures sont plus longues que celles du haut de la tige ; toutes portent des fascicules rapprochés et ovoïdes d'épillets à 3-5 fleurs. Chaque fleur est munie d'une arête courte, les glumes ont une carène ciliée. **H** On trouve cette plante très commune sur tous les types de prairies, sur le bord des chemins, dans les forêts clairsemées et autres biotopes « herbeux ». **P** A l'inverse de la Brize tremblante ci-dessus décrite, cette Graminée sert d'indicateur de terrain azoté, à cause de ses exigences en substances nourricières. On trouve dans les forêts de feuillus une variété voisine, le Dactyle des forêts *(D. polygama)*.

Crételle des prés
Cynosurus cristatus

| 20-60 cm | 3-10 cm | VI-VII |

C Les feuilles de cette Graminée sont courtes, étroites, à ligule très courte et tronquée ; elles sont vert brillant dessus, vert mat dessous, larges de 2-3 mm ; la ligule est réduite à 1 mm. L'inflorescence forme un épi serré, droit, unilatéral, avec des épillets disposés sur 2 rangs, verts et longs de 3-4 mm. Chaque épillet fertile est recouvert par un épillet stérile. **H** Cette espèce très commune se trouve dans les prairies grasses et humides et les pâturages. **P** Cette plante est très nourrissante pour les animaux et fait partie des variétés fourragères recherchées. Sur les décombres, dans les zones portuaires et industrielles, une espèce voisine, la Crételle hérissée *(C. echinatus)*, venue des régions méditerranéennes, a pris sa place.

Chiendent commun
Agropyron repens

| 20-150 cm | 5-12 cm | VI-VIII |

C Tiges dressées pourvues de feuilles d'un vert agressif, larges de 3-8 mm, rêches sur la face supérieure, entourant la tige à leur base. Tiges et feuilles quelquefois bleuâtres. Épi simple, raide, dressé, à épillets sessiles, multiflores (3-8), sur 2 rangs opposés, appliqués à l'axe par leur côté large. Ligule très courte et tronquée ; glumelle inférieure arrondie sur le dos, quelquefois avec une brève arête. **H** Décombres et décharges, talus, haies, jardins, rives et rivages, et tous les biotopes typiques des « mauvaises herbes ». **P** Cette Graminée est l'une des plus tenaces parmi les mauvaises herbes des jardins, à cause de la longueur de ses stolons rampants ; ceux-ci s'insinuent même dans les terrains les plus durs et cassent lorsqu'on essaie de les arracher.

Vulpin des prés
Alopecurus pratensis

| 30-100 cm | 5-10 cm | V-VII |

C Inflorescence cylindrique, dressée, qui peut atteindre 10 cm de long, portant des épillets uniflores à glume atténuées en pointe, qui a donné à cette Graminée son nom vernaculaire en allemand (« Queue-de-renard »). Les feuilles sont un peu rêches, à gaines supérieures enflées ; la ligule est tronquée. La tige lisse est large de 6-8 mm, dressée. **H** Affectionne les prairies humides, mais aussi les rives des eaux, les jardins et les terrains abandonnés. **P** Bonne herbe fourragère, aimant les sols humides et riches en substances nourricières. On compte de multiples variétés de Vulpin (5 en tout), adaptées chacune à des biotopes bien précis (champs, marécages, alpages, etc.).

Moule d'eau douce
Anodonta cygnaea

jusqu'à 200 mm	Etangs Lacs Rivières

C Moule d'eau douce la plus fréquente, avec de nombreuses variétés locales. Coquille ovoïde-allongée, à parois minces, atteignant 20 cm de long. Extérieur vert brunâtre, intérieur nacré brillant. *Periostracum* un peu ridé, à peine corrodé. Bords sans indentations (d'où le nom latin). **H** Grands lacs et étangs, rivières calmes. **V** Creuse des sillons dans la boue des fonds, jusqu'à 1 m de longueur. Filtre les particules nourricières contenues dans l'eau. La fécondation des œufs de la ♀ a lieu dans la cavité branchiale. Les larves sont abandonnées dans l'eau et se développent en 8-10 jours, accrochées à la peau de poissons, pour former de jeunes individus.

Moule perlière d'eau douce
Margaritifera margaritifera

D

Jusqu'à 150 mm	Rivières Fleuves

C Coquille allongée, légèrement réniforme, extérieur brun sombre à brun-noir, intérieur nacré étincelant. Atteint 15 cm de long et 3 cm d'épaisseur. *Periostracum* très corrodé le plus souvent. **H** Eaux claires, froides, faiblement calcaires, à fonds de graviers. **V** Seule moule perlière de nos eaux. Sa fréquence a diminué de 97 % dans les 80 dernières années à cause de la pollution grandissante des eaux des rivières et des fleuves. Filtre comme toutes les moules les particules nourricières contenues dans l'eau ambiante (algues par exemple) qui baigne l'intérieur du manteau. Vieillit jusqu'à 100 ans, et atteint la maturité sexuelle à 20 ans seulement. La fécondation des œufs dans la cavité branchiale de la ♀ est suivie du développement des larves, que la ♀ pond dans l'eau. Celles-ci s'accrochent aux branchies des truites et s'y développent en 2-10 semaines.

Moule migratrice
Dreissena polymorpha

25-40 mm	Fleuves Lacs

C Coquille triangulaire, d'un brun-jaune brillant, avec des stries brun sombre. Seules moules d'eau douce avec byssus. **H** Fleuves, lacs. Marines à l'origine, elles se sont peu à peu installées et adaptées dans l'eau douce des fleuves, des rivières et des lacs européens. **V** La glande à byssus produit une touffe de poils cornus, avec lesquels ce mollusque s'accroche aux navires, aux pierres, aux pieux, aux coquilles d'autres mollusques. Filtre dans l'eau les particules nourricières. Au contraire des deux espèces ci-dessus, la fécondation a lieu dans l'eau extérieure, où se développent des larves nageantes. Les jeunes individus évolués au bout de quelques semaines se fixent avec leur byssus sur le substrat approprié et croissent en 1-3 ans.

Escargot d'eau vivipare
Viviparus viviparus

D | jusqu'à 50 mm | Mares Etangs

C Coquille brun-vert atteignant 5 cm. Spirale à l'extrémité arrondie, avec 3 bandes sombres sur les spires et élargissement progressif de celles-ci. Un opercule vient obturer la cavité lorsque l'animal se rétracte. **H** Eaux riches en organismes végétaux. **V** Escargot qui respire grâce à un système de branchies. Broute avec la langue (*radula*) les algues des pierres et des plantes d'eau ; filtre également les particules nourricières de l'eau ambiante. C'est notre seule espèce vivipare, elle comporte quelques variétés. Les œufs fécondés se développent de manière asexuée ; les jeunes seront ensuite abandonnés dans l'eau.

Limnée d'eau
Lymnaea stagnalis

jusqu'à 60 mm | Etangs Lacs Rivières

C L'un de nos plus grands escargots d'eau. Coquille à spirale pointue couleur de corne. Les spires sont presque aussi longues que l'ouverture est large. Mais la forme et la taille de la coquille dépendent beaucoup des conditions de température, de mouvement et de richesse de l'eau en particules nourricières. S'adapte aux eaux polluées. **H** Eau dormantes et courantes. **V** Escargot amphibie qui, au contraire de l'espèce ci-dessus, doit venir respirer régulièrement de l'oxygène en surface. Rampe au sol et plonge aussi sous l'eau. Broute avec sa *radula* les algues des pierres, mange également les plantes d'eau et les détritus. Hermaphrodite ; le frai est abandonné en cordons collés sur les pierres et les feuilles ; les petits escargots sortent au bout de 3 semaines.

Planorbe
Planorbarius corneus

jusqu'à 30 mm | Etangs Lacs Rivières

C Coquille spiralée à gauche, aux parois épaisses, brun-rouge, jusqu'à 3 cm de ∅. Evoque par sa forme un cor de postillon. Les spires sont arrondies et de largeur rapidement croissante. **H** Toutes eaux dormantes ou courantes, ou presque. Très répandu, capable de toutes les adaptations. **V** Comme la Limnée ci-dessus décrite, c'est un escargot amphibie. L'hémoglobine contenue dans son sang lui permet, quand l'eau est en mauvais état, de mieux fixer l'oxygène. Un choc lui fait souvent produire une goutte rouge. Omnivore : algues, plantes d'eau et excréments forment indifféremment sa nourriture. Les jeunes escargots sortent des œufs fécondés après quelques semaines.

Lacinaire
Lacinaria biplicata

16-18 mm	Rochers Souches d'arbres

C Coquille allongée, élancée, tournant toujours à gauche, nettement creusée de sillons et striée de blanc. Ouverture en forme de poire, entourée d'un ourlet pendant. Système de fermeture particulier : la lisière de l'ouverture est bordée de diverses lamelles et d'un opercule calcaire relié au pivot par un pédoncule, qui s'adapte aux lamelles. **H** Rochers, pierres, murs, souches d'arbres au sol. **V** Cherche de minuscules champignons et des plantes en décomposition sur les rochers, sous les pierres ou l'écorce, sous les feuilles tombées. Hermaphrodites, les Lacinaires se fécondent mutuellement et sont vivipares.

Limace rouge
Arion rufus

jusqu'à 150 mm	Forêts Jardins

C Couleur orangée à grise, en passant par le rouge tuile et le brun. Corps atteignant 15 cm de long et 2 cm de large, passablement corrodé sur la longueur. Manteau en bouclier derrière les cornes, avec un orifice respiratoire ouvrant sur une cavité qui sert de poumon. Un œil à l'extrémité de chaque tentacule supérieur, qui se rétracte au contact. Pas de coquille. **H** Forêts humides de feuillus et mixtes, jardins, prairies. **V** Pulmoné vivant dans les endroits humides et particulièrement actif après la pluie. Progresse en rampant par contractions des muscles du pied, sur un film de bave qu'elle sécrète. Se nourrit de plantes en décomposition, de champignons et de détritus. Hermaphrodites, les Limaces se fécondent mutuellement. Les œufs sont pondus dans un trou du sol ; les jeunes en sortent au bout de quelques semaines.

Limace des champs
Deroceras agreste

30-60 mm	Champs Jardins

C Couleur uniforme, du blanc jaunâtre au brun clair. Manteau en bouclier sans tache. Bave d'un blanc laiteux. **H** Champs, jardins, prairies, serres. **V** Pulmoné vivant sous le feuillage, les pierres, les planches, la mousse. Active de nuit, spécialement par temps de rosée et de pluie. Se nourrit surtout de feuilles, qu'elle râpe avec sa langue (*radula*). C'est un parasite assez nuisible des plantes cultivées. Mange aussi des excréments, et peut véhiculer des œufs de parasites humains, virus et bactéries. Hermaphrodite, fécondation réciproque et autofécondation. Chaque animal produit 300-400 œufs, pondus par tas de 10 dans la terre, sous les pierres, etc. Les jeunes atteignent la maturité sexuelle au bout de 3 mois.

Escargot des bois
Cepea nemoralis

jusqu'à 25 mm	Jardins Parcs Forêts

C Escargot clair, avec une coquille jaunâtre à rougeâtre décorée de 1 à 5 bande(s) brune(s). On trouve aussi des variétés dépourvues de décoration. Ouverture de la coquille bordée de brun-noir à l'extérieur et à l'intérieur. **H** Campagnes cultivées, haies, bosquets, forêts, jardins. **V** Pulmoné. Tentacules supérieurs pourvus d'yeux, tentacules inférieurs munis d'organes olfactifs. Hiberne dans le sol (X-V) ; la coquille est alors obturée par un opercule calcaire. Se nourrit de plantes vertes. Hermaphrodite, fécondation mutuelle des individus, stimulation sexuelle par un aiguillon calcaire enfoncé dans le pied. Les jeunes escargots sortent au bout de quelques semaines.

Ariante
Arianta arbustorum

18-25 mm	Forêts Taillis

C Coquille brune, avec une bande sombre à la périphérie et des taches et stries jaunes. Spires coniques, au nombre de 5-6. Ouverture arrondie, avec un ourlet blanc. Forme et couleur varient en fonction du biotope : dans les endroits ombreux et sur des sols faiblement calcaires, coquille très mince et uniformément brun sombre. **H** Forêts, taillis et prairies humides. **V** Se nourrit surtout des feuilles des arbres et des arbustes (nom latin), mais aussi de racines, de champignons et de baies. Hermaphrodite, avec fécondation réciproque. Jeux nuptiaux pour l'accouplement, mais sans l'aiguillon calcaire de l'espèce ci-dessus décrite. Les œufs fécondés éclosent après quelques semaines. Durée de vie de 3 à 5 ans.

Escargot de Bourgogne
Helix pomatia

jusqu'à 50 mm	Forêts Jardins Prairies

C Notre plus grand escargot pulmoné. Coquille brunâtre, avec 5 spires maximum. **H** Forêts de feuillus et mixtes, claires et humides, jardins, parcs, prairies, vignobles. **V** La coquille peut se fermer par une sorte d'effervescence baveuse très étonnante. Pendant l'hibernation (X-IV), elle se ferme complètement par un opercule calcaire. Progresse en rampant, comme tous les Pulmonés, par contractions rythmiques du pied musculeux sur un filet de bave brillant. Mange des herbes. Hermaphrodite, fécondation réciproque, avec jeux nuptiaux et aiguillon calcaire (voir ci-dessus). Accouplement V-VIII. 40-60 œufs, de la grosseur d'un pois, sont pondus dans un trou creusé dans le sol ; les jeunes en sortiront au bout de quelques semaines. Maturité sexuelle à 3-4 ans, durée de vie 6 ans.

Epeire diadème
Araneus diadematus

♀ 10-18 mm ♂ 6,5 mm	VII-X	Prairies Forêts

C De couleur variable, elle est caractérisée par le motif cruciforme blanc de son abdomen. **H** Presque partout. **V** Argiopide tisseuse de toiles circulaires (Ø 30 cm) sur les plantes, les bâtiments, les haies ; elle bâtit d'abord le cadre, puis les rayons, enfin le fil en spirale concentrique. Lorsqu'un insecte vient à se prendre dans cette toile gluante, l'araignée sort de l'endroit où elle était tapie (au centre ou à proximité de la toile), immobilise la proie par une morsure, pour en sucer plus tard la substance. Pour la fécondation, le ♂, plus petit que la ♀, s'approche de la toile, averti par des vibrations codées, et la quitte après l'accouplement pour ne pas être dévoré. La ♀ pond à l'automne une centaine d'œufs, d'où les jeunes sortent au printemps suivant.

Argiope bruennichi
Argiope bruennichi

♀ jusqu'à 25 mm ♂ 3-5 mm	V-IX	terrains vagues prairies landes

C L'abdomen de la ♀ sexuellement mature est zébré de bandes transversales jaunes et noires ; les jeunes, les ♂ et les ♀ immatures sont beaucoup plus pâles. **H** Landes sèches, prairies humides, terres incultes ensoleillées. Originaire du sud de l'Europe, elle s'est ensuite répandue. **V** Araignée tisseuse de toiles circulaires verticales entre plantes. La toile possède deux *stabilimentum* radiaux caractéristiques et un centre tissé d'un fil blanc sous lequel l'araignée se tient aux aguets. Elle mange de petits insectes. La ♀ attire le ♂ pour l'accouplement par des « déhanchements » et des signaux sur la toile, après quoi le ♂ est le plus souvent dévoré. Les œufs sont déposés (300-400) dans une sorte de « cocon » suspendu (VIII-IX) entre des herbes près de la toile. Les jeunes en sortent au bout de 4 semaines, muent, puis retournent hiberner jusqu'en mai dans le cocon.

Araignée sauteuse
Salticus scenicus

4-7 mm	II-X	Rocailles Murs

C Le céphalothorax resserré porte 4 paires de pattes courtes et puissantes ; le corps est dans l'ensemble noir brunâtre avec des bandes blanches transversales. La tête a 4 paires d'yeux. **H** Rochers, murs, troncs d'arbre. **V** Cette araignée très active chasse véritablement ses proies après les avoir visuellement repérées, grâce à ses yeux perfectionnés qui lui permettent de saisir formes et couleurs. La proie est abordée au prix de savants détours, puis attaquée d'un saut précis, réglé par un fil d'ancrage. Les araignées sauteuses ne tissent aucun nid pour la mue ou l'hivernage. La parade nuptiale du ♂ est remarquable. La ♀ garde le cocon des œufs, de même que les jeunes à leur sortie.

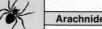
Araignée domicole
Tegenaria ferruginea

9-14 mm	I-XII	Maisons

C Abdomen sombre, avec des motifs plus clairs. Les pattes peuvent atteindre 6 cm d'extension. **H** Recoins des maisons, des caves, des greniers, des granges et des étables. **V** Tisse une toile triangulaire, avec une retraite en forme de tube à l'apex. Les innombrables fils de la toile ne sont pas collants, mais vibrent au moindre contact, faisant accourir l'araignée pour saisir la proie. Après l'accouplement, en été, les œufs sont déposés dans des nids spéciaux, à proximité des toiles de capture (quelquefois dans un de leurs coins), jusqu'à ce que les jeunes en soient sortis.

Araignée-crabe
Misumena vatia

♀ 10 mm ♂ 3-4 mm	IV-VIII	Fleurs

C Le ♂ est petit, jaune-vert, la ♀ est plus grosse, à peu près blanche. Les araignées-crabes ont des facultés de camouflage qui leur permettent d'adapter leur couleur à celle de leur support, variant du vert pâle au jaune et au blanc. **H** Sur fleurs jaunes et blanches. **V** L'appellation de cette araignée est due à ses deux premières paires de pattes, qui lui permettent de se déplacer de côté comme les crabes. Elle ne construit aucun nid. Les pattes écartées, elle attend ses proies sur les fleurs où elle gîte, spécialement les guêpes et les abeilles, qu'elle paralyse d'une morsure dans le dos, tout en se maintenant à l'écart de l'aiguillon de leur victime. Puis elle saisit la proie avec ses longues pattes antérieures et en suce la substance.

Faucheux
Phalangium opilio

5-9 mm	I-XII	Herbes Broussailles Maisons

C La limite entre la carapace et l'abdomen de ces arachnides de l'ordre des *Opiliones* est difficile à préciser. Les longues pattes, caractéristiques, peuvent atteindre 15 fois la longueur du corps. **H** Caves, granges, buissons et sols broussailleux. **V** Les faucheux ne construisent pas de nid, mais attrapent leurs proies (insectes, cloportes et acariens) à la course. Ils peuvent aussi attraper au vol les insectes grâce à leurs longues pattes, mais se nourrissent également de débris de fruits, de champignons, de graines et de charognes. Le faucheux abandonne à la prise la patte prisonnière qui ne repoussera pas. Les ♀ pondent leurs œufs dans un trou qu'elles ont fait grâce à l'oviscapte dont elles sont pourvues (terre, écorce, sols humides) et les abandonnent ensuite.

Gloméride
Glomeris marginata

| 7-20 mm | I-XII | Sols des forêts |

C La carapace segmentée de l'animal adulte brille d'un éclat noir. Se roule en boule en cas de danger, dissimulant pattes et antennes. **H** Forêts de feuillus humides, couches de feuilles, troncs pourris, dessous de pierres. **V** Lorsqu'il se roule en boule en cas de danger, il émet un liquide défensif. Se nourrit de débris végétaux en décomposition : humus, champignons, mousses, etc. Les œufs fécondés sont déposés dans de petites loges, à terre, avec une masse d'excréments protecteurs. Les œufs se développent en 3-4 semaines ; maturité sexuelle au bout de 3 ans minimum. Durée de vie : 6-7 ans.

Diplopode « Mille-Pattes »
Schizophyllum sabulosum

| 20-47 mm | I-XII | Humus de surface |

C Le corps, cylindrique et allongé, est brun sombre ou noir, brillant, avec 45-55 segments. A l'exception des 3 premiers et du dernier, chaque segment porte 2 paires de pattes. **H** Humus de surface et couches supérieures du sol. **V** Le déplacement se fait par alternance des paires de pattes, de sorte que des ondes vibratoires régulières paraissent parcourir l'animal. La tête sert de butoir pour ouvrir le sol. L'animal se roule en spirale en cas de danger, avec la tête au centre de la spirale. Cette parade se double de l'émission d'un liquide défensif très odorant et toxique (il contient une proportion d'acide prussique) par des glandes situées sur le côté des segments. Se nourrit de particules organiques de feuilles ou de bois en décomposition.

Chilopode « Centipattes »
Lithobius forficatus

| 20-30 mm | I-XII | Sols des forêts |

C Le corps aplati est brunâtre, avec une seule paire de pattes par segments [c'est la différence entre les Diplopodes (voir ci-dessus) et les Chilopodes], 15 au total. **H** Humus de surface des forêts, mais aussi sous les pierres et l'écorce. **V** Coureur rapide, l'animal chasse à la course les petits insectes dont il se nourrit, ainsi que des larves et des petits vers. Les fortes mâchoires sont pourvues de glandes venimeuses, et la morsure procure les mêmes douleurs que la piqûre  des abeilles. La ♀ porte quelque temps les œufs entre les pattes postérieures, avant de les abandonner un à un sur le sol. Elle les roule au préalable sur la terre pour leur donner une sorte d'enveloppe protectrice. 3 ans sont nécessaires avant la maturité sexuelle. Durée de vie : 6 ans minimum.

Leste fiancé
Lestes sponsa

25-35 mm 40-85 mm	VI-X	Plantes des rives

C La couleur vert bronze est caractéristique pour les deux sexes, mais le ♂ a le thorax et l'extrémité de l'abdomen recouverts de gris-bleu. Les quatre ailes présentent un ptérostigma noir ou brun-noir. **H** Étangs, marais et autres eaux dormantes, dont cette Demoiselle peut s'éloigner assez loin. **V** Cette libellule typique du plein été se pose longuement sur les plantes des rives. L'accouplement se produit au repos, la ponte sur les plantes, le ♂ assistant la ♀, celle-ci ne se tenant jamais sous la surface de l'eau. Après l'hiver, les jeunes éclosent au début du printemps.

Agrion jouvencelle
Coenagrion puella

23-30 mm 40-50 mm	V-IX	Plantes des rives

C Appartient, comme les *Lestidae* (voir ci-dessus), au sous-ordre des Demoiselles, avec 17 autres familles. Cette libellule très fine est caractérisée par la couleur bleue des ♂, verdâtre des ♀. Les taches abdominales (face dorsale du 2e segment) permettent de différencier les sexes par leurs motifs différents, d'un noir métallique. Les ♂ ont des taches vertes sur le thorax et l'abdomen. **H** Au bord des eaux dormantes ou à faible courant. **V** La ponte des œufs a lieu (voir photo) sur les plantes, avec l'aide du ♂. Les ♀ sont alors souvent totalement immergées. La larve hiberne, quitte l'eau à son achèvement, puis se mue en insecte adulte.

Caloptéryx éclatant
Calopteryx splendens

D
33-40 mm 70 mm	V-IX	Plantes des rives

C Ce sont les plus grandes des Demoiselles. La couleur de leur corps élancé varie du bleu métallique au vert métallique. La coloration bleue ou verte de l'aile du ♂ est très marquée et large ; les ♂ ont les ailes claires, translucides, avec des nervures vertes. Les ailes sont jointes au repos. **H** Bord des eaux à faible courant. Espèce menacée. **V** Le caloptéryx capture en un vol lent les autres insectes dont il se nourrit. L'accouplement, qui dure quelques minutes, se fait au repos. La ♀ perce le tissu conjonctif des plantes à l'aide de l'oviscapte dont elle est pourvue, puis elle y dépose les œufs. La ponte peut avoir lieu sous la surface de l'eau. Le développement de la larve se fait sur 2 ans, pour une durée de vie de l'insecte adulte de 2 semaines (!).

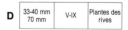

Aeshne bleue
Aeshna cyanea

50-70 mm 95-110 mm	VI-X	Rives Chemins forestiers

C Cet insecte au vol rapide est de couleur vert-jaune, avec des motifs noirs très nets. Les ailes, hyalines, ont un ptérostigma sombre très net lui aussi. **H** L'aeshne bleue peut voler assez loin des eaux, dans les chemins ou sur la lisière des forêts. **V** Chasse habilement et rapidement au vol les insectes dont elle se nourrit. Elle ne supporte aucun congénère dans son espace vital : toute intruse est immédiatement attaquée et chassée. La ♀ pond ses œufs, sans être totalement immergée, sur les plantes aquatiques proches de la surface. Les œufs et les larves hibernent à tour de rôle au cours de la maturation qui s'étale sur 2 ans.

Libellule déprimée
Platetrum depressum

22-28 mm 70-80 mm	V-VIII	Plantes des rives

C Le large abdomen de ces libellules est bleu chez le ♂, brun olive chez la ♀. Les ailes sont hyalines, avec une tache brune à la base des ailes, plus importantes sur les ailes postérieures. **H** Affectionne le voisinage des mares limoneuses, mais peut voler loin de son habitat. **V** Le vol de cet Anisoptère apparaît souvent d'une brusquerie désordonnée. La chasse aux insectes volants se fait à partir d'un perchoir momentané, branche ou tige de plante : la proie est saisie et presque immédiatement consommée. Puis l'animal regagne son perchoir de guet. La ponte se fait dans l'eau, en vol, sans que le ♂ assiste la ♀. La larve parasite hiberne 2 saisons lors de son développement, qui dure deux années complètes.

Libellule à quatre taches
Libellula quadrimaculata

30-45 mm 70-85 mm	V-VIII	Plantes des rives

C Variété très répandue, caractérisée par les taches placées sur les nodus des ailes. ♂ et ♀ sont assez semblables, avec une couleur variant du bleuâtre au brunâtre. **H** Bord des eaux dormantes les plus variées, mais aussi eaux à faible courant. **V** Comme la variété ci-dessus, la libellule à 4 taches est aussi un chasseur « à l'affût », qui chasse les insectes à partir d'un poste de guet (tige ou rameau). Appartient aussi au sous-ordre des Anisoptères, représenté sous nos climats par plus de 20 familles. Les œufs sont pondus en vol par la ♀ au-dessus de la surface des eaux. La larve subaquatique se développe en 2 ans. On observe à l'heure actuelle que les déplacements de ces libellules sont de plus en plus importants.

Sympétrum rouge sang
Sympetrum sanguineum

20-30 mm 40-50 mm	VI-X	Prairies Chemins

C Il existe 8 variétés de ce genre, difficiles à distinguer les unes des autres. Le ♂ est rouge sang sur la face supérieure de l'abdomen, la ♀ brun olive clair. Les pattes sont entièrement noires. **H** Cette libellule n'est pas attachée à un milieu aquatique et peut se trouver dans de nombreux biotopes. **V** Tiges et rameaux au voisinage du sol sont souvent les lieux de repos du sympétrum. Le vol apparaît brusque et désordonné. L'accouplement débute en vol et se poursuit au repos. La ponte se fait avec l'assistance du ♂, la ♀ laissant tomber les œufs dans l'eau. Le développement de la larve, qui hiberne, se fait ensuite en un an.

Ephémère
Ephemeroptera

3-38 mm	V-VIII	Rivières Mares Lacs

C Le nom de cet insecte délicat est dû à la brièveté de sa vie, qui ne dure que peu d'heures ou de jours. On en connaît plus de 2 500 espèces, dont 200 en Europe. Les caractéristiques communes sont : les ailes antérieures triangulaires, les ailes postérieures très réduites, 2-3 longs cerques ou « queues » à l'extrémité de l'abdomen. Les ailes sont jointes au repos. **H** Variable selon les variétés : rivières plus ou moins rapides, mares riches en végétation, lacs. **V** Les ♂ se rassemblent le soir en essaims très denses pour la parade nuptiale ; les ♀ traversent alors cet essaim de ♂ et les accouplements ont lieu, rapidement suivis de la ponte des œufs qui tombent dans l'eau, où les larves se développent. Le ♂ meurt après l'accouplement, la ♀ après la ponte. La larve se développe en 1 an.

Plécoptère
Plecoptera

4-30 mm	II-X	Rivières Fleuves

C Il s'agit ici, comme pour les *Ephemeroptera*, d'un ordre d'insectes qu'il faut distinguer des mouches. Corps mou et aplati, couleurs ternes et ailes repliées à plat au-dessus du corps au repos sont les principales caractéristiques. L'abdomen se termine par deux longs cerques. Les diverses variétés (3 000 connues, dont moins de 150 en Europe) sont très difficiles à distinguer les unes des autres. **H** Presque exclusivement les eaux courantes, au bord desquelles ces insectes vivent sous les feuilles ou sous les pierres. **V** Les œufs sont déposés en paquet par la ♀ sous la surface de l'eau ; ils tombent ensuite au fond de l'eau. Les larves naissent au bout de 3-4 semaines, et connaissent de nombreuses mues successives avant de donner l'imago au bout de 1 à 3 ans.

Criquet chanteur
Chorthippus biguttulus

13-20 mm	VI-X	Prairies Champs

C Il existe de nombreuses variétés du genre *Acrididae* et de la famille *Chorthippus*, assez malaisées à différencier les unes des autres. Le thorax est velu chez les deux sexes. Les ailes postérieures sont hyalines, mais comme enfumées à l'extrémité ; les élytres sont veinées en forme de nid dans la zone médiane. Les antennes sont filiformes, sans épaississement à l'extrémité. La ♀ est plus grosse que le ♂. **H** Champs, prairies et autres endroits pas trop humides. **V** C'est l'un des « instrumentistes » les plus actifs du concert champêtre de nos étés : la stridulation métallique du ♂ est produite par le frottement des tibias des pattes postérieures sur les extrémités des élytres. Ponte des œufs dans un trou du sol. Durée de développement : 1 an.

Grande sauterelle verte
Tettigonia viridissima

30-40 mm	VII-X	Buissons

C Insecte vert caractéristique, avec ses antennes longues et fines, ses fortes pattes sauteuses et, chez la ♀, un long oviscapte de 2 cm, qui atteint (sans la dépasser) l'extrémité des élytres repliés. **H** Cette sauterelle chantante habite les buissons, les taillis sous futaie et autres zones de végétation dense. **V** Ces animaux bien camouflés se font remarquer par leurs stridulations, produites par le mâle qui frotte ses élytres l'un contre l'autre. La ♀ dépose ses œufs en terre après y avoir aménagé un trou ; de là sortiront l'année suivante les jeunes sauterelles. Elles vivent d'abord dans les prairies puis deviennent adultes en juillet après la dernière mue. Larve et imago vivent en parasites des autres insectes.

Grillon champêtre
Gryllus campestris

20-25 mm	V-VI	Pelouses sèches

C Un corps aplati d'un noir brillant et une tête globuleuse en forme de casque caractérisent cet insecte encore assez répandu. Ses antennes sont longues et minces. Les fémurs postérieurs sont rouge-orange. L'abdomen de la ♀ est prolongé par un oviscapte droit en forme d'aiguille. **H** Pentes ensoleillées, pelouses sèches et autres endroits dépourvus d'humidité. **V** Le chant très particulier et très fort du grillon est produit par le mâle à l'entrée du trou qu'il a lui-même creusé dans le sol, par frottement des nervures des élytres. Les larves hibernent, de sorte que les individus sont sexuellement matures dès le printemps. On n'entendra donc leur chant que jusqu'à la fin juin. Très actif la nuit, il se nourrit de débris végétaux. La ♀ pond les œufs dans la terre. Les grillons vivent majoritairement en solitaires.

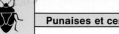
« Ciseaux »
Gerris lacustris

10-15 mm	IV-X	Mares

C Ces insectes de couleur foncée ont des pattes étonnamment longues, bien que la 1re paire soit plus courte que les deux autres. Le corps est mince et élancé. **H** Eaux dormantes ou à faible courant, mais aussi mares, pour ces punaises aquatiques. **V** Leur ventre et leurs pattes couverts de poils serrés hydrofuges leur permettent de se déplacer sur l'eau par saccades, et de capturer ainsi les insectes dont ils se nourrissent. Le développement de l'embryon se fait sans stade puppal. Les adultes hibernent ; leur bonne aptitude au vol assure la propagation lointaine de l'espèce.

Punaise des bois
Palomena prasina

11-14 mm	IV-X	Buissons

C Cette punaise très répandue change de couleur au cours de l'année : verte au printemps, elle devient brun clair en automne. Le corps est aplati, mais assez dodu. La surface du dos est formée par un scutellum triangulaire et par les élytres à base coriace. **H** On trouve cette espèce dans les buissons et sur les arbustes, mais particulièrement sur les ronciers et autres arbrisseaux producteurs de baies (nourriture). **V** Ces animaux vivent du jus des plantes et des baies, qu'ils pompent grâce à leur trompe. Les œufs sont déposés sur les plantes. L'évolution de l'embryon se fait sans passage par une chrysalide. Pour se défendre, la punaise des bois émet un liquide défensif malodorant produit par des glandes situées sur les côtés arrière du thorax.

Cercope sanguinolent
Cercopis sanguinolenta

8-10 mm	V-VI	Prairies

C Le nom populaire renvoie aux taches rouge sang qui apparaissent sur les élytres de cet insecte aux allures de coléoptère, de forme ovale allongée. **H** Tous types de prairies, avec une préférence pour les sols calcaires et ensoleillés. **V** Cet insecte sauteur vit du suc des plantes, qu'il pompe grâce à une trompe puissante. La ♀ pond ses œufs dans les fentes d'écorce ; les larves sortent après l'hibernation et se développent en vers qui vivent des sucs nourriciers contenus dans les racines. Animal assez engourdi et peu actif. Chez l'espèce voisine appelée improprement « Cicadelle écumeuse » *(Philaenus spumarius)*, la larve se développe à l'abri d'un amas écumeux qu'elle secrète elle-même en injectant de l'air dans des excréments liquides riches en albumine.

Carabe Doré
Carabus auratus

20-27 mm	IV-VIII	Chemins des champs

C Les élytres d'un beau vert métallique de ce Carabidé sont nettement nervurés, mais sans autre relief. Le bord a des reflets mordorés vert. Les pattes solides et les antennes sont jaune-rouge. **H** Ce coléoptère évite les forêts pour fréquenter de préférence les champs, les prairies et les lisières de bois. **V** Le carabe doré, ou « jardinière » est un animal typiquement diurne, qui se nourrit en parasite d'insectes, de vers, d'escargots et d'autres animalcules, même en décomposition, parfois aussi de débris végétaux. Les œufs sont déposés dans le sol ; le développement de la larve se fait durant l'été, suivi d'un repos de la chrysalide pendant 2-3 semaines. Au total, 80 jours environ de développement.

Carabe violet
Carabus granulatus

14-20 mm	III-IX	Chemins forestiers

C Ce Carabidé de couleur bronze verdâtre est caractérisé par le décor « sculpté » de son dos, avec alternance de chaînes de points en relief et de côtes saillantes. Pattes motrices très fortes. **H** Très divers, avec une préférence pour les endroits humides des forêts et autres lieux avec des buissons et des arbres. **V** Contrairement à la plupart des autres Carabidés, on trouve ici quelques individus ♂ capables de voler. Le carabe violet est actif la nuit, pendant laquelle il chasse les petits animaux dont il se nourrit ; dans la journée, il se cache sous les pierres ou le feuillage.

Dytique
Dytiscus marginalis

22-44 mm	I-XII	Rives des étangs

C Bande jaune caractéristique sur le pourtour du pronotum, alors que la teinte générale du dytique est vert olive sombre. Les pattes postérieures sont frangées de poils « natatoires », et plus longues que les deux autres paires de pattes. Le ♂ a les tarses antérieurs dilatés. **H** Affectionne les rives des eaux dormantes, mais aussi courantes (moins fréquemment). **V** Larves et adultes vivent en parasites carnivores de divers animaux aquatiques, à l'occasion même d'alevins et de têtards. La métamorphose se passe dans une cavité aérienne à proximité de l'eau. Ces coléoptères doivent périodiquement renouveler leur réserve d'air en faisant affleurer à la surface de l'eau une ouverture située à l'extrémité de leur abdomen. Ils volent bien et sont très répandus.

Nécrophore
Necrophorus vespilloides

| 12-18 mm | IV-VIII | Charognes |

C Les élytres de cet insecte fossoyeur sont décorés de deux bandes transversales orange et de 3 nervures longitudinales atténuées ; ils ne couvrent pas entièrement l'abdomen de l'animal. Les antennes noires sont épaissies en massues à leur extrémité. On compte 8 variétés de nécrophores, très proches les unes des autres. **H** Tous types de forêts à sol sec. **V** Les nécrophores enterrent les petits cadavres d'animaux en creusant le sol sous eux. Ils aménagent ensuite un canal d'accès à la « chambre funéraire » pour y déposer leurs œufs. Les larves se nourrissent des cadavres, sous la surveillance de leur mère. La métamorphose en chrysalide se fait aussi en souterrain.

Agriotes lineatus
Agriotes lineatus

| 7-10 mm | V-VII | Prairies Champs |

C Ce « taupin » ovale-allongé a une couleur générale beige à brun clair. Comme les 7 000 espèces de cette grande famille, l'*A. lineatus* tombé sur le dos est capable de sauter en l'air pour se remettre sur ses pattes. Le « mécanisme » comporte à cet effet un éperon sur l'avant du thorax et un creux sur le thorax médian. **H** Tous types de prairies, champs, mais aussi jardins et pépinières. **V** Larves et adultes vivent de substances végétales, mais si les adultes ne causent que peu de dégâts, les larves sont connues des agriculteurs sous le nom de « vers fil de fer », pour les ravages qu'ils font dans les racines de diverses plantes cultivées. La métamorphose se fait dans le sol et les jeunes passent l'hiver dans le bois pourri. Cycle complet de développement : 3-4 ans.

Bête à Bon Dieu
Adalia bipunctata

| 4-6 mm | IV-X | *Passim* |

C Deux points noirs sur des élytres rouge minium signalent cette variété de coccinelle, mais on trouve des individus totalement noirs et d'autres totalement rouges, d'autres encore avec des taches rouges sur fond noir (8 variétés en tout !). **H** Presque partout dans notre végétation. **V** Comme pour la Coccinelle à 7 points (voir page 240), l'*A. bipunctata* n'est pas par hasard un destructeur de pucerons : la ♀ pond ses œufs au voisinage de pucerons dont les larves se nourriront également. La métamorphose intervient après 20-35 jours. Les « coccinelles à 2 points » passent l'hiver en grandes colonies (voir photo) dans des endroits protégés : sous les pierres, sous l'écorce des arbres, etc. Elles sont plus protégées par les hommes que n'importe quel autre insecte, ce qu'attestent les nombreux noms vernaculaires qu'on leur a donnés.

Coccinelle à 7 points
Coccinella septempunctata

5-8 mm	IV-IX	*Passim*

C On identifie immédiatement cet insecte aux points noirs sur ses élytres rouge minium. Le corps est presque hémisphérique ; la tête, le thorax (avec 2 taches blanches) et les pattes sont noirs. **H** Arbres, buissons, mais aussi toute végétation à racine dans les jardins, les forêts, les prairies. **V** Les adultes et les larves se nourrissent préférentiellement de pucerons et autres larves d'insectes. Les larves sont gris-noir, avec des mamelons sur les côtés jaune-rouge. Développement en été, avec un stade pupal immobile sur des feuilles ; les coccinelles passent l'hiver en grandes colonies sous des pierres, etc. Voir page 238, « coccinelle à 2 points » pour la nourriture à base de pucerons.

Cerf-volant
Lucanus cervus

D

25-75 mm	IV-VIII	Chênes

C Le développement des mandibules ♂ donne à l'animal (le plus grand coléoptère d'Europe !) sa silhouette caractéristique. Les ♀ sont plus petites, avec des mandibules puissantes, mais non hypertrophiées. Les élytres sont marron ; tête, thorax et pattes sont noirs. **H** Feuillus et arbres fruitiers, mais de préférence les bouquets de vieux chênes. **V** Le « lucane » se nourrit du suc des arbres coulant de fentes de l'écorce ou de blessures de l'arbre. Le développement de la larve, sur plusieurs années, se fait dans de vieilles souches de chênes de préférence. Les ♂ utilisent leurs mandibules pour combattre entre eux à la saison des amours, le but étant de culbuter l'adversaire sur le dos. Volent le soir. L'espèce, en voie de disparition, est protégée, mais ne peut survivre que par la présence de vieux chênes...

Trichius fasciatus
Trichius fasciatus

10-13 mm	VI-IX	Fleurs (blanches)

C La caractéristique de ce Scaraboïde est le poil laineux et dense qui recouvre toute la partie supérieure du corps. Les élytres sont de couleur jaune pâle à orange foncé, avec de grandes taches noires de forme et de taille variables. Les autres parties du corps sont noires. **H** Cet insecte se tient volontiers sur les fleurs, de préférence les Ombellifères, mais aussi l'aubépine, les roses trémières, les marguerites et autres plantes à fleurs blanches. Il préfère les régions montagneuses. **V** L'insecte se nourrit de débris végétaux qu'il arrache aux Ombellifères, mais aussi aux aulnes, aux églantiers et aux troènes. Forme des essaims au soleil. Les œufs sont déposés dans du bois pourri, comme pour la Cétoine dorée (voir page 242), des débris duquel se nourriront les larves. Durée totale de développement : 2 ans.

Cétoine dorée
Cetonia aurata

14-20 mm	V-VIII	Fleurs en « buissons »

C Le vert métallique de la partie supérieure du corps de cette cétoine contraste joliment avec le beau rouge cuivre de sa face inférieure. Taches blanches en avant des élytres, qui restent closes pendant le vol, d'où les échancrures latérales pour permettre aux ailes membraneuses de se déployer. **H** Buissons en fleurs, aubépines, églantiers, sureaux par exemple. **V** Se nourrit des pétales des fleurs qu'elle déchire en les parcourant. Les œufs sont pondus dans les troncs d'arbre pourrissants, dont se nourriront les larves. Le développement complet s'étire sur plusieurs années.

Hanneton commun
Melolontha melolontha

18-25 mm	V-VII	Feuillus

C Ce Scaraboïde bien connu a des élytres brun chocolat, avec des sillons longitudinaux ; tête et thorax sont noirs. Les côtés de l'abdomen portent des marques blanches triangulaires très nettes. Les balais terminaux des antennes comportent 6 feuillets chez la ♀, 7 chez le ♂. **H** Affectionne les feuillus et les arbres fruitiers. **V** Ces coléoptères mâchent jour et nuit les feuilles et les pousses de leur arbre-hôte ; le soir venu, ils volent par essaims de dizaines d'individus. Les œufs sont pondus dans le sol, où le développement va se faire pendant 3-4 ans, donnant irrégulièrement les fameuses « années à hannetons », catastrophiques pour les récoltes. Les larves dévorent en effet les racines de plusieurs plantes cultivées et sont redoutées des cultivateurs sous le nom de « vers blancs ».

Hanneton de la Saint Jean
Amphimallon solstitiale

12-18 mm	IV-VI	Feuillus

C Très voisin du hanneton commun ci-dessus décrit, le hanneton de la Saint Jean s'en distingue par une taille plus petite, sa couleur rouille et ses poils laineux. Les massues des antennes sont à trois feuillets. D'autres variétés sont très proches : *Anomala dubia*, *Polyphylla fullo* ou encore *Phyllopertha horticola*. **H** Feuillus des forêts et des jardins. **V** En cas d'éclosion massive, ces hannetons peuvent causer de grands dommages aux arbres fruitiers dont ils détruisent les feuilles. Les ♀ vivent davantage au sol que les ♂. La formation d'essaims, le soir, est limitée à 1/2-1 heure. Les larves vivent dans le sol et se nourrissent de racines ; leur développement complet s'étale sur 2 ans.

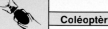
Bousier
Geotrupes stercorarius

15-25 mm	V-X	Bouses

C Thorax et abdomen de ce scarabée d'un noir brillant métallique sont fortement bombés ; les élytres sont parcourus de légers sillons longitudinaux. Les pattes noires sont très puissantes et comme barbelées. **H** Forêts, pâtures et landes, toujours à proximité de bouses. **V** Le bousier creuse des galeries sous les bouses à l'aide de ses pattes fortes. A l'intérieur de ces galeries, les œufs sont déposés dans des boules d'excréments, qui serviront de nourriture à la larve lors de son développement ; chaque cellule ne contient qu'un œuf. La métamorphose pupale se fait aussi dans le sol. Les bousiers sont un élément important de la chaîne de transformation des substances.

Lepture rouge
Leptura rubra

12-18 mm	VI-IX	Ombelli-fères

C Les élytres diminuant vers l'arrière de ce Longicorne sont rouge vif chez la ♀ et brun-jaune chez le ♂. La ♀ est en outre plus grosse. Antennes et pattes très allongées et plus foncées que le corps. Les deux sexes sont très sensiblement différents. **H** On rencontre très souvent ce Coléoptère dans la forêt ou sur la lisière des bois, sur des fleurs à ombelles, qui forment l'essentiel de sa nourriture. **V** Le développement de la larve se fait dans du bois mort (troncs abattus de conifères, saules par exemple). La larve creuse en mangeant de longues galeries ; la métamorphose pupale se fait également dans l'environnement nourricier. Au total, le développement complet de la larve s'étend sur plusieurs années.

Strangulie tachetée
Strangalia maculata

14-24 mm	V-IX	Fleurs

C Comme le *Leptura rubra*, le *S. maculata* (ou *Rutpela maculata*) est de la famille des Longicornes. Il est caractérisé par sa minceur et la longueur de ses antennes. Les élytres diminuant vers l'arrière sont jaunes rayés de taches noires transversales, de sorte qu'un coup d'œil rapide pourrait les faire prendre pour des guêpes. **H** On observe fréquemment cet insecte sur les plantes à fleurs dont le biotope est la lisière des bois. **V** Le *S. maculata* se nourrit de débris de fleurs, spécialement d'Ombellifères. La larve se développe dans les troncs des conifères, des peupliers, des saules, des hêtres et d'autres feuillus pourrissants. La livrée de l'insecte lui sert d'unique protection par sa ressemblance avec celle de la guêpe. Il émet également des sons dont on ne sait pas encore la fonction ni la signification.

Rhagie guetteuse
Rhagium inquisitor

| 12-22 mm | IV-IX | Bois Écorce |

C Longicorne gris foncé ou noir, avec des bandes et des taches jaunâtres et brun-rouge. A la jonction de la tête et du thorax se trouve de chaque côté une excroissance épineuse. Les élytres diminuent vers l'arrière et sont marqués de 2-4 sillons longitudinaux. **H** Essentiellement les forêts, où il se tient sous l'écorce des conifères et des feuillus abattus. **V** Le développement de la larve s'accomplit sous l'écorce des conifères, mais aussi des bouleaux, des aulnes, des hêtres, des chênes et d'autres feuillus. Les jeunes sortent en automne, puis hibernent et ressortent au printemps suivant. Lorsqu'ils sont dérangés, ils émettent une stridulation caractéristique.

Aromie musquée
Aromia moschata

| 22-32 mm | VI-VIII | Saules |

C Presque toujours d'un vert métallique, ce Longicorne est quelquefois légèrement bleuâtre, avec des nuances irisées et des variations possibles. Les antennes sont longues et dépassent, rabattues, la longueur totale du corps. Les élytres sont creusés de fins sillons longitudinaux. L'insecte émet une sécrétion à odeur de musc désagréable. **H** Presque exclusivement sur de vieux saules, du suc desquels l'insecte se nourrit. **V** L'ensemble du développement de l'espèce est lié au saule, car les larves se développent dans son écorce, causant parfois la mort de l'arbre si elles sont trop nombreuses. La nymphose se produit également sous l'écorce de ces arbres, avec deux exceptions possibles pour le peuplier et l'aulne. C'est l'une des espèces les plus intéressantes parmi les Longicornes.

Saperde du peuplier
Saperda populnea

| 9-25 mm | V-VII | Peupliers |

C La couleur de base de ce Longicorne varie du noir avec des taches jaunâtres au jaune-vert maculé de noir. Les antennes nettement segmentées n'atteignent pas la longueur totale du corps. **H** Le nom latin de l'animal est dû à sa prédilection pour les peupliers ; mais on trouve aussi l'*Anaerea carcharias* (Linné) sur d'autres feuillus de nos forêts. **V** Le développement de la larve se fait essentiellement sur les peupliers-trembles. La ♀ prépare avant la ponte une entaille en forme de fer à cheval dans l'écorce de l'arbre, puis elle creuse des galeries à partir de cette entaille : à chaque embranchement est déposé un œuf. Le bois même de l'arbre sert de nourriture à la larve éclose. Puis la larve perce le bois à travers la pulpe, ce qui produit à l'extérieur des abcès du bois. Ce développement larvaire se produit aussi quelquefois dans le bois pourrissant de troncs abattus.

Chrysomèle variée
Chrysomela varians

| 8-10 mm | V-IX | Millepertuis |

C Ce Chrysomélide presque sphérique a une carapace d'élytres chitineux brillants et de couleur variable : nuances métalliques du bleu, du vert, du brun-rouge, du violet et de bronze sont toutes possibles. Même famille que le célèbre doryphore. **H** Toutes végétations. **V** L'adulte et la larve se nourrissent des feuilles de la plante-hôte. Le développement larvaire ne dure que 10-30 jours, de sorte que plusieurs générations sont possibles dans une année ; on trouve souvent les larves (molles) et les insectes adultes sur la même plante. On a utilisé de nombreuses variétés de Chrysomélides pour détruire des plantes nuisibles, en raison de la spécificité de l'alimentation de ces espèces.

Doryphore
Leptinotarsa decemlineata

| 7-13 mm | V-IX | Pommes de terre |

C Les élytres de cette espèce très connue sont jaunes, avec 5 bandes noires longitudinales sur chaque. Le pronotum est également jaune, avec des taches noires irrégulières. Les larves sont rouge-orange-jaune avec une tête et des mamelons noirs. **H** Champs de pommes de terre et autres Solanacées. **V** Cette espèce, arrivée du Canada au début de ce siècle, se nourrit essentiellement des feuilles de la pomme de terre. La ♀ pouvant pondre environ 700 œufs par an, les doryphores sont la plaie redoutée des agriculteurs ; on peut en voir 3 générations par an. La nymphose se fait dans le sol et les larves se nourrissent également de feuilles. La ♀ passe l'hiver dans le sol.

Grand Charançon du Pin
Hylobius abietis

| 10-13 mm | V-IX | Écorce |

C Comme les autres représentants de la famille des Charançons *(Cucurlionoidea)*, l'« Hylobe du pin » (autre nom de cet insecte) possède un rostre caractéristique, qui a ici la même longueur que l'ensemble tête-pronotum. L'insecte est brun ou rouille, avec des taches pubescentes transversales jaunâtres. A l'avant du rostre se détachent les antennes, épaissies en massues vers leur extrémité. **H** Forêts de conifères et forêts mixtes. **V** Ce charançon dévore les pousses et l'écorce des arbres, causant ainsi de sérieux dommages aux populations de pins et de sapins. Les œufs sont déposés dans l'écorce des souches. Les larves inermes se nourrissent de l'écorce et du bois ; leur développement complet dure 2 ans. Le charançon adulte vit 2-3 ans. On connaît 4 variétés du genre *Hylobius*, très voisines les unes des autres.

Abeille à miel
Apis mellifera

15-21 mm	IV-X	Fleurs

C Le corps de cet insecte bien connu est brun et presque entièrement duveteux. Les antennes sont relativement courtes, les ailes hyalines à fines nervures brunâtres. Chacune des deux pattes postérieures porte un sac à pollen. **H** Tous endroits riches en plantes à fleurs, qui fournissent pollen et nectar. **V** Cet insecte social vit en communauté pouvant compter jusqu'à 50 000 individus. Chaque abeille a diverses fonctions à remplir durant sa vie. Les larves se développent après que la reine a pondu les œufs dans les cellules des rayons. Les faux-bourdons se développent de même. Les abeilles communiquent entre elles par le moyen d'une « danse » dont les figures compliquées ont des significations précises.

Bourdon
Bombus terrestris

12-20 mm	IV-X	Fleurs

C De nombreuses variétés existent dans cette grande famille d'abeilles sociales, caractérisées en général par leur corps très poilu. Les ♀ apparaissent dès le printemps : elles ont un poil noir soyeux, blanc à l'extrémité de l'abdomen. Les ♂, qui ne sortent qu'en juillet, ne se distinguent des ♀ que par les 13 segments de leurs antennes (12 pour les ♀). **H** Prairies, champs et forêts. **V** Le nid est souterrain, jusqu'à 1,5 m de profondeur. Comme pour les abeilles, les cellules de cire ne sont occupées que par les œufs. Une colonie se compose de 200-400 individus, dont seules les ♀ fécondées passent l'hiver ; les ouvrières, les ♂ et les vieilles ♀ meurent à l'automne. On peut observer ces bourdons depuis le printemps jusqu'en automne à la recherche du pollen et du nectar des fleurs.

Bourdon
Bombus agrorum

12-20 mm	IV-X	Fleurs

C Le thorax uniformément roux présente souvent une zone de poils noirs centrale sur la face supérieure. Les segments abdominaux sont partiellement noirs, mais les derniers ont un poil jaune-rouge. La différenciation des sexes se fait comme pour la variété ci-dessus décrite. **H** Très actifs visiteurs des fleurs dans les prairies, les champs et les jardins. **V** Les cellules sont construites par les ♀ sous la terre. Mais les nids sont souvent construits au-dessus du sol, dans d'anciens nids d'oiseaux ou dans les anfractuosités d'un mur, etc. Les ouvrières qui naissent au début de l'été sont plus petites que les animaux qui naissent en plein été. Les ♂ n'apparaissent qu'en juillet, les ♀ à la fin de l'été. Les adultes et les larves se nourrissent de pollen et de miel.

Frelon
Vespa crabro

D	19-35 mm	IV-X	Arbres

C C'est la plus grosse des Guêpes. La tête et le thorax sont brun-rouge, l'abdomen est taché de jaune. Les ailes hyalines brunâtres rabattues dépassent légèrement l'abdomen. **H** Les frelons vivent dans les forêts, mais se tiennent aussi volontiers au voisinage des maisons, quand ils y trouvent des possibilités de bâtir leur nid. **V** Celui-ci est souvent édifié dans un creux d'arbre, ou sous des poutres, ou sous le revers d'un toit. Il forme une masse grise de carton, produit par la mastication de bois pourri. Il est commencé au début de l'année par une ♀, puis terminé par les ouvrières qui naissent bientôt. Une colonie est composée de 5 000 individus au maximum ; seules les ♀ fécondées passent l'hiver.

Guêpe
Paravespula germanica

15-27 mm	IV-X	Fleurs Fruits

C Au contraire du frelon ci-dessus décrit, cette guêpe est plus petite et porte les motifs jaunes et noirs également sur le thorax. Chaque segment de l'abdomen est marqué de jaune. Les ♀ et les ouvrières ont les antennes entièrement jaunes, les ♂ ont 3 taches jaunes sur la face. **H** Cette guêpe affectionne les campagnes ouvertes ; on la trouvera moins fréquemment en forêt. **V** Le nid souterrain est souvent dans les champs. Chaque colonie étant fondée nouvellement chaque année par une ♀, le nombre des individus croît régulièrement jusqu'en automne et peut atteindre quelque 10 000. La colonie entière meurt à la fin de l'automne, et seules quelques ♀ fécondées passent l'hiver. Les insectes se nourrissent de divers fruits et de nectar, les larves sont alimentées en insectes capturés. Espèce aimant la chaleur et sortant par beau temps.

Guêpe
Polistes gallicus

12-25 mm	IV-X	Fleurs Fruits

C Genre comprenant plusieurs espèces difficiles à distinguer. La principale différence avec les autres guêpes paraît être le motif de « lunette » visible sur la partie dorsale de l'abdomen. Comme pour les autres variétés de guêpes, ces motifs jaunes et noirs servent de défense par avertissement visuel. L'abdomen des *Polistini* est effilé en avant comme en arrière et sans pubescence. **H** Campagne ouverte (prairies, champs, vergers), mais souvent à proximité des maisons. **V** Le nid est fait d'un « papier » assez mince, gris ; il est assujetti à son support (anfractuosité de mur, rameau, etc.) par un bref pédoncule ; il n'est jamais recouvert d'une enveloppe extérieure comme celui des deux guêpes ci-dessus décrites. Le nid est fondé par plusieurs ♀ ensemble.

Guêpe fouisseuse
Ammophila sabulosa

16-28 mm	IV-X	Sols sablonneux

C La guêpe fouisseuse appartient à la famille des *Sphecidae*. Le corps est noir, sauf à l'extrémité de l'abdomen, rouge. Les premiers segments de l'abdomen sont amincis en pétiole et plus longs que le reste de l'abdomen. **H** Endroits au sol sablonneux assez lâches, obligatoirement. **V** La guêpe fouisseuse creuse dans le sol un passage au bout duquel elle aménage une petite chambre. Elle y dépose une chenille vivante paralysée par piqûre, qui servira de berceau à l'œuf, puis de nourriture à la larve. Plusieurs chambres sont ainsi aménagées, et l'accès en est toujours soigneusement fermé après la ponte, la guêpe tassant méticuleusement la terre à l'entrée du terrier.

Fourmi rousse des bois
Formica rufa

D

4-11 mm	IV-X	Chemins forestiers

C Ces insectes bien connus sont noirs (♂) ou brun rouge (♀). Abdomen et thorax sont unis par un mince pétiole, signalé par une écaille dressée verticalement. **H** Les fourmilières se trouvent surtout dans les forêts de conifères. **V** Une communauté peut compter jusqu'à 100 000 individus, dont les ouvrières forment le plus grand nombre (♀ de petite taille). Une fois dans l'année se forment des essaims denses de fourmis volantes qui sont des vols nuptiaux. Après la chute de leurs ailes, les ♀ fécondées forment de nouvelles communautés, les ♂ meurent. Le régime alimentaire est omnivore ; comme les insectivores, les fourmis sont utiles pour la destruction des nuisibles. Elles se nourrissent aussi volontiers du miellat sucré des pucerons et du suc des plantes.

Fourmi noire des jardins
Lasius niger

3-12 mm	IV-X	Chemins des champs

C Ces insectes brun-noir ont la silhouette typique de la fourmi. Les ouvrières ne dépassent pas 5 mm, les individus sexués et volants atteignent 12 mm. **H** On trouve les fourmilières dans les forêts, sur le bord des chemins de campagne, etc. **V** Les fourmis offrent l'exemple de communications réelles entre individus d'une même communauté, soit par contact direct des antennes, soit par production d'un venin odorant (acide formique) qui permet de reconnaître la communauté d'appartenance et son territoire. Comme ci-dessus, le vol nuptial a lieu une fois par an. En hiver, les insectes se retirent à l'intérieur de leur fourmilière, à l'abri du gel de la surface.

Machaon
Papilio machaon

D	60-80 mm	IV-VIII	2

C La couleur d'ensemble est jaune, avec deux bandes noires parallèles sur le bord des ailes antérieures. Les ailes postérieures sont prolongées par des queues, avec une bande bleu-noir parallèle au bord sinué et un ocelle rougeâtre ou brun-roux à l'angle intérieur. **H** Ce Rhopalocère affectionne les campagnes ouvertes et vallonnées. **V** Vol continu et rapide, visiteur de fleurs. 2 générations apparaissent dans le cours de l'année (IV-V et VII-VIII). Les ♂ forment souvent de petites troupes à la recherche de ♀, en des endroits déterminés. Les œufs sont pondus isolément sur diverses Ombellifères. Les chenilles sont vertes, avec des bandes transversales noires ponctuées de rouge.

Piéride du Chou
Pieris brassicae

60-70 mm	IV-X	2-3

C Les ailes blanches sont nettement nervurées, avec des taches noires aux extrémités des ailes antérieures ; la ♀ a en outre deux taches noires sur l'aile même. **H** Espèce très répandue dans les jardins, les champs, les prairies et autres paysages ouverts. 2-3 générations d'animaux d'avril à octobre. **V** Les piérides visitent toutes sortes de fleurs en quête de nectar. 200-300 sont pondus en groupe sous la feuille des Choux et des Crucifères sauvages. Après 4-10 jours, les chenilles naissent et évoluent en chrysalides en 3-4 semaines, après avoir recherché un lieu abrité. Les chrysalides de la 2e et de la 3e génération passent l'hiver à l'abri. Peuvent provoquer des ravages dans les champs de choux.

Piéride du Navet
Pieris napi

40-50 mm	IV-X	2(-3)

C Les ailes blanches ou blanc-jaune sont ombrées de gris à la pointe des ailes antérieures. S'y ajoutent une (pour le ♂) ou deux (pour la ♀), tache(s) noire(s) sur chacune des deux ailes antérieures. Nervures rehaussées de gris verdâtre sur les ailes postérieures. Plusieurs variétés se distinguent par des caractéristiques secondaires variables, comme à l'intérieur de la même génération, en fait. **H** Champs, jardins et prairies. 2(-3) générations d'avril à octobre. **V** Nombreuses variétés de fleurs visitées. Les imagos ont tendance à être migrateurs en groupe. La ♀ abandonne les œufs sur les feuilles de Crucifères ; 4-6 jours après naissent les chenilles, qui muent en chrysalides au bout de 2-3 semaines. Les chrysalides de la dernière génération annuelle passent l'hiver.

Souci
Colias hyale

45-50 mm	IV-X	2-3

C La couleur d'ensemble du ♂ est blanc jaune ; le bord de l'aile antérieure est noir, avec des taches claires ; une tache noire marque la zone centrale de chaque aile antérieure. Les ailes postérieures sont caractérisées par un 8 jaune orangé. Il existe de nombreuses autres variétés de *Colias*. **H** Très fréquent sur les champs de trèfle et sur les sols calcaires secs. 2-3 générations d'avril à octobre. **V** Ces Coliades pompent longuement les fleurs de trèfle. Les œufs sont pondus sur les trèfles et les autres Papilionacées. On remarquera sur ces mêmes plantes les chenilles vertes, de mai à septembre, après quoi elles cherchent un endroit pour passer l'hiver à l'abri.

Citron
Gonepteryx rhamni

50-60 mm	I-XII	1

C Les ailes, jaune citron chez le ♂, blanc-jaune chez la ♀, se terminent en pointes acuminées ; elles portent un point orange en leur zone centrale. **H** Campagne ouverte, à proximité de forêts. **V** Une seule génération annuelle. On observe par contre trois périodes de vol : au début du printemps, pour les parades nuptiales ; en juillet, lors de l'éclosion des chrysalides ; puis en automne, après une période de repos d'été. L'hiver est passé suspendu à la cime d'un arbre. Les œufs sont déposés sur le nerprun, les chenilles naissant 3-7 semaines après. Elles sont minces, vertes, avec des bandes longitudinales claires sur les côtés. La chenille mange les feuilles en les trouant d'abord, puis en les entamant à partir des bords. La chrysalide verte se signale par une tête pointue.

Grand Mars changeant
Apatura iris

D	70-80 mm	VI-VIII	1

C La couleur fondamentale brun sombre se transforme chez le ♂, sous certains angles de lumière, en un magnifique bleu-violet irisé. Les ailes antérieures sont tachées de blanc ; les ailes postérieures sont parcourues par une bande blanche, l'angle intérieur de chaque aile étant marqué par un ocelle. **H** Forêts de feuillus humides, chênaies en particulier, sont les biotopes préférés. Une seule génération, de juin à août. **V** Papillon très fugitif, que l'on peut observer le matin sur les excréments ou les arbres, dont il pompe longuement les sucs. Il vole autour du sommet des arbres, ou s'attarde sur le crottin de cheval dans les chemins forestiers. La ♀ pond ses œufs sur les saules, rarement sur les peupliers. Les chenilles y passent l'hiver. D'abord brunâtres, puis vertes avec des bandes jaunâtres sur les côtés, et des « cornes » bleues.

Paon-du-jour
Inachis io

| 45-65 mm | I-XII | 2 |

C Les deux paires d'ailes brun-rouge portent un ocelle bleu-noir caractéristique. **H** Papillon présent presque toute l'année, avec 2 générations habituellement. Parcs, jardins, lisière des bois et autres terrains ouverts. Assez fréquent. **V** Le paon-du-jour s'attarde volontiers sur les chardons, mais aussi sur d'autres espèces de fleurs. Il passe l'hiver dans les greniers, les trous et les caves, et apparaît très tôt au printemps. Les œufs sont déposés sur les orties. Les chenilles vivent en communauté, souvent dans une sorte de cocon tissé à la pointe des feuilles ; elles se développent en peu de semaines pour donner de nouveaux papillons.

Vulcain
Vanessa atalanta

| 50-60 mm | V-X | 2 |

C La couleur noire des ailes est coupée d'une bande orange oblique sur les ailes antérieures, et d'une bordure orange sur les ailes postérieures. La face inférieure des ailes postérieures porte des motifs brun-jaune et permet au papillon de se dissimuler aisément. **H** Visible de mai à octobre, avec deux générations. Jardins, vergers, lisière des bois et parcs. **V** Indigène dans le sud de l'Europe, ce papillon hiverne à l'état imaginal et remonte vers le nord au printemps. On observera le Vulcain sur les fruits tombés et sur les arbres en fleurs, mais aussi sur les fleurs. Les ♀ pondent les œufs sur les orties. La nouvelle génération meurt pendant son voyage de retour vers le sud.

Belle-Dame
Cynthia cardui

| 50-60 mm | V-X | 2 |

C Les ailes rouge clair sont tachées de sombre. La pointe des ailes antérieures est noire avec des taches blanches. **H** Tous types de biotope, à l'exclusion des forêts. **V** Comme le Vulcain ci-dessus décrit, c'est un papillon migrateur. La génération immigrée en mai se reproduit sur place, la 2e génération reste jusqu'à l'automne, puis meurt lors de son retour vers le sud. Cette décimation est compensée par la prolifération de la génération suivante. Ces papillons visitent les fleurs, surtout celles des chardons, mais affectionnent aussi les fruits tombés. Les œufs sont pondus sur les Chardons, les Bardanes et les Orties. La chenille est de couleur variable, avec une ligne claire sur le dos.

Petite Tortue
Aglais urticae

45-55 mm	V-X	2-3

C Sur un fond rouge feu, les ailes antérieures de ce papillon présentent une bordure antérieure claire avec des taches noires groupées. Les zones des ailes postérieures voisines du corps sont uniformément sombres. Les deux paires d'ailes sont mouchetées de taches bleues. **H** Paysages ouverts, où il est fréquent, avec 2-3 générations de mai à octobre. **V** Se nourrit de nectar, pompé à diverses fleurs, mais aussi de fruits tombés. La ♀ pond les œufs sur les orties. Les chenilles restent groupées. Les papillons passent l'hiver dans les cavernes, les greniers, les caves. Les premiers déployent leur activité dès le mois de mars, par beau temps.

Robert-le-Diable
Polygonia c-album

45-50 mm	V-X	2

C Le bord des ailes, très dentelé et sinué, est caractéristique de cette espèce. La couleur de base est brun-rouge, avec des taches plus claires, mais aussi noires. Sur la face inférieure des ailes postérieures, de couleur très variable, se distingue une marque en C (qui donne le nom latin) de couleur blanche. **H** 2 générations, de mai à octobre, dans les forêts et les jardins. **V** Ce papillon visite les fleurs. Au repos, avec ses ailes repliées, il est très bien camouflé et souvent difficile à découvrir. Les œufs sont déposés au printemps sur les groseilliers, les ormes, les noisetiers. Les chenilles sont assez surprenantes, avec leur corps brun pourvu d'épines jaune-rouge et d'un dos blanc. La 1re génération apparaît en juin/juillet, la 2e génération (qui hiverne) à partir d'août.

Carte géographique
Araschnia levana

30-40 mm	IV-VIII	2

C Très fort dimorphisme saisonnier entre les individus de la génération printanière et ceux de la génération estivale. La forme printanière (voir photo ; IV-VI) a une couleur de base brun-rouge avec des taches noires et blanc-jaune ; la forme estivale (VII-VIII) a une couleur de base noire, avec des bandes de taches blanches et rougeâtres qui parcourent les ailes. **H** Forêts humides, où ils apparaissent parfois en colonies importantes. **V** Visiteurs de fleurs. Les œufs sont collés en petites colonnes sous les feuilles d'orties. Les chenilles vivent d'abord en groupes, puis isolées. La chrysalide de la génération printanière hiverne. Le dimorphisme des 2 générations est fonction de la lumière et de la température.

Grand Collier argenté
Clossiana selene

| 40-45 mm | V-IX | 2 |

C La face supérieure des ailes est brun-rouge, avec des taches noires. La face inférieure des ailes postérieures est beige jaunâtre ; une tache noire caractérise la zone située près du corps, brun-roux. Alternance de plages claires et noires en zones centrale et marginale des ailes. **H** Chemins forestiers et prairies avec des bouquets d'arbres ; 2 générations (V-VI et VII-IX). **V** Ces papillons pompent le nectar de diverses fleurs. Les œufs sont pondus de préférence sur les violettes. Une partie des chenilles de la 1re génération se développe rapidement pour former la 2e génération. Toutes les chenilles hivernent également, de sorte que les individus qui sortent au printemps proviennent des deux générations de l'année précédente.

Tabac d'Espagne
Argynnis paphia

| 65-80 mm | VI-VIII | 1 |

C Les ♂ de cette espèce sont d'un jaune-rouge brillant avec des taches sombres et des dessins en bandes. Des écailles odorantes renflent 4 des nervures des ailes. Les ♀ sont plus pâles, jaunâtres ou vert-gris. Le dessous des ailes est caractérisé par une bande argentée et des taches marginales. **H** 1 seule génération, de juin à août. Prairies de forêts et autres clairières sont les lieux de prédilection de ce papillon. **V** Ces grands papillons apprécient le nectar des fleurs de chardon et autres Composées. La ♀ pond ses œufs sur les arbres ou sur le sol, au voisinage des violettes ; ils y passent l'hiver. Les chenilles sortent au printemps ; elles sont brun-noir avec des épines, des bandes et des taches jaunes ; elles ont également deux longues cornes. Elles vivent à proximité des violettes jusqu'à la mue en chrysalide, qui a lieu le plus souvent en mai.

Demi-Deuil
Melanargia galathea

| 45-55 mm | VI-VIII | 1 |

C Dessin variable de motifs blancs et noirs rappelant un peu un échiquier. Les pattes antérieures sont très atrophiées. **H** Chemins forestiers, talus de chemin de fer, mais aussi pelouses à graminées. 1 génération estivale, de juin à août. **V** Par vols brefs et saccadés, le Demi-Deuil visite les fleurs des Chardons et des Scabieuses, sur lesquelles il s'attarde longuement. Les œufs sont pondus sur diverses plantes, quelquefois abandonnés au hasard de la chute. La chenille qui hiverne cherche sa nourriture la nuit et vit du suc des herbes. Elle est de couleur sable, finement poilue sur tout le corps et pourvue de deux pointes apicales rougeâtres caractéristiques. La métamorphose se fait vers la mi-juin ; les papillons sortent de la chrysalide 3 semaines après.

Moiré sylvicole
Erebia ligea

| 45-55 mm | VI-VIII | 1 |

C Les quatre ailes brun sombre et soyeuses sont ornées dans leur moitié extérieure d'ocelles brun-rouge remarquables. Les franges du bord des ailes sont bigarrées de blanc et de noir. La face inférieure des ailes postérieures porte une tache d'un blanc laiteux. **H** Le Moiré sylvicole aime les contrées vallonnées et boisées. 1 seule génération de juin à août. **V** Au repos sur les prairies et les chemins forestiers, ce papillon est difficile à distinguer. Il vole lentement de fleur en fleur. La chenille ne sort le plus souvent que l'année qui suit la ponte ; il n'est pas rare qu'elle hiverne une seconde fois, de sorte que la mue n'intervient alors que la 2e année après la ponte ; d'où des variations dans l'importance des populations.

Myrtil
Maniola jurtina

| 45-60 mm | VI-VIII | 1(-2) |

C La face supérieure des ailes est uniformément brun-gris chez le ♂, mais éclairée de brun-jaune sur l'aile antérieure de la ♀. Les ailes antérieures sont marquées, chez les deux sexes, par un ocelle apical, plein chez le ♂, ponctué de blanc chez la ♀. Nombreuses variétés régionales. **H** Très répandu dans nos contrées, sur les prairies, de juin à août. **V** Visiteur de fleurs. Les œufs sont pondus à l'aventure par la ♀. Les chenilles sortent au bout de 3 semaines ; elles restent cachées pendant la journée et cherchent leur nourriture la nuit dans les herbes. Elles sont vertes et striées, avec des yeux larges. La chenille hiverne en règle habituelle et mue en chrysalide au mois de mai suivant.

Tircis
Pararge aegeria

| 45-50 mm | IV-IX | 2-3 |

C Les ailes portent, sur leur partie extérieure, dans un fond brun sombre, des bandes de taches jaune pâle. Les ailes antérieures sont ornées d'un ocelle, les ailes postérieures de 3 ou 4, tous ponctués de blanc. Le bord des ailes postérieures est ondulé en zigzag. On peut confondre cette espèce avec d'autres assez voisines. **H** Très répandu sur les chemins et dans les clairières de nos forêts, avec 2-3 générations annuelles. **V** Le Tircis volète lentement de fleur en fleur, se reposant parfois au soleil sur le sol. On trouvera les chenilles dans les herbes, de juin à juillet et à partir de septembre. Elles sont vert clair, avec une bande sombre, bordée de blanc sur le dos et deux bandes blanches sur chaque côté. La dernière génération de chenilles hiverne.

Azuré de la Bugrane
Polyommatus icarus

25-35 mm	V-IX	2-3

C Les ♂ sont bleu violacé, avec une bande noire et une frange blanche au bord des ailes. Les ♀ sont brun sombre, parfois suffusé de bleu, avec des taches jaune-rouge et des franges grises en bordure des ailes. La face inférieure des ailes est gris-brun pour les deux sexes, avec des taches rouge-jaune et une marque blanche sur les bords. H 2-3 générations de mai à septembre, sur tous les types de prairies fleuries. C'est le plus répandu des papillons bleus. V Butine les fleurs et se repose volontiers sur les parties humides des chemins. La ponte des œufs se fait sur les Papilionacées, pâture préférée des chenilles. Celles-ci sont ramassées, vertes, avec un dos vert foncé et une ligne blanche de chaque côté.

Cuivré de la Verge-d'or
Heodes virgaurae

D

35-40 mm	VI-VIII	1

C ♂ et ♀ de cette espèce sont de couleurs très différentes. Le ♂ est d'un rouge doré flamboyant, avec une bordure noire soyeuse des ailes ; la ♀ est tachetée de noir sur un fond rouge doré. La face inférieure des ailes postérieures est brun-jaune pour les deux sexes, avec des taches noires et blanches, ces dernières quelque peu floues. H 1 génération de juin à août, en lisière de forêt, forêt clairsemée et prairie. V Le Cuivré de la Verge-d'or affectionne les Crucifères, les Chardons et les Eupatoires chanvrines. Les œufs sont pondus sur les Oseilles sauvages et y passent l'hiver. Les chenilles en sortent au mois d'avril. Elles sont ramassées en forme de cloportes, vert sombre avec des lignes jaunes longitudinales. La métamorphose en chrysalide se fait en juin. Naguère répandue, cette espèce est en voie de disparition et protégée.

Sylvaine
Ochlodes venatus

25-30 mm	IV-VIII	1-2

C Les ailes brun-roux de cette Hespérie sont marquées imprécisément de deux bandes sombres transversales et de points blancs. La face inférieure des ailes postérieures est gris brunâtre, avec des taches claires. Les antennes sont terminées en massues et légèrement recourbées en faucilles. La tête paraît très grosse, essentiellement à cause de la taille des yeux. H Clairières, prairies et champs ouverts sont les lieux de prédilection des 1-2 générations de la Sylvaine (IV/V et VII/VIII). V Espèce au vol rapide, à ras du sol, très bourdonnant. Les fleurs sont ainsi visitées, mais la Sylvaine se pose parfois au sol pour boire de l'eau. Les œufs sont pondus sur le Lotier corniculé, la Coronille variée et autres plantes. Les chenilles cousent ensemble plusieurs feuilles pour y passer l'hiver, avant la métamorphose de l'année suivante.

Zygène de la Filipendule
Zygaena filipendulae

| 30-35 mm | VI-VIII | 1-2 |

C Les ailes antérieures de cette Zygène ont un éclat métallique vert noir et sont marquées de 6 points rouges. Les ailes postérieures sont rouges et bordées de noir ; les antennes, en forme de massue progressive. **H** Ce papillon affectionne les pentes ensoleillées. Il est assez répandu, avec 1-2 générations de juin à août. **V** La Zygène de la Filipendule aime les fleurs de chardons. Son vol est assez lourd et lent. Les antennes sont dressées vers l'avant au repos. On trouvera la chenille sur les Papilionacées : elle est jaune-vert, avec des mamelons noirs finement duvetés sur chaque segment. La métamorphose se produit dans un cocon parcheminé de forme allongée, fixé sur les chaumes des Graminées.

Ecaille-Martre
Arctia caja

| 50-70 mm | VII-VIII | 1 |

C Les deux paires d'ailes ont des motifs très marqués : les ailes antérieures sont brun sombre avec des bandes blanches, les ailes postérieures brun-rouge avec des ocelles bleu-noir. Les antennes du ♂ sont plus dressées que celles de la ♀. **H** Clairières et prairies pour l'unique génération de ces papillons, encore assez répandus pourtant. **V** Cette Ecaille est nocturne : le jour, elle se cache sous les feuilles. Sa couleur et ses motifs servent de signal d'avertissement : en cas de danger, les ailes antérieures repliées laissent voir les ailes postérieures, qui mettent en garde les Oiseaux contre l'incomestibilité de l'insecte. La chenille est noir intense et très velue, avec des poils roux. On la trouvera sur diverses plantes, notamment les Pissenlits et les Oseilles sauvages. La chrysalide hiverne dans un cocon finement tissé de poils.

Nonne
Lymantria monacha

| 35-55 mm | VII-VIII | 1 |

C Des bandes noires en zigzag parcourent les ailes antérieures blanches. Les ailes postérieures sont uniformément grises. L'abdomen est rose chez les ♀, qui sont sensiblement plus lourdes et plus gauches que les ♂. Les antennes des ♂ ont un peigne double. **H** Habituellement dans les forêts de conifères, où l'unique génération des Nonnes vole de juillet à août. **V** Les ♂ volent quelquefois durant la journée, alors que les ♀ y répugnent. Ces dernières pondent leurs œufs sous l'écorce des résineux, où sortent les chenilles au printemps suivant, après avoir passé l'hiver. Ces chenilles sont grises ou presque noires, avec une tache noire et des lignes sur le dos. Elles se nourrissent d'aiguilles de pin et peuvent provoquer des dommages si elles sont en nombre. Les Lymantrides sont presque aussi redoutées que les Processionnaires pour les plantations d'arbres et les jardins.

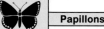
Moro-Sphinx
Macroglossum stellatarum

| 40-50 mm | V-XI | 2(-3) |

C Les ailes antérieures de ce Sphinx sont gris foncé et vaguement décorées de bandes transversales ; les ailes postérieures sont brun-jaune, avec un bord noirci. Une large touffe de poils orne l'extrémité de l'abdomen. **H** Clairières, lisières des bois, mais aussi jardins. 2 à 3 générations, de mai à novembre. **V** Espèce migrante, qui n'hiverne pas chez nous. Ils volent le jour et visitent les fleurs, volant en point fixe devant elles comme les colibris et allant pomper leur nectar à l'aide de leur étonnante trompe. Vol par ailleurs très rapide. On trouvera les chenilles sur le Gaillet vrai ; elles sont de couleur verte, avec des bandes longitudinales claires.

Petit-Paon-de-nuit
Eudia pavonia

| 55-80 mm | IV-V | 1 |

C La ♀ (photo) est grise essentiellement, le ♂ étant caractérisé par des ailes antérieures brunâtres et des ailes postérieures jaune-roux. Chez les deux sexes, un grand ocelle rond marque au centre les deux paires d'ailes, situé parfois entre deux bandes ondulées transversales. Les antennes sont plus nettement recourbées chez le ♂. **H** Très répandu dans toutes sortes de biotopes. 1 génération, qui vole d'avril à mai. **V** Leur spiritrompe atrophiée ne leur permet pas de se nourrir. Les chenilles très grosses vivent sur les Bruyères, mais aussi sur d'autres plantes. Pour la métamorphose, un cocon de soie est tissé en forme de bouteille, avec un sas de passage très sophistiqué qui ne peut s'ouvrir que vers l'extérieur, permettant ainsi la sortie du papillon, mais interdisant l'entrée aux insectes prédateurs éventuels.

Hachette
Aglia tau

| 55-85 mm | IV-V | 1 |

C Le ♂ varie du chamois foncé au brun très sombre, la ♀ est plus grande et beaucoup plus claire. Les marges extérieures des ailes, plus sombres, sont limitées par une bande noire. Au centre de chacune des 4 ailes se trouve un ocelle caractéristique bleu-noir, avec une tache blanche très nette en forme de T. La spiritrompe est très réduite. **H** Essentiellement dans les forêts de hêtres. **V** Les ♂ parcourent les forêts en quête des ♀. Leur vol est diurne et facile à observer. Les ♀ sont par contre difficiles à trouver, car elles se tiennent au sol et ne prennent leur essor que la nuit vers la cime des arbres, pour la ponte. Les chenilles se nourrissent de feuilles de hêtres, surtout dans les branches hautes. La métamorphose se fait au sol, dans un cocon léger. Des changements de couleur indiquent des repères spatiaux.

Hibou
Noctua pronuba

| 50-60 mm | VI-IX | 1 |

C Les ailes antérieures de cette Noctuelle sont de couleurs très variables, brun sombre, gris-brun ou jaunes. Des bandes transversales plus sombres sont nettement visibles, ainsi qu'une tache noire. Les ailes postérieures sont jaunes, avec une bordure noire. **H** Presque partout, de juin à septembre. **V** Ces papillons passent la journée à l'abri, souvent dans les maisons et visitent les fleurs la nuit, pour y pomper le nectar avec leur puissante spiritrompe. Les chenilles ne mangent que la nuit, se nourrissant de végétaux du sol. Elles sont gris-jaune ou vertes, avec des lignes pâles, des bandes obliques sombres et des points. Après avoir hiverné, les chenilles se chrysalident dans des trous du sol au printemps.

Lambda
Autographa gamma

| 35-40 mm | V-X | 1-2 |

C Les ailes antérieures de cette Noctuelle sont grises, avec des tonalités violettes et noirâtres. Un signe argenté en forme de Γ (ou de λ) marque le centre de l'aile. Les ailes postérieures sont gris-jaune avec une bordure sombre. Plusieurs espèces voisines sont caractérisées de même par des taches à reflet métallique sur les ailes antérieures. **H** Ces papillons volent (souvent par grandes troupes) de mai à octobre, en campagne ouverte. Ils connaissent plusieurs générations. **V** Papillons diurnes et nocturnes, visitant les fleurs pour y pomper le nectar à l'aide de leur spiritrompe. Espèce migratoire, qui vient du sud et n'hiverne généralement pas chez nous. Les œufs sont pondus sur diverses herbes, dont les chenilles se nourrissent également. La métamorphose se fait dans un cocon tissé et soyeux, sous les feuilles.

Lichénée rouge
Catocala nupta

| 70-80 mm | VII-IX | 1 |

C Les ailes antérieures sont gris sombre, avec des bandes transversales à contour flou et zigzagant. Les ailes postérieures bordées de blanc sont rouges et parcourues de bandes sombres très anguleuses. **H** 1 seule génération, volant dans les bois de juillet à septembre. **V** Ces Noctuelles sont, au repos, posées sur les arbres pendant la journée, avec les ailes soigneusement repliées qui les camouflent merveilleusement. Elles pompent la nuit dans les fruits fermentés. Dérangées, elles déploient vers l'avant leurs ailes antérieures, de sorte que le rouge clair de leurs ailes postérieures apparaît, en signe d'intimidation. Les chenilles sortent au printemps des œufs qui ont hiverné. On les trouve sur les Saules et les Peupliers. Leur couleur d'écorce les camoufle aussi fort bien.

Zérène du Groseillier
Abraxas grossulariata

D | 40-45 mm | VII-VIII | 1

C Les ailes sont blanches avec des taches noires, le corps d'un jaune tendre, également taché de noir. Les ailes antérieures ont en outre leurs attaches ainsi qu'une bande transversale colorées en jaune. **H** Jardins et forêts clairsemées, pour une génération qui vole en juillet/août. **V** Posées sur des feuilles, ces Phalènes ressemblent à des crottes d'oiseau et sont ainsi camouflées, bien que la couleur puisse surprendre (!). Les œufs sont pondus sur les Ronces, les Groseilliers et autres Saules. Les chenilles, semblables à des brindilles, vivent des feuilles de la plante-hôte. Espèce jadis redoutée et combattue dans les jardins, aujourd'hui très rare.

Géomètre du Bouleau
Biston betularia

40-65 mm | V-VIII | 1

C Normalement blanches avec des taches noires, ces Phalènes peuvent également être complètement noires. **H** Forêts de feuillus et parcs, où le Géomètre du Bouleau est très répandu. Une seule génération, volant de mai à août. **V** Ces papillons sont au repos sur les troncs des arbres recouverts de lichens, où leur livrée les dissimule à merveille. La variante mélanienne se trouve dans les zones industrielles, où elle se dissimule sur les troncs des arbres salis par la fumée. Observée pour la première fois en Angleterre au siècle dernier, cette variété s'est répandue avec la pollution industrielle dans toute l'Europe. Les chenilles vivent sur les feuillus, bien camouflées aussi par leur allure et leur livrée. La chrysalide hiverne.

Grande Nayade
Geometra papilionaria

45-55 mm | VI-VIII | 1

C Les ailes vertes de cette Phalène sont parcourues de bandes transversales et d'ondulations blanches interrompues. Les ailes sont étonnamment larges, le corps est vert. On distingue 11 autres variétés de cette espèce, toutes vertes. Il est parfois difficile de les distinguer. **H** Une seule génération de ces papillons vole de juin à août, de préférence dans les forêts clairsemées. **V** La Grande Nayade est active au crépuscule et la nuit. Elle est très craintive pendant la journée, malgré son camouflage. Ce papillon est très attiré par la lumière. Les œufs qui ont passé l'hiver donnent naissance à des chenilles qui se développent essentiellement sur les aulnes et les bouleaux. Elles sont vertes avec des lignes latérales blanches et des gibbosités rouges. La nymphose se fait essentiellement dans des trous du sol.

Tipule du Chou
Tipula oleracea

15-25 mm	IV-X	Herbe Buissons

C Cet insecte au vol lourd a un corps et des ailes minces. Les longues pattes se brisent facilement par mauvaise manipulation. Comme ces animaux ne prennent pas de nourriture, leurs organes manducatoires sont très atrophiés. Le corps est brun-gris. **H** La Tipule du Chou se rencontre dans les prairies, les champs et les forêts humides. **V** Les œufs sont pondus par la ♀ sur le sol. Les larves se nourrissent d'humus et de débris de racine, causant ainsi parfois des dommages à l'agriculture. 1-2 générations par an. Ces insectes actifs la nuit sont parfois considérés à tort comme suceurs de sang : ils sont en fait totalement inoffensifs.

Moustique
Culex pipiens

8-10 mm	V-IX	Mares Étangs

C Cet insecte au corps gris-brun élancé a un abdomen segmenté. Les pattes sont très longues proportionnellement, les ailes très étroites. Le ♂ se distingue de la ♀ par ses palpes recourbés vers le haut. **H** Proximité des étendues d'eau, où les larves se développent. **V** Les œufs sont pondus dans l'eau ; les larves sont suspendues sous la surface par un tuyau respiratoire. Elles se nourrissent de petits organismes vivant dans l'eau et prolifèrent dans les milieux favorables. La ♀ a besoin de sang pour produire des œufs, tandis que le ♂ est un inoffensif buveur de nectar floral ; cela explique que les pièces buccales soient organisées différemment. Les ♀ piquent à la tombée de la nuit et par temps chaud et lourd. Elles sont guidées vers leur proie par les odeurs et la chaleur.

Syrphide
Syrphus ribesi

10-12 mm	VI-IX	Fleurs

C Cette « mouche » est caractérisée par ses grands yeux brun-rouge qui occupent presque toute la tête, son thorax verdâtre et son abdomen strié de noir et de jaune. **H** Tous les endroits ensoleillés de notre végétation. **V** Très actives butineuses de fleurs, les Syrphides se déplacent très lentement une fois posées dans la corolle ouverte. Elles semblent voler par « points fixes » successifs. Les œufs sont pondus sur les plantes ; les larves se nourrissent de pucerons et sont ainsi très utiles aux cultures. On les confond parfois avec des guêpes, à cause de leur abdomen, alors qu'elles sont parfaitement inoffensives. Ce mimétisme est seulement destiné à intimider les ennemis éventuels.

Truite commune
Salmo trutta fario

D	15-40 cm	Rivières Lacs	IX-II

C Corps allongé, comprimé latéralement. Large bouche s'ouvrant jusque derrière les yeux. Nageoire adipeuse entre la dorsale et la caudale. Petites écailles. Dos vert brunâtre, flancs plus clairs, ventre jaunâtre. Taches sombres et ocelles blancs à cœur rouge sur les flancs, le long et au-dessous de la ligne latérale. **H** Eaux courantes froides, riches en oxygène, lacs à fond graveleux ou pierreux. L'espèce, menacée, fait l'objet de restrictions de pêche. **V** Poisson sédentaire. Se nourrit de têtards et de petits poissons, mais aussi d'insectes, de larves. **R** Migrations pour le frai, en remontant les fleuves. Les œufs (1 000 à 1 200 par kg de poids) sont pondus dans le gravier. Maturité sexuelle : 2 ans pour le ♂, 3 pour la ♀.

Ombre commun
Thymallus thymallus

D	25-50 (60) cm	Petites rivières	III-VI

C Corps comprimé latéralement, tête pointue, nageoire adipeuse entre la dorsale haute et longue et la caudale. Ouverture buccale atteignant à peine le bord antérieur de l'œil. Petites écailles. Gris argenté, avec quelques points sombres isolés. Reflets pourprés à la période du frai. **H** Eaux rapides riches en oxygène, à fond stable. Espèce menacée par la pollution des eaux, la mise en culture, etc. **V** Poisson sédentaire, sociable dans sa jeunesse. Se nourrit d'insectes aquatiques et aériens, de vers, d'escargots, d'œufs de poissons, de petits poissons. **R** La ♀ pond dans un nid creusé sur un banc de gravier inondé 3 000-6 000 œufs, recouverts après la fécondation. Incubation : 2 semaines. Maturité sexuelle : 3 ans pour le ♂, 4 pour la ♀.

Brochet
Esox lucius

♀ jusqu'à 150 cm ♂ jusqu'à 100 cm	Rivières Lacs	II-V

C Poisson allongé, avec une longue tête à museau plat « en bec de canard ». La nageoire dorsale est très postérieure. Couleur variable selon l'âge et le milieu : dos brun verdâtre, flancs plus clairs avec des bandes plus sombres, ventre jaunâtre. **H** Eaux courantes et dormantes. **V** Poisson sédentaire près de la rive. Se nourrit de poissons (y compris de jeunes de son espèce !), de rats, de souris, de jeunes oiseaux, de grenouilles, d'invertébrés. Est utilisé parfois dans les étangs de carpes pour éliminer les sujets indésirables ; il acquiert du même coup le goût exquis qui est le sien. **R** Frai dans les plantes de la rive ; les œufs sont accrochés aux feuilles, aux tiges et aux racines des plantes aquatiques. Incubation : 10-30 jours. Maturité sexuelle : fin de la 2e année pour le ♂, de la 3e-4e année pour la ♀.

Gardon
Rutilus rutilus

20-30 (50) cm	Rivières Étangs Lacs	IV-V

C Corps aplati latéralement, argenté. Ouverture buccale étroite, presque horizontale. Nageoire dorsale au-dessus des pelviennes. Pectorales, pelviennes et anale sont rougeâtres. L'iris de l'œil est rouge. **H** Lacs, étangs, eaux à faible courant, eaux saumâtres même. **V** Formes sédentaires et formes anadromes. Souvent en bandes dans la végétation subaquatique des rives, spécialement en hiver. Se nourrit de petits animaux aquatiques, de plantes et de détritus. **R** Les ♂ sont pourvus de tubercules nuptiaux. Les œufs (100 000 pour les sédentaires, 200 000 pour les anadromes) sont pondus sur les plantes et les pierres des zones ripales. Incubation : 4-10 jours. Maturité sexuelle : fin de la 3ᵉ année pour le ♂ et la ♀.

Chevesne (ou Chevaine)
Leuciscus cephalus

30-50 (60) cm	Ruisseaux Rivières	IV-VI

C Corps fuselé, de section presque ronde, avec une tête épaisse et une large bouche. Grandes écailles bordées de sombre (formant comme un motif de réseau). Dos brun-gris verdâtre, flancs argentés à reflets dorés, ventre blanchâtre. Les nageoires pelviennes et anale sont rougeâtres. **H** Poisson de surface dans presque toutes les eaux courantes. Rarement dans les lacs. **V** Sociable dans sa jeunesse, puis solitaire et fréquentant les eaux plus profondes avec l'âge. Se nourrit de petits crabes, d'autres poissons, de grenouilles et de petits rongeurs ; les jeunes poissons mangent les insectes et leurs larves, les vers, les mollusques et les débris végétaux. **R** Tubercule nuptial chez le ♂ pour la circonstance, finement granuleux. Ponte des œufs (45 000 par kg de poids) sur les plantes et les pierres de la zone ripale. Incubation : 7 jours. Maturité sexuelle : 3 ans pour le ♂, 4 pour la ♀.

Ablette
Alburnus alburnus

12-15 (25) cm	Rivières Étangs Lacs	IV-VI

C Corps fin, comprimé latéralement. Bouche oblique, orientée vers le haut (« supère »). Nageoire anale nettement plus longue que la dorsale. Dos gris verdâtre à bleu verdâtre. Flancs argentés brillants. **H** Poisson de surface des eaux dormantes ou à faible courant, près de la rive et en eau profonde. Évite les forts courants, les végétations denses, les eaux troubles. Vient aussi dans les eaux saumâtres. **H** Souvent en bancs importants. Se nourrit de plancton animal, de vers, de larves d'insectes et d'insectes aériens. **R** Le ♂ est orné d'un tubercule nuptial en la circonstance. Ponte en eau peu profonde, sur fond graveleux, exutoire de lac par exemple ou ruisseau d'alimentation. Les œufs collent aux tiges, aux feuilles et aux racines des plantes de rive, ainsi qu'aux pierres. Incubation : 7 jours. Maturité sexuelle : 2-3 ans pour le ♂ comme pour la ♀.

Vairon
Phoxinus phoxinus

| **D** | 7-10 (14) cm | Ruisseaux Rivières (Lacs) | IV-VII |

C Corps allongé, de section ronde. Petite bouche, petites écailles. Ligne latérale souvent incomplète. Couleur variable en fonction du milieu : dos brun-gris, flancs plus clairs, argentés, ventre blanchâtre. ♂ plus sombre en période de frai, avec un ventre rouge, des lèvres rouges et des flancs à reflets dorés. **H** Eaux courantes claires, riches en oxygène, à sol graveleux ; lacs à fond graveleux. **V** Souvent en bancs importants près de la surface. Très accommodant. Se nourrit d'insectes aériens, de petits animaux terrestres et aquatiques. **R** ♂ et ♀ ornés d'un tubercule nuptial. Ponte des œufs sur les pierres, rarement sur les plantes de la rive. Incubation : 5-10 jours. Maturité sexuelle : fin de la 1re ou de la 2e année, pour les deux sexes.

Goujon
Gobio gobio

| 8-14 (20) cm | Rivières Lacs | V-VI |

C Corps fuselé, de section pratiquement ronde. Bouche infère, grandes écailles. Court barbillon de chaque côté de la mâchoire supérieure. Dos gris-noir, gris verdâtre ou gris bleuâtre. Flancs plus clairs, ventre à reflets blanchâtres. Taches sombres le long de la ligne latérale, de grosseur variable. Nageoires caudale, dorsale et anale avec de petits points sombres. **H** Eaux à cours rapide, mais aussi eaux dormantes à fond sablonneux ou graveleux ; aussi eaux saumâtres. **V** Vit en bancs au fond de l'eau, peu profonde en été, plus profondes en hiver. Se nourrit de vers, de crabes, de larves d'insectes et d'œufs de poissons. **R** Tubercule nuptial pour le ♂, sur la tête et la partie antérieure du corps. Ponte sur les parties plates des plantes et des pierres. Incubation de 10 à 30 jours, selon la température de l'eau.

Bouvière
Rhodeus sericeus amarus

| **D** | 5-6 (10) cm | Fleuves Étangs | IV-VII |

C Corps très haut, comprimé latéralement. Petite bouche terminale. Grandes écailles. Ligne latérale sur 5-6 écailles seulement. Dos vert-gris, flancs à reflets argentés, avec une bande longitudinale brillante, vert bleuté, depuis le milieu du corps jusqu'à la queue. Ventre blanc. Le ♂ à la période du frai a la gorge rose, la poitrine, le ventre, le dos et la partie arrière du corps d'un vert bleuté scintillant ; la ♀ est pourvue d'un oviposteur rose long de 4-5 cm. **H** Rives pourvues de végétation aquatique, à eaux dormantes ou à faible courant, souvent en association avec des moules d'eau douce pour la ponte. **V** Vit en bancs. Se nourrit de plantes aquatiques, de petits crabes, de vers et de larves d'insectes. **R** La ♀ dépose les œufs sur les valves de la moule, puis le ♂ répand la semence. Incubation : 15-20 jours, après quoi les alevins sortent.

Tanche
Tinca tinca

| 20-30 (60) cm | Fleuves Étangs Lacs | V-VII |

C Corps massif et trapu, de couleur vert olive, à reflets cuivrés. Petites écailles, peau visqueuse. Nageoires dorsale et anale courtes, caudale à peine fourchue. 1 barbillon court de chaque côté de la mâchoire inférieure, à la commissure. **H** Eaux à faible courant, lacs tièdes et peu profonds, aux rives riches en végétation aquatique et au fond fangeux. **V** Solitaire farouche, passant la journée près du fond, actif à la tombée de la nuit ; le poisson fouille alors la vase à la recherche des petits animaux et des débris végétaux. **R** Ponte des œufs minuscules sur les plantes aquatiques. Incubation : 3-5 jours selon la température de l'eau. Maturité sexuelle : 3e ou 4e année pour les deux sexes.

Brème commune
Abramis brama

| 30-50 (60) cm | Fleuves Lacs | V-VII |

C Corps très haut et fortement comprimé latéralement. Dos gris plombé à noirâtre, flancs argentés, nageoires gris foncé. Les sujets âgés ont souvent des reflets dorés. Les nageoires pectorales atteignent la naissance des pelviennes ; dorsale courte, moitié moins longue que l'anale. **H** Zone ripale des eaux à faible courant (« zones à brèmes » des fleuves) ou grands lacs riches en substances nourricières. **V** Petits bancs de jeunes individus près de la rive ; les sujets plus âgés, craintifs, ne viennent près de la rive qu'au crépuscule et fouillent la vase à la recherche des petits animaux (mollusques, vers, larves d'insectes) dont ils se nourrissent. **R** Les œufs jaunâtres sont pondus près de la rive et collent aux plantes aquatiques. Incubation : 3-12 jours. Maturité sexuelle : 3e ou 4e année pour les deux sexes.

Carpe
Cyprinus carpio

| 30-70 (120) cm | Fleuves Étangs Lacs | V-VII |

C Corps allongé, plus ou moins haut, un peu comprimé latéralement. Bouche terminale, protractile, avec 2 barbillons de chaque côté de la mâchoire supérieure. Nageoire caudale nettement fourchue. Dos et nageoires gris-bleu, flancs argentés, ventre blanchâtre. On distingue, d'après leurs écailles, les carpes-miroirs, les carpes-cuir et autres formes de pisciculture. **H** Eaux tièdes dormantes ou à faible courant, à fond vaseux et végétation aquatique abondante. Poisson d'étang. **V** Plutôt immobile dans la journée, à l'abri de la végétation des rives, la Carpe ne devient active qu'au crépuscule. Se nourrit d'animaux benthiques et de débris végétaux. **R** Petit tubercule nuptial chez le ♂, sur la tête et les nageoires pectorales. Les œufs sont pondus par petits paquets à proximité de la rive. Incubation : 3-5 jours. Maturité sexuelle : fin de la 3e année pour le ♂, de la 3e ou 4e pour la ♀.

Salamandre tachetée

15-20 (28) cm	Forêts humides	V-VIII

C Amphibien urodèle d'un noir brillant, avec une large tête et des taches jaune d'œuf ou orange, qui peuvent s'allonger en stries. **H** Forêts humides des pays vallonnés, avec des eaux claires et riches en oxygène. **V** La salamandre tachetée passe ses journées à l'abri, sous le feuillage, les pierres ou dans des troncs d'arbre. Sort le soir et la nuit ou le jour après des pluies tièdes, pour chercher sa nourriture : vers, escargots, arthropodes. **R** Accouplement en été, sur la terre, 20-70 œufs évoluent en larves à 4 pattes pourvues de branchies, longues de 2,5 cm, dans le corps de la ♀. Ces larves seront déposées en mars de l'année suivante dans des eaux peu profondes. Elles donneront en 2-3 mois des adultes terrestres.

Triton alpestre
Triturus alpestris

♀ jusqu'à 12 cm ♂ jusqu'à 8 cm	Forêts clairsemées	III-V

C Urodèle trapu, avec un dos marbré de gris-brun sombre et un ventre sans taches de couleur orange. La peau est soyeuse et lisse, mais granuleuse et cornée dans l'eau. A l'époque du frai, le ♂ porte une crête dorsale de 2 mm de haut, non dentée et tachée régulièrement de noir ; des flancs et une queue nuancés de bleu et d'orange. **H** Forêts clairsemées, en terrain vallonné. Les eaux nuptiales sont de petites mares froides, des fossés remplis, de petits étangs ou des ornières, avec ou sans végétation. **V** Actif la nuit, le triton alpestre se cache dans la mousse ou sous le feuillage humide. Il se nourrit de vers, d'escargots et de petits insectes. **R** De la mi-mars à la mi-mai, la ♀ pond la nuit 150-200 œufs enveloppés séparément dans des petites feuilles de plantes aquatiques. Les larves sortent après 2-3 semaines. Néoténie fréquente dans les lacs de haute altitude.

Triton ponctué
Triturus vulgaris

♀ jusqu'à 9,5 cm ♂ jusqu'à 11 cm	Forêts Parcs	III-V

C Cet Urodèle élancé possède une peau lisse et soyeuse, mais parfois aussi légèrement granuleuse ; le dos est brun-jaune, le ventre et la gorge sont orange avec des pois noirs. Le ♂ en livrée nuptiale possède une crête dorsale bien développée, qui se prolonge jusque sur la queue. **H** Forêts clairsemées, lisières des champs et des bois, parcs, jardins, prairies de rivière. Les eaux nuptiales seront peu profondes. **V** Actif la nuit, mais aussi le jour par temps humide et chaud. Vit caché dans le feuillage et entre pierre et bois, à proximité de l'eau le plus souvent. Se nourrit de vers, d'escargots et de petits insectes. **R** En fonction du temps, de mars à mai, la ♀ pond 200-300 œufs enveloppés séparément dans les petites feuilles des plantes aquatiques. Les larves en sortent au bout de 2 semaines environ. Néoténie comme chez le Triton alpestre.

Sonneur à ventre jaune
Bombina variegata

D	jusqu'à 5 cm	Mares Flaques	V-VI

C Dos olive brunâtre, avec des verrues épineuses. Le ventre est étonnamment bleu-noir marbré de jaune d'or. Liquide cutané venimeux ! La pupille est cordiforme. A l'époque du frai, le ♂ a des callosités cornées sur les doigts des 4 pattes. **H** Flaques, mares, ornières et gravières ensoleillées, à végétation pauvre. **V** Essentiellement actif de jour. Plonge lorsqu'il est dérangé et s'enfouit dans la vase. Surpris à terre, il se renverse sur le dos en rendant celui-ci concave et émet un liquide cutané défensif. Hiverne dans le sol. Appel (« hou, hou »...) d'avril à août, vers le soir. Se nourrit de larves d'insectes, d'escargots, d'arthropodes. **R** En mai, mais aussi 2-3 fois par an avec un temps favorable, la ♀ pond environ 100 œufs fixés par paquets sur les plantes aquatiques ou tombant au fond de l'eau.

Crapaud calamite
Bufo calamita

D	jusqu'à 8 cm	Champs Gravières	III-VI

C Le dos de cet Anoure est brun-gris, avec des taches brun-olive et des gibbosités à pois rouges, et une bande médiane jaune soufre. Le ventre est blanchâtre, avec des taches sombres irrégulières. La pupille est horizontale. Gros sac vocal interne situé sous la gorge. Callosités sur les faces intérieure et supérieure des 3 premiers doigts à l'époque des amours. **H** Carrières, gravières, champs. Les eaux du frai seront des flaques et des mares peu profondes, avec peu ou pas de végétation. **V** Actif essentiellement la nuit, il passe la journée dans des trous au sol, dans des souches d'arbre, sous des pierres. Le chant de crécelle du ♂ est audible à 1 km de distance. Ses courtes pattes ne lui permettent pas de sauter, mais seulement de courir – assez vite du reste. **R** Les cordons de ponte comportent 3 000-4 000 œufs. Les larves éclosent après 4-6 jours et se développent en 6-7 semaines pour donner des crapauds adultes.

Crapaud commun
Bufo bufo

♀ jusqu'à 15 cm / ♂ jusqu'à 8 cm	Forêts Buissons	II-V

C C'est le plus grand crapaud de nos climats. Le dos est gris-brun à olive, verruqueux ; le ventre est plus clair. La pupille est horizontale. Le ♂ est dépourvu de sac vocal, mais présente des callosités cornées aux trois premiers doigts à l'époque du frai. **H** Forêts, champs cultivés, carrières, gravières, haies, ruines. Les eaux du frai sont des flaques, des mares et des étangs ; éventuellement d'eau saumâtre. **V** Actif à la tombée du jour et la nuit, mais aussi pendant la journée par temps chaud et humide, pour chercher sa nourriture : vers, insectes, araignées, escargots de nuit. Appel léger. Hiverne dans les trous du sol, sous les racines, le bois ou les pierres. **R** Le crapaud commun fait parfois de longs voyages pour gagner les lieux de ponte. La ♀ accroche ses 2-4 cordons de ponte (jusqu'à 6 000 œufs au total) aux plantes aquatiques. Les larves en sortent au bout de 12-18 jours et la métamorphose intervient 3-4 mois plus tard.

Grenouille verte
Rana « esculenta »

jusqu'à 12 cm	Lacs Étangs	V-VI

C La couleur varie du vert au brun, avec toutes les nuances intermédiaires ; taches noirâtres et bande dorsale jaune-vert. Le haut des cuisses est marbré de brun-jaune. Tubercule métatarsal de taille moyenne. 2 sacs vocaux extérieurs à l'arrière de la bouche chez le ♂. **H** Rives des lacs, des étangs, des mares, riches en végétation aquatique. **V** Active de jour, la Grenouille verte ne reste guère sur la rive où elle vient prendre le soleil. Hiverne dans la boue des fonds. Appel très caractéristique, coassement en chœur. Elle gobe ses proies (insectes, arthropodes, escargots et vers). **R** La ♀ pond 600-1 500 œufs qui sombrent au fond de l'eau. Les larves en sortent après 5-8 jours, et se métamorphosent en grenouilles 2-3 mois plus tard.

Grenouille rousse
Rana temporaria

jusqu'à 10 cm	Forêts Prairies	II-III

C La couleur est très variable, du jaunâtre au brun-noir en passant par le brun-rouge, plus ou moins taché de sombre. Les sacs vocaux, au contraire de ceux de la *Rana esculenta*, sont internes. A la période du frai, le ♂ a des callosités noirâtres sur les pouces. **H** Forêts humides, prairies, marais, landes et marécages. Les eaux du frai seront stagnantes ou à faible courant. **V** Active de jour comme de nuit. Bien adaptée à la vie terrestre. Hiverne dans la terre, ou dans la boue des fonds aquatiques. Coassement discret. Se nourrit de vers, d'escargots, d'insectes. **R** C'est la première grenouille à apparaître dans l'année, souvent après de longs voyages pour la ponte. La ♀ pond jusqu'à 3 500 œufs en un paquet qui surnage à la surface de l'eau peu profonde.

Rainette verte
Hyla arborea

D | jusqu'à 5 cm | Buissons Joncs | III-V |
|---|---|---|

C C'est la plus petite de nos grenouilles. Elle est de couleur variable : verte, jaunâtre, brunâtre, gris-noir, et même (très rarement) bleue ! Face dorsale lisse, ventrale granuleuse. Sacs vocaux près de la gorge pour le ♂. Pattes postérieures palmées jusqu'aux 2/3 des orteils et des doigts. **H** Taillis et buissons, lisières des bois, joncheraies, herbes. Les eaux de frai sont des étangs ensoleillés, mais aussi des gravières, des fossés, des ornières. **V** Essentiellement active de nuit, la Rainette verte prend volontiers le soleil sur les tiges des roseaux ou sur les feuilles. Le cri des mâles, régulier et caractéristique, est souvent poussé en chœur. C'est la seule de nos grenouilles qui puisse grimper grâce à ses pattes à ventouses. Se nourrit surtout d'insectes volants. **R** La ♀ pond des paquets de 150-300 œufs dans des eaux peu profondes. Après 3-4 mois, les jeunes grenouilles quittent l'eau.

Lézard agile
Lacerta agilis

18-20 cm	Endroits secs	V-VI

C Lézard à pattes très courtes et tête massive. Le dos est brun clair, avec une bande médiane plus sombre et des taches blanches et brun foncé, arrangées en bandes parallèles longitudinales. Le ♂ se distingue de la ♀ par une couleur verte sur la tête et les flancs, à la saison des amours. **H** Plaines et coteaux ensoleillés, haies, lisières des bois, etc. **V** C'est le lézard le plus répandu dans nos climats, actif pendant la journée et très amateur de chaleur ; il aime se chauffer sur les pierres. Il hiverne dans les trous du sol et dans des fentes de rocher. Se nourrit d'insectes, de vers et d'araignées. **R** La ♀ pond 5-14 œufs à coquille tendre dans la terre réchauffée, d'où les jeunes lézards sortiront au bout de 8 semaines environ.

Lézard vivipare
Lacerta vivipara

12-16 cm	Forêts humides	III-VI

C Lézard brun clair ou brun sombre, avec des pattes un peu plus petites que celles des autres espèces. **H** Forêts humides, prairies, marais. **V** Assez farouche et plutôt rare, ce lézard est actif durant la journée. C'est un excellent grimpeur qui gravit les murs et les arbres jusqu'à une grande hauteur. Il a moins besoin de chaleur que le Lézard agile décrit ci-dessus. Il apparaît donc plus tôt au printemps, bien que l'hibernation puisse durer 8-9 mois dans les climats froids du Grand Nord. Il se nourrit d'insectes, de vers et d'araignées. **R** D'avril à juin, selon les conditions climatiques, la ♀ met au monde de 3 à 10 jeunes vivants (ils sortent en fait de l'œuf en même temps que la mise bas). Cette faculté ovovivipare permet au *L. vivipara* d'affronter avec le maximum de chances de survie les biotopes au climat parfois rigoureux qui sont les siens.

Orvet
Anguis fragilis

jusqu'à 50 cm	Terrains humides	IV-IX

C Il s'agit en fait d'un Lézard terrestre sans pattes, à écailles lisses. Sa couleur varie du brun clair au brun noir, en passant par le brun cuivreux. Le ♂ est ordinairement plus clair que la ♀, celle-ci présentant davantage de stries longitudinales sombres. **H** Tous les biotopes à humidité moyenne. **V** Actif pendant la journée et au crépuscule, encore qu'il aime se tenir au repos sous les pierres durant le jour. C'est souvent le matin, le soir ou après la pluie qu'il sort en quête de nourriture : insectes, araignées, cloportes, vers, escargots. Les orvets se regroupent à plusieurs pour hiverner à partir d'octobre dans les trous du sol ou dans des souches d'arbres. La queue peut se briser pour échapper à la prise, comme pour les lézards. **R** Peu de temps après la sortie d'hibernation, en avril. La ♀ met au monde 8-25 jeunes, longs de 4-9 cm, au bout de 12 semaines environ.

Couleuvre lisse
Coronella austriaca

D | 60-80 cm | Forêts clairsemées | V-VI |

C La tête plate et ovale est très petite. Le ♂ est brun, la ♀ gris-brun, avec 2-4 rangées de taches brun sombre sur le dos. Écailles lisses, pupille ronde. **H** Forêts clairsemées, lisières des bois, haies, talus, abattis, carrières. **V** Non venimeuse ! Active de jour, mais avec une vie très retirée. D'autres reptiles et de petits rongeurs lui servent de nourriture. Elle immobilise ses proies dans sa gueule, puis les enlace étroitement pour les étouffer. **R** Pour l'accouplement, le ♂ enlace la ♀ et la maintient avec sa gueule. La ♀ met au monde, en août/septembre, 13-18 jeunes vivants, qui muent peu de temps après leur naissance et brillent alors d'un éclat bleu acier.

Couleuvre à collier
Natrix natrix

D | jusqu'à 2 m | près de l'eau | IV-V IX-X |

C Grise ou noirâtre la plupart du temps, la Couleuvre à collier est caractérisée par la bande jaune qui lui entoure le cou des deux côtés. **H** Proximité immédiate de l'eau. **V** Non venimeuse ! Active de jour. Un de nos serpents les plus fréquents, totalement inoffensif. Elle se nourrit de grenouilles, de crapauds, de tritons et d'insectes d'eau. Elle siffle et éjecte le contenu malodorant de son cloaque en cas de danger, puis « fait le mort ». Ne mord presque jamais. Hiverne à proximité de l'eau, sous des pierres, dans des fentes de rocher ou sous les composts, d'octobre à mars. **R** L'accouplement a lieu au printemps (IV/V) ou en automne (IX/X). Entre juin et septembre, la ♀ pond 10-30 œufs blancs à coquille fragile dans la mousse, le compost ou les feuilles mortes. Les jeunes, longs de 15-20 cm, en sortent au bout de 4-8 semaines. Ils sont tout de suite autonomes.

Vipère péliade
Vipera berus

D | jusqu'à 80 cm | Forêt Lande | IV-VI |

C Couleur variable : le ♂ est gris le plus souvent, la ♀ brune. Les deux sexes ont une bande en zigzag sur le dos. Il existe également des individus rouge cuivre, d'autres presque noirs. Très grandes écailles. Pupille verticale. **H** Forêts, lisières des bois et des champs, landes, éboulis recouverts. **V** Venimeuse ! Active de jour et au crépuscule, la Vipère péliade recherche le frais et évitera le soleil direct. Elle hiverne en groupe dans les crevasses humides, dans les souches, depuis la fin septembre jusqu'au début d'avril. Elle chasse les souris, les oiseaux et les grenouilles. **R** Après l'accouplement, en mai/juin, la ♀ met au monde en août/septembre 10-15 jeunes vivants, qui ont déjà 15-20 cm de longueur. Si l'été est bref et frais, la ♀ hiverne avec les embryons, qui ne seront mis au monde que l'année suivante.

Grèbe huppé
Podiceps cristatus

Colvert	MP	1-2 IV-VII

C C'est le plus commun des Grèbes, avec sa double huppe foncée caractéristique ; collerette rousse et noire. Plumage brun dessus, blanc dessous. **H** Eaux d'étendues variables avec plantes aquatiques de rives, en dehors de la période de couvaison, au bord des grands fleuves et de la mer. **V** Nage avec le dos aplati et le cou dressé et droit ; plonge longuement. Cris graves et rauques : « keukrorr ». Se nourrit de petits poissons, d'écrevisses et d'insectes d'eau. Attaché à son aire durant la couvaison, sinon en petites troupes. Parade nuptiale spectaculaire. **R** Nid flottant ou reposant sur des végétaux aquatiques. ♂ et ♀ couvent en 27-29 jours 4 poussins qui nagent et plongent dès le premier jour, mais sont encore guidés par leurs parents pendant 10-11 semaines.

Grèbe à cou noir
Podiceps nigricollis

D

> grive	MP	1 V-VII

C Tête, cou et dos noirs ; flancs brun-rouge ; dessous blanc. En plumage nuptial, des touffes de plumes jaune d'or ornent les côtés de la tête. **H** Étangs et lacs à végétation denses sur les rives, souvent avec des Mouettes rieuses ; en hiver, fréquente également les eaux saumâtres et salées. **V** Cri ascendant : « bibibi ». Se nourrit d'insectes d'eau et de leurs larves, de mollusques et de rares poissons. **R** Par contraste avec les autres Grèbes, le Grèbe à cou noir ne couve pas seul, mais en petites colonies, souvent en association avec des (ou à l'intérieur de) colonies de Mouettes rieuses. Nid dans des roseaux épais, sur un support ou flottant. Le ♂ et la ♀ couvent en 20-21 jours 3-4 jeunes qui abandonnent aussitôt le nid ; ils sont portés sur le dos par leurs parents et deviennent indépendants à partir de 4-5 semaines.

Grèbe castagneux
Podiceps ruficollis

Grive	S	1-2 III-VII

C Le plus petit Grèbe européen, avec sa silhouette ronde au cou trapu. Brun-noir sur le dessus, noir sur le haut de la tête, brun-rouge sur les côtés du cou, tache jaune-vert à la base du bec (plumage nuptial) ; en temps ordinaire, uniformément brun-gris. **H** Eaux dormantes et à faible courant, très couvertes de végétation, extrémités alluvionnaires des grands lacs. En hiver, seul ou en petites troupes sur des eaux ouvertes, voire en pleine ville. **V** Vit très caché en été dans la végétation des rives. Trille caractéristique à la couvaison, souvent en « duo » : « bi bi bi ». Plonge fréquemment, souvent avec un mouvement de tête préalable. Se nourrit d'insectes, de leurs larves, de mollusques et autres animaux aquatiques. **R** 5-6 jeunes sont couvés en 20-22 jours par le ♂ et la ♀, dans un nid flottant bien protégé par les plantes de la rive. Ils sont ensuite guidés par leurs parents pendant au moins 40 jours.

Héron cendré
Ardea cinerea

D	< cigogne	MP	1 III-IX

C Plumage gris sur le dessus, blanc dessous, bout des ailes, côtés de la tête et 2 huppes noirs. **H** Rives de toutes les étendues et de tous les courants d'eau. **V** En vol, comme tous les échassiers, le cou est replié en S, les pattes sont étendues, les coups d'aile sont lents et majestueux ; le cri le plus fréquent est : « kraaaik ». Chasse dans les eaux peu profondes ou en marchant lentement dans les prairies ; la proie (poissons blancs, amphibiens, petits rongeurs) est saisie d'un coup de bec rapide. Se tient souvent immobile au bord de l'eau, le cou replié. **R** Couvaison en colonie ; nids de branchages finement tissés, d'ordinaire sur de grands arbres (« héronnières »). le ♂ et la ♀ couvent en 25-27 jours 4-5 jeunes, prêts à voler en 50 jours.

Butor étoilé
Botaurus stellaris

D	> busard	MP	1 IV-VII

C Petit échassier brun-jaune, avec des marbrures brun-noir. Dessus de la tête noir, dessous du plumage brun clair avec de longues stries sombres. **H** Grandes roselières et joncheraies. **V** Oiseau très farouche, actif la nuit et au crépuscule, dont le cri, sorte de beuglement très grave, se fait entendre au loin : « ou-prouh ». Dérangé ou menacé, prend une position caractéristique de piquet dressé immobile, que l'on peut observer même chez les jeunes au nid. Grimpe habilement dans les roseaux, comme s'il glissait lentement. Vol bas au-dessus des roselières. Se nourrit de poissons, d'amphibiens, d'insectes d'eau, de vers. **R** Le nid est dans les roseaux ou les joncs, un peu au-dessus de l'eau. La ♀ couve en 25-26 jours 5-6 jeunes qui sortent du nid après 15-20 jours, mais ne le quittent vraiment qu'au bout de 50-55 jours, sous la conduite de la mère.

Cigogne blanche
Ciconia ciconia

D	connu	M III-IX	1 IV-VII

C Grand échassier blanc, avec la moitié des ailes noire, les longues pattes et le long bec rouges. **H** Zones basses humides, avec des étangs, utilisées très extensivement. Passe l'hiver en Afrique tropicale et en Afrique méridionale, qu'elle gagne par deux routes possibles : soit la route du sud-ouest, par Gibraltar, vers l'Afrique occidentale ; soit la route du sud-est, par le Bosphore et le golfe d'Alexandrette, vers l'Afrique orientale et méridionale. **V** Vol majestueux, avec les pattes et le cou étendus. Oiseau sociable, mais qui se bat pour défendre son nid. Siffle et claque du bec quand elle est dérangée. Se nourrit d'amphibiens, de souris, de vers, d'insectes et de leurs larves. **R** Couve chez nous sur les toits des maisons, ailleurs en colonie dans les arbres. Le ♂ et la ♀ couvent en 33-34 jours 3-5 jeunes, indépendants au bout de 55-60 jours. Les deux parents les nourrissent.

Cygne tuberculé
Cygnus olor

connu	S	1 IV-IX

C Notre plus grand cygne est blanc de neige, avec un cou gracieusement plié en S et un bec orange-rouge ; le ♂ se distingue par une bosse noire à la base du bec. **H** Eaux dormantes ou à faible courant, riches en substances nourricières ; souvent à demi apprivoisé dans les étangs de parcs. **V** Vol lourd et rectiligne, à sonorité métallique. Cri à la couvaison en coup de trompette : « kiorr ». Siffle fortement pour repousser toute agression, tout en déployant et agitant ses ailes de façon très impressionnante, même pour l'homme. Sociable en dehors de la couvaison. Plantes d'eau et de marécage constituent sa nourriture. **R** La ♀ est seule à couver 5-8 jeunes en 35-41 jours, qui quittent le nid dès le premier jour, mais restent jusqu'à l'hiver dans le clan familial.

Oie cendrée
Anser anser

< cygne	M/III-IX H/X-XII	1 IV-VIII

C Cette oie gris-brun clair, avec ses pattes rouge pâle et son bec orange pâle est à l'origine de notre oie domestique. **H** Migrateur régulier, mais très rare à la couvaison, près des eaux intérieures très protégées. **V** Très sociable comme toutes les Oies, vole en formation linéaire ou de V, avec un léger sifflement. Cherche sa nourriture (plantes terrestres et aquatiques) sur les prairies et les pâtures et dans l'eau. Cri fréquent, habituellement à 7 syllabes : « gaga... ». **R** L'Oie cendrée forme des couples stables. La ♀ couve en 27-29 jours, dans un nid bien dissimulé par les roseaux, 4-9 jeunes, élevés par le ♂ et la ♀, et indépendants au bout de 50-60 jours, mais qui restent jusqu'au printemps suivant dans la « famille ». Ils hivernent avec les parents et sont chassés par le ♂ à la période des amours.

Bernache du Canada
Branta canadensis

> oie cendrée	M/III-IX H/X-II	1 IV-VIII

C Très répandue dans les landes d'Allemagne du nord, introduite depuis l'Amérique du Nord, *via* l'Angleterre. Le dessus du plumage est brun-gris, le ventre blanc, le devant gris clair à brunâtre ; le cou, la tête, la queue, le bec et les pattes sont noirs. Bande blanche depuis la gorge jusque derrière les yeux. **H** Hôte hivernal près des côtes de la mer du Nord, à demi apprivoisé dans les lacs de l'intérieur pour la couvaison. **V** Sociable. Cri sonore en appel de trompette : « ahonk ». Recherche sa nourriture sur les espaces verts, et en eau peu profonde : herbes, trèfle, semences, insectes en été, ainsi que vers et mollusques. **R** Couples stables, comme l'Oie cendrée. Le nid, terrestre, est souvent installé sur des îlots ; la couvaison se fait par colonies entières. La ♀ couve en 28-30 jours 5-6 jeunes. Les jeunes sont élevés par les parents et capables de voler en 9 semaines ; ils restent pourtant jusqu'à la saison des amours suivantes dans la « famille ».

Sarcelle d'hiver
Anas crecca

D	Pigeon	M/III-IX H/IX-III	1 IV-VIII

C Le plus petit Canard de surface de nos climats. La livrée nuptiale du ♂ : tête brun sombre, avec une bande verte latérale bordée de crème jusqu'au cou, en forme d'arc ; poitrine de couleur crème avec des pois sombres, dos et flancs gris, ligne blanche horizontale surmontant l'aile. La ♀ est brun clair, tachée de brun sombre. **H** Eaux dormantes peu profondes, étendues vaseuses ou limoneuses, lacs de landes et de marais. **V** Vit caché pendant la couvaison, autrement en bandes. Cri du mâle : « ccrik ccrik » assez mélodieusement sifflé ; la femelle cancane « gai-gai ». Nourriture à base de petits animaux et de plantes. **R** Nid au sol, bien caché, à proximité de l'eau. Couples saisonniers. La ♀ couve seule 8-11 jeunes en 21-23 jours ; elle les élève en 25-30 jours.

Canard colvert
Anas platyrhynchos

connu	S	1 III-VII

C Le plus fréquent et le plus grand des Canards de surface. Livrée nuptiale du ♂ : corps gris, avec le dessous plus clair, collier blanc, tête verte, poitrine brun foncé. Les 2 plumes caudales du milieu, noires à éclat bleu-vert, sont recourbées. Le miroir des ailes, bleu-violet, est encadré de noir et blanc en avant et en arrière. La ♀, comme le ♂ en éclipse, est brunâtre, avec des bandes tachetées plus sombres. **H** Eaux dormantes ou courant faiblement ; à demi apprivoisé dans les parcs. **V** Origine de notre canard domestique. Le ♂ crie sourdement : « rèhp », précédé d'un sifflement « fihp » ; la ♀ cancane : « waak-waak... » *decrescendo*. Nourriture : plantes aquatiques et terrestres, semences, insectes et leurs larves, petits crabes, mollusques ; également du pain et des déchets. **R** Couple saisonnier. Nid au sol ou dans les arbres, sur les murs, etc., à distance variable de l'eau. La ♀ couve en 25-30 jours 7-11 jeunes, qu'elle élève 50-60 jours.

Canard pilet
Anas acuta

D	< canard colvert	M/IV-VIII H/IX-IV	1 IV-VII

C Élancé, avec un cou mince et long. Livrée nuptiale du ♂ : gris, tête brun sombre, cou blanc, comme le dessous du plumage. Caudales inférieures noires. Queue longue et pointue. La ♀ est uniformément brunâtre, comme le ♂ en éclipse. **H** Rare dans nos climats à la saison des amours ; migrateur sur de longues distances et de passage annuel comme hôte d'hiver, sur les côtes, dans les lagunes et les grands lacs de l'intérieur. Couvaison sur les grandes étendues d'eau dormante. **V** Vit assez isolé au milieu d'autres canards de surface. La queue est dressée en l'air quand il nage. Cri discret. Nourriture à base de plantes et d'animaux, comme les espèces ci-dessus décrites. **R** Couples saisonniers. Nid au sol, bien dissimulé par la végétation, où la ♀ couve en 22-24 jours 7-12 jeunes, autonomes au bout de 40-45 jours et élevés par la mère seule.

Nette rousse
Netta rufina

D | Canard colvert | MP | 1 V-VIII

C En livrée nuptiale, le ♂ a une tête rousse volumineuse, plus claire sur le dessus ; la poitrine, le ventre et les caudales inférieures noirs ; les flancs blancs ; le dos et les ailes bruns, avec une large bande blanche sur l'aile, bien visible en vol ; le bec est rouge. En éclipse, le ♂ est, comme la ♀, brun avec le dessus de la tête brun foncé et un bec brun-noir décoré de rouge à son extrémité. **H** Eaux peu profondes riches en substances nourricières, avec abondance de végétation sur les rives. **V** Canard de surface, mais qui sait également plonger. Cri du ♂ : « bêtt », se terminant en trilles, presque uniquement à la saison des amours. Plonge à la recherche des plantes aquatiques dont il se nourrit. **R** Couple saisonnier. Nid au sol. La ♀ couve en 26-28 jours 8-11 jeunes, élevés pendant 45-55 jours.

Fuligule milouin
Aythya ferina

< canard colvert | MP | 1 IV-VIII

C Puissant canard plongeur, à tête haute. Livrée nuptiale du ♂ : tête et cou brun chocolat, dos et flancs gris argenté, poitrine et queue noires ; le bec noir porte en son milieu une large bande gris-bleu clair. Beaucoup moins contrasté en éclipse. La ♀ est d'un brun variable, avec une bande de bec très étroite. **H** Étendues d'eau intérieures très riches en substances nourricières, avec une abondante végétation sur les rives. **V** Très sociable, souvent associé au Fuligule morillon (voir ci-dessous) en hiver. Cri rare en dehors de la période des amours, et très discret. Plonge pour chercher les plantes et animaux aquatiques dont il se nourrit. **R** Couple saisonnier. Le nid au sol est bien dissimulé par la végétation de la rive. La ♀ couve en 24-28 jours 5-12 jeunes, qui sont élevés en 50 jours environ, souvent avec les petits du Fuligule morillon.

Fuligule morillon
Aythya fuligula

Canard colvert | MP | 1 V-IX

C Petit canard plongeur assez trapu. Livrée nuptiale du ♂ : corps noir, flancs et poitrine blancs. Seul canard avec une huppe noire bien nette, pendante. Large bande alaire blanche, visible en vol. En éclipse, semblable à la ♀, brun sombre, avec une huppe extrêmement courte et des flancs gris. **H** Eaux stagnantes ou à faible courant. A demi apprivoisé dans les parcs. **V** Souvent en bandes nombreuses, avec des F. milouins (voir ci-dessus). Vol rapide et souple. Cri du ♂ à la saison des amours : « bûck-bûck », de la ♀ en vol : « kourr ». Autrement silencieux. Se nourrit de petits animaux aquatiques (mollusques, dont la *Dreissena polymorpha*, voir page 212), et de quelques plantes aquatiques. **R** Couples saisonniers. Nid au sol bien caché, parfois dans des trous, près de l'eau, ou dans les roseaux. La ♀ seule couve en 23-24 jours 6-11 jeunes, qu'elle élève pendant 45-50 jours.

Milan royal
Milvus milvus

D

> busard	M III-IX	1 IV-VII

C Ce rapace couleur de feu, à tête grise, est plus grand et plus contrasté que le Milan noir, avec une queue et des ailes plus longues. La queue est très échancrée. **H** Grandes forêts de feuillus de l'intérieur et de moyenne montagne. Hiverne au nord de la région méditerranéenne. **V** Vol battu assez léger, avec de surprenants mouvements de la queue en dérive. Appel en cri prolongé comme un miaulement : « wiûû ». Se nourrit de petits rongeurs, de poissons, de charognes, de déchets aussi. **R** Le nid est assez haut (7-30 m) dans les arbres. La ♀ couve en 28-30 jours 2-3 jeunes qui quittent le nid après 45-50 jours, mais y reviennent encore quelquefois dans la semaine qui suit leur départ.

Busard des roseaux
Circus aeruginosus

D

Buse	M III-X	1 V-VIII

C Plus élancé et avec des ailes moins larges que la Buse. En vol, les ailes sont en V vers le haut. Chez le ♂, la face inférieure est brun-rouge clair, la poitrine hachurée, le dos et le dessus des ailes bruns, ou gris clair. La ♀ (photo), comme les jeunes, est brun sombre, avec le dessus de la tête, les épaules et le bord avant des ailes blanchâtres. **H** Endroits humides. Hiverne en région méditerranéenne, et au sud du Sahara. **V** Vol assez bas au-dessus du sol. Cri du mâle à la pariade : « kfiê ». Se nourrit de petits rongeurs, d'oiseaux, mais également d'œufs et de jeunes oiseaux lors de la couvaison. **R** Le nid, au sol, est construit parmi les roseaux ou d'autres plantes de marais. La ♀ couve en 31-36 jours 3-7 jeunes qui quittent le nid après 38-40 jours, mais restent 2 semaines dans les environs de l'aire, puis suivent les parents 2-3 semaines après.

Autour (des palombes)
Accipiter gentilis

D

♀ buse ♂ corneille	S. Pas.	1 III-VI

C Dessus gris ardoise à gris-brun, calotte sombre, sourcil blanc. Dessous blanc, avec de fines stries noires transversales. Les immatures sont brun sombre ou brun-rouge dessus, avec des taches brun sombre allongées très nettes. La longue queue et les ailes courtes et larges distinguent l'Autour de la Buse en vol. **H** Forêts, taillis et pays de bocage. **V** Au printemps, jeux et parades nuptiales en vol avec la queue étalée ; autrement, alternance de vols battus et planés. Il attaque ses proies par surprise, depuis le couvert, ou bien vole assez bas au-dessus du sol. Oiseaux et rongeurs lui servent de nourriture. **R** Aire sur de hauts arbres de la forêt. La ♀ couve en 35-42 jours 2-5 jeunes qui quitteront le nid au bout de 36-40 jours, mais ne seront indépendants qu'au bout de 70 jours.

Épervier d'Europe
Accipiter nisus

D	♀ ≳ ♂ < faucon crécerelle	MP	1 IV-VIII

C Comme l'Autour décrit à la page précédente, mais plus petit, avec une queue coupée droite. La ♀ (photo) est gris-bleu dessus, blanche dessous avec de fines striures brun rougeâtre transversales. Le ♂ est plutôt gris-brun dessus, avec un dessous blanc strié de brun sombre. **H** Paysage structuré, avec des forêts, des haies et des taillis. Hiverne depuis le sud de l'Europe du Nord jusqu'en Afrique du Sud. **V** Vole et chasse comme l'Autour. Les cris d'alarme de nombreux petits oiseaux révèle la présence de l'Épervier. Cri à répétition quand il est dérangé : « gui-gui-gui ». **R** Nid sur des arbres jeunes ou moyennement hauts. La ♀ couve en 24-30 jours 4-6 jeunes qui quittent les parents à partir du 35e jour et chassent pour leur propre compte.

Buse variable
Buteo buteo

> corneille	S	1 III-VI

C Rapace très courant sous nos climats, avec une tête ronde, un cou court, des ailes larges et une queue brève et arrondie lorsqu'elle est étalée, avec 10-12 bandes transversales. La couleur est très variable, du brun-noir au blanchâtre. Lorsque le plumage est sombre, la poitrine est très souvent plus claire. **H** Campagnes ouvertes, champs, prairies, forêts, petits bois. **V** Plane au-dessus de son territoire grâce aux courants ascendants. Coups d'ailes rapides en vol battu. Son long miaulement aigu se fait entendre tout le long de l'année dans nos campagnes : « hiyêh ». Chasse depuis un poste de guet les mulots et autres rongeurs, les jeunes oiseaux, les reptiles, les amphibiens, les insectes. **R** Vaste aire sur de hauts arbres en bordure de forêt, sur son territoire. ♂ et ♀ couvent tous les deux en 33-35 jours 2-3 jeunes, qui s'en vont au bout de 40-50 jours.

Faucon crécerelle
Falco tinnunculus

Pigeon	M, Pas.	1 IV-VII

C C'est le rapace le plus répandu après la Buse, avec sa longue queue rayée de noir. Le dessus du ♂ est brun-rouge, légèrement tacheté ; calotte, dos et queue gris. La ♀ et les immatures sont brun-rouge dessus, avec des taches très sombres et des rayures transversales. **H** Niches écologiques très variables, depuis la campagne profonde jusqu'aux massifs montagneux. Niche dans les rochers, les falaises, les villes, les ruines, chasse en campagne ouverte. Hiverne dans toute l'Europe. **V** Vol sur place typique, pour guetter sa proie (rongeurs, petits oiseaux, reptiles, insectes). Chasse également depuis un affût et – plus rarement – en vol. Cri aigu : « kikiki », très fréquent. **R** La ♀ dépose ses œufs dans des anfractuosités de rocher, les trous à terre, d'anciens nids de corneille ou de pie ; elle couve en 21-27 jours 4-6 jeunes qui quittent le nid au bout de 28-32 jours.

Perdrix grise
Perdix perdix

D | Pigeon | S | 1 IV-VII

C Silhouette ramassée, à la queue courte et de couleur rousse ; poitrine gris clair, flancs rayés de roux ; marque brun sombre en forme de fer à cheval sur le ventre. **H** Oiseau des steppes à l'origine, devenu oiseau des champs cultivés avec couverture végétale suffisante. **V** Vol très rapide, avec un bruit sec des ailes. Le chant du ♂ sur son territoire est un « kirreck » grinçant caractéristique, que l'on entend aussi dans l'obscurité. Se nourrit de semences, de bourgeons, et de petits animaux dans ses premières semaines de vie. **R** Dans le berceau de son nid garni de chaumes secs et de feuilles, la ♀ couve en 25 jours 10-20 poussins, indépendants au bout de 5 semaines, mais qui passent l'hiver « en famille ».

Caille des blés
Coturnix coturnix

D | Étourneau | M IV-X | 1(-2) V-IX

C Notre plus petit Gallinacé-gibier, à la silhouette ronde et la queue très courte. Le plumage, couleur de terre brune, est strié de jaunâtre sur le dos et les flancs. La tête et la gorge du ♂ portent un motif sombre, la gorge de la ♀ est blanche. **H** Landes et campagnes cultivées, à couverture végétale serrée. Seul Gallinacé migrateur, qui passe l'hiver en région méditerranéenne et jusqu'en Afrique tropicale. **V** Vie très cachée : on l'entend plus qu'on ne la voit. Chant caractéristique du ♂ sur son territoire : « pick-wêr-ick ». Semences et insectes forment sa nourriture. **R** La ♀ forme un nid plat, garni de matériaux secs. Elle y couve en 18-20 jours 7-14 poussins qui peuvent voler en 19 jours et qui sont indépendants en 4-7 semaines. Ils sont élevés jusque-là par la mère.

Faisan de Colchide
Phasianus colchicus

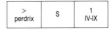

> perdrix | S | 1 IV-IX

C Plus grand, plus haut sur pattes et plus long de queue que la Perdrix ci-dessus décrite, le Faisan de Colchide est le gibier le plus remarquable de nos campagnes, originaire d'Asie. Le plumage du ♂ est brun ou cuivre, avec des ourlets noirs ; la tête est bleu-gris, avec un masque rouge caractéristique, et des plumes auriculaires allongées. La ♀ et les immatures sont bruns avec des motifs plus clairs et plus sombres. **H** Très fréquents dans les landes et les campagnes cultivées. **V** Cri bruyant : « keu-eu-keuck », suivi d'un bruit d'ailes sourd. Le faisan se nourrit de semences, de fruits, de débris végétaux et de petits animaux dans les premières semaines de vie. **R** Le nid plat est bien dissimulé par les buissons ou les joncs. La ♀ y couve en 23-24 jours 8-12 poussins, capables de voler en 10-12 jours, mais dépendants de la mère pendant 70-80 jours.

Râle d'eau
Rallus aquaticus

D	> merle	MP	1-2 IV-VIII

C Dessus brun-olive ; tête, gorge, cou et poitrine gris ardoise ; flancs striés de noir et blanc. Long bec rouge légèrement recourbé caractéristique. **H** Joncs et roseaux épais et serrés au bord des rivières et des lacs. **V** Très discret, court en position accroupie, très difficile à observer ; bon grimpeur (branches, buissons). Grognements semblables à ceux d'un petit cochon. Se balance la queue dressée en cas de dérangement. Se nourrit d'insectes, de petits escargots, de vers. **R** Nid profond en forme de vase creux, bien caché dans les roseaux. ♂ et ♀ couvent en 19-22 jours 6-11 poussins qui quittent le nid après quelques jours ; ils sont capables de voler en 7-8 semaines, mais se séparent de leurs parents bien avant.

Poule d'eau
Gallinula chloropus

Pigeon	MP	2-3 IV-VIII

C Dessus brun-olive ; tête, col et dessous gris-noir, flancs ornés d'une bande blanche interrompue. Front rouge et charnu, au-dessus d'un bec jaune. Pattes vertes avec une articulation jaune-rouge. **H** Rives et atterrements des eaux dormantes et à faible courant, gravières et glaisière, mares de village, étangs des parcs. **V** Hoche la tête et remue de la queue en nageant, court sur le sol, grimpe agilement sur la végétation des rives. Cris pas très forts, mais brusques : « kûrrk », qui s'intensifient en cas de dérangement pour devenir : « kirreck » ou « kickick »... Se nourrit de graines et de fruits des plantes aquatiques et de marais, d'insectes et de petits animaux. **R** Nid dissimulé dans la végétation des rives. ♂ et ♀ couvent alternativement, en 19-22 jours, 5-11 poussins, indépendants au bout de 35 jours.

Foulque macroule
Fulica atra

< canard colvert	MP	1 IV-VIII

C Oiseau d'eau noir-gris, avec une plaque frontale et un bec blancs. **H** Eaux stagnantes et faiblement courantes, avec rives couvertes, bras morts, gravières, mares, étangs des villages et des parcs. **V** Nage en hochant la tête continûment, plonge avec un mouvement préalable de la tête et du cou. Court longuement à la surface de l'eau avant de s'envoler dans un fort bruit d'ailes. Le ♂ crie : « tisk » et « tp », la ♀ : « keuw ». Se nourrit de débris de joncs, de mollusques, d'insectes et de larves, de débris organiques. **R** Nid creux assez vaste, de joncs secs et de feuilles, dans les roseaux ou flottant, avec une passerelle du bord du nid à l'eau. 5-10 poussins sont couvés en 23-25 jours par la ♀ ; ils abandonnent le nid après quelques jours, sont capables de voler au bout de 8 semaines, mais sont encore longtemps élevés par le ♂ et la ♀.

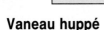
Vaneau huppé
Vanellus vanellus

Pigeon	MP	1 III-VII

C Poitrine et gorge noires, dos gris-brun à éclat métallique vert-violet, dessous blanc. Plumes de la calotte allongées en huppe pointue. Ailes noires, queue blanche à large bande terminale noire. Pattes rougeâtres. Ailes arrondies en vol. **H** Terres humides à végétation basse, champs. **V** En bandes, sauf à l'époque de la nidification. Vols irréguliers, avec des détours et des sautes brusques. Parade nuptiale accompagnée de figures au sol et en vol. Cri le plus fréquent : « pi-ouïtt », répété en survolant l'aire de nidification. Petits animaux terrestres en guise de nourriture. **R** Nid au sol, garni de chaume sec, où la ♀ et le ♂ couvent en 26-29 jours 4 poussins, indépendants au bout de 35-40 jours.

Petit Gravelot
Charadrius dubius

< merle	M III-X	1 IV-VII

C Dessus gris-brun, dessous blanc. Bande frontale noire, séparée de la tête brune par une frange blanche. Anneau orbital jaune. Bec noir avec une petite tache rouge-jaune à la base. Pattes roses. **H** Rives pierreuses ou sablonneuses, sablières. Hiverne au sud du Sahara. **V** En dehors de la période de nidification, sociable. Course rapide, avec arrêts brusques. Cri descendant : « piou ». Vol en chauve-souris au-dessus de l'aire de nidification avec un : « griè-griè » éraillé. Se nourrit des petits animaux du sol et d'insectes. **R** Couve à proximité de l'eau. Les œufs sont camouflés dans le nid, entre pierre et sable, par leur couleur gris-noir. ♀ et ♂ couvent en 22-28 jours 4 poussins qui sont indépendants après 24-29 jours et élevés par les parents jusque-là.

Bécassine des marais
Gallinago gallinago

D | Merle | M III-IX | 1 IV-VII |
|---|---|---|

C Dessus brun avec des stries longitudinales noires et jaunâtres. Tête ornée de 2 stries brun sombre. Cou et poitrine rayés de brun. Dessous blanc. Bec long et droit. **H** Marais, marécages, prairies humides, avec une végétation épaisse, mais pas trop haute. Hiverne en Europe méridionale et occidentale. **V** Bien protégée par son plumage, la Bécassine se confond avec la végétation et démarre brusquement à proximité de l'observateur en s'arrachant du sol. Produit en vol nuptial un bruit appelé « bêlement » par écartement des plumes rectrices de la queue. ♂ et ♀ crient, au sol et en vol : « tûk-ye ». Pique le sol à la recherche des petits animaux. **R** Le nid est dissimulé dans la végétation du sol. La ♀ y couve en 18-20 jours 4 poussins, qui sont nourris pendant 20 jours au moins par les parents, et ne prennent leur indépendance qu'au bout de 4 semaines.

Courlis cendré
Numenius arquata

D

>\ncorneille	M\nIII-X	1\nIV-VIII

C Notre plus grand Limicole, au bec long et recourbé vers le bas. Plumage brun-gris, avec des motifs plus clairs. Dessus marqué de blanc en vol. **H** Surfaces ouvertes et prairies. En migration, lagunes, vasières, landes. **V** Très sociable en dehors de la nidification. Vol calme et tranquille. Chant flûté : « tlû-ih », avec des trilles *decrescendo* qui le répètent lors du vol au-dessus de l'aire de nidification. Se nourrit de vers, d'insectes et de larves, de mollusques, de crabes, de baies et de pousses végétales. **R** Un trou dans le sol, garni de chaume sec, sert de nid ; la ♀ y couve en 27-30 jours 4 poussins, indépendants au bout de 5 semaines.

Chevalier gambette
Tringa totanus

D

>\nmerle	MP	1\nIV-VII

C Dessus de la livrée nuptiale brun, avec des taches sombres ; uniforme en éclipse. Dessous blanchâtre, avec des taches plus ou moins floues. Grande tache à l'arrière de l'aile et croupion blancs. Bec noir avec la base rouge, pattes d'un rouge lumineux. **H** Prairies proches de la mer, terrains humides à eaux peu profondes. Hiverne sur les côtes méditerranéennes et atlantiques de l'Europe et de l'Afrique. **V** En petites bandes en dehors de la période de nidification. Cri avant l'envol : « tût » ; le chant de vol est une sorte de *yodel* : « dahidl-dahidl ». Cri d'alarme caractéristique : « tschip ». Se nourrit des petits animaux du sol et aquatiques (petits vers, crabes, mollusques, insectes). **R** Nid au sol, bien caché dans la végétation. ♀ et ♂ couvent en 22-29 jours 4 poussins, indépendants au bout de 30-35 jours.

Actitis hypoleuca
Actitis hypoleuca

D

<\nmerle	M/IV-IX\nE/IV-V\n& VII-IX	1\nV-VIII

C Dessus brun-gris, dessous blanc. Grandes bandes alaires blanches visibles en vol, bord arrière des ailes et côtés de la queue blancs. **H** Rives des ruisseaux et des rivières, presque exclusivement en région montagneuse. En migration, étendues d'eaux intérieures. Hiverne en Europe du Sud et jusqu'en Afrique du Sud. **V** Vole au ras de l'eau à coups d'ailes saccadés, puis vols glissés avec les ailes en V inversé. Aime à se tenir immobile un peu au-dessus de l'eau sur la rive. Course rapide, suivie d'arrêts et de hochements de queue. Appel clair au repos et en vol : « hididi ». Se nourrit d'araignées d'eau et d'insectes au sol, ainsi que de petits crabes et de vers, qu'il pique avec adresse. **R** Nid au sol, bien caché à proximité du courant. ♀ et ♂ couvent en 21 jours environ 4 jeunes qui sont élevés en 26-28 jours.

Goéland cendré
Larus canus

> mouette rieuse	S	1 V-VII

C Oiseau marin blanc et de taille moyenne, avec le dos et le dessus des ailes gris bleuâtre. Pointe des ailes noires, avec une tache blanche sur les deux rémiges primaires extérieures. La tête est blanche, le bec et les pattes sont verdâtres. En éclipse, tête et dos finement rayés de sombre, bec et pattes gris. **H** Côtes et isolément à l'intérieur des terres, où il hiverne régulièrement. **V** Cri fréquent : « ki-ya ». Se mêle aux mouettes rieuses, aime suivre les navires. Se nourrit de vers de lagune, de vers de terre, d'insectes, de poissons, de petits rongeurs, de débris végétaux. **R** Couples saisonniers. Couvaison par colonies sur cordons littoraux, rives et marécages. ♀ et ♂ couvent en 23-28 jours 3 jeunes, qui sont en état de partir au bout de 28-33 jours.

Mouette rieuse
Larus ridibundus

Pigeon	MP	1 IV-VII

C La plus petite de nos Mouettes communes. Dessus gris clair, dessous, croupion et queue blancs. Face brun chocolat en période de nidification ; bec et pattes rouge corail. Ailes fines et pointues, avec un bord d'attaque blanc. **H** Côtes et intérieur des terres, avec rives couvertes. **V** Sociable presque toute l'année. Souvent acclimatée dans les villes. Cri : « krièh » ou « kwèarr », très fréquent. Se nourrit de débris végétaux et de petits animaux : insectes terrestres et aquatiques et leurs larves, vers de terre, annélides, petits crustacés, souris, mais aussi charognes et détritus. On la rencontre souvent avec le Goéland cendré (voir ci-dessus) sur les môles et dans les champs fraîchement labourés. **R** Grandes colonies de couvaison. ♀ et ♂ couvent en 20-25 jours 3 jeunes, élevés en 26-28 jours et indépendants au bout de 35 jours.

Sterne pierregarin
Sterna hirundo

D

< mouette rieuse	M IV-X	1-2 IV-VII

C Dessus gris clair, dessous blanc, bec rouge-orange à pointe noire. Longues pattes rouges ; longues ailes incurvées. **H** Côtes plates et lagunaires, isolément à l'intérieur des terres sur des rivières non polluées et dans les îles des lacs. Hiverne dans l'hémisphère Sud. **V** Nage et court peu. Vole à grands coups d'aile, avec le bec tourné vers le sol, en quête de ses proies : petits poissons, crustacés, larves d'insectes. Cris stridents : « kik kik kik ». **R** Sociable. Couvaison en colonies, quelquefois sur plates-formes artificielles. Le nid est un simple creux du sol, dans le sable, le gravier ou l'herbe. Le ♂ et la ♀ y couvent en 20-26 jours 3 jeunes qui sont élevés au bout de 23-27 jours. Ils restent pourtant encore quelques semaines en famille et les parents s'en occupent.

Pigeon colombin
Columba oenas

D | Pigeon domestique | MP III-X | 2-3 IV-IX

C Gris-bleu, avec deux taches à reflets verts brillants sur le cou. Pas de dessins blancs sur les ailes et le croupion. **H** Forêts de feuillus et forêts à essences mélangées, avec de vieux arbres, parcs, allées. Migrateur partiel, hiverne surtout en région méditerranéenne. **V** Claquements d'aile au départ et en parade nuptiale. Le cri 2-4 syllabique est discret et difficile à repérer. En dehors de la période de nidification, souvent avec d'autres à la recherche de nourriture dans les champs. Se nourrit de semences, de fruits, de petits animaux terrestres. **R** Couve dans les grottes et les trous : dans les arbres, nids de pics noirs également. ♂ et ♀ y couvent en 16-18 jours 2 jeunes qui sont élevés en 20-30 jours.

Pigeon ramier
Columba palumbus

> pigeon domestique | MP III-X | 2-3 IV-X

C C'est notre plus grand Pigeon commun. Bleu-gris, avec une étonnante tache blanche sur le cou. Queue à l'extrémité noire. Large bande alaire blanche visible en vol. **H** Forêts et parcs, mais aussi milieux urbains. Migrateur partiel, hiverne en région méditerranéenne. **V** On connaît bien son roucoulement à 5-6 syllabes, avec accentuation sur la 2e : « rou-rou-rou, rourourou-rou ». Claquements d'aile au départ et en parade nuptiale. Farouche, mais quelquefois habitué aux milieux urbains. En dehors de la couvaison, souvent en grandes bandes à la recherche de nourriture, dans les champs et les prairies. Se nourrit de semences, de faînes, de glands, d'herbes, de feuilles, de baies et autres fruits. **R** Nid de brindilles, mince mais solide, sur les arbres. Le ♂ et la ♀ y couvent en 16-17 jours 2 jeunes qui quittent le nid au bout de 28-32 jours.

Tourterelle turque
Streptopelia decaocto

< pigeon domestique | S, Pas. | 2-5 III-X

C Brun-gris clair, avec une longue queue. Le « collier » noir caractéristique est bordé de blanc. **H** Campagnes cultivées, villages, villes. **V** S'est répandu presque partout depuis le milieu du siècle en Europe. Son chant trisyllabique est aisément identifiable : « rou-cou-cou », avec accentuation sur la 2e syllabe. Sociable. En dehors de la couvaison, passe les nuits en communauté. De même pour la recherche de nourriture (fruits, grains), souvent dans des lieux aménagés par l'homme : silos à grains, basses-cours, parcs zoologiques, etc., en grandes colonies. **R** Nid simple, construit sur les arbres, dans les buissons ou sur les murs. Les deux parents y couvent en 14-17 jours 2 petits, qu'ils nourrissent d'abord – comme tous les *Colombidae* – avec le « lait » de leur gésier. Ces jeunes quittent le nid au bout de 18-21 jours.

Coucou gris
Cuculus canorus

< pigeon domestique	M IV-IX	Ponte V-VI

C Oiseau à longue queue, bleu-gris, avec le dessous blanc rayé de gris. Se distingue de l'épervier en vol par ses ailes pointues et ses coups d'aile plats. **H** Forêts de feuillus et parcs. Hiverne en Afrique au sud de l'équateur. **V** Très farouche. C'est en mai et juin qu'il pousse, à l'abri du feuillage ou en vol son célèbre : « cou-cou ». Se nourrit d'insectes et de chenilles de papillon. **R** Notre seule espèce d'oiseau parasite européen. La ♀ pond 1 œuf dans le nid d'un oiseau chanteur, d'où le jeune sort au bout de 11-13 jours : il jette alors hors du nid les œufs et les petits de l'oiseau-hôte. Il est ensuite nourri 19-24 jours par ses parents « adoptifs » puis 2 semaines encore après son premier vol.

Martinet noir
Apus apus

> hirondelle	M V-VIII	1 V-VII

C Oiseau noir de fumée, aux longues ailes en forme de faucille, avec une queue courte et fourchue et des pattes minuscules. **H** Villages et villes. Hiverne en Afrique tropicale. **V** Genre de vie aérien, pour lequel l'oiseau est parfaitement adapté. Vols rasants, avec de rapides coups d'aile et des parcours planés ; tourne souvent autour des maisons en troupes joyeuses et bruyantes, avec des cris aigus. Dans nos climats du 1er mai au 31 juillet. Se nourrit des insectes qu'il capture en volant. **R** Construit son nid, cimenté de bave, dans les fentes des murs, sous les toits des maisons, etc. La ♀ et le ♂ y couvent en 18-20 jours 2-3 jeunes qu'ils nourrissent d'insectes rapportés dans leur jabot. Par mauvais temps, les petits peuvent jeûner 9 jours, avec abaissement de la température du corps ; ils vivent alors sur leurs réserves de graisse corporelle. Ils quittent le nid après 5-8 semaines (selon le temps).

Chouette effraie
Tyto alba

D | > corneille | S | 1-3 III-VII |
|---|---|---|

C Plumage clair et longues pattes, avec un masque blanc et de petits yeux sombres. Couleur variable : certaines ont le dessus brun-gris clair avec des taches en gouttes, et le dessous presque blanc ; d'autres sont plus sombres, avec le dessus brun-gris tacheté et le dessous brun-jaune également tacheté (photo). **H** Milieux ouverts avec arbres dispersés. **V** Active la nuit, elle se cache pendant la journée. Le ♂ pousse un cri grinçant qui marque son territoire et se termine en vol par un trémolo. Le chuintement nocturne des jeunes est également caractéristique. Nourriture composée de mulots et de musaraignes. **R** Couve dans les clochers d'église, dans les greniers et les granges, ainsi que dans des nids aménagés artificiellement. Les 4-7 œufs pondus reposent sur une couche de débris laineux. La ♀ couve pendant 30-40 jours ; les jeunes sont élevés en 60 jours environ et indépendants au bout de 10 semaines.

Chouette chevêche
Athene noctua

D	< pigeon	S	1 IV-VI

C Dessus brun sombre, nettement tacheté de blanc et strié. Dessous clair, avec de larges stries brun foncé. Queue courte avec de nombreuses bandes transversales étroites claires. Grands yeux jaunes. **H** Campagnes ouvertes à végétation basse (saules têtards et prairies avec arbres fruitiers clairsemés). **V** Active au crépuscule et la nuit. Exécute, perchée, des sortes de révérences fréquentes. On entend au printemps le chant caractéristique ascendant du ♂ : « gouhck », qui chasse en vol ou depuis une guette. **R** Nid aménagé dans un trou d'arbre, dans une fente de mur, dans une grange. La ♀ couve en 25-30 jours 3-5 jeunes qui quittent le nid après 35 jours, mais qui ne sont capables de voler qu'au bout de 45 jours.

Chouette hulotte
Strix aluco

< buse	S	1 III-VI

C C'est la chouette la plus commune sous nos climats. 2 variantes dans les couleurs : brune ou grise. Le dessous, un peu plus clair, est tacheté de stries sombres et rayé légèrement de la même façon que le dessus. Pas d'aigrettes. **H** Forêts clairsemées, bois, parcs. **V** Active au crépuscule et à la nuit. Sédentaire. Au printemps et à l'automne, le ♂ aussi bien que la ♀ font entendre, en vol et au repos, le hululement connu : « hou-ou, hou-ou-ou-ou ». Cachée pendant le jour, elle chasse dès le crépuscule les petits rongeurs, les petits oiseaux et les amphibiens dont elle se nourrit. **R** Niche dans les trous d'arbres ou de rochers ou de murs, et dans les nichoirs préparés. La ♀ couve en 28-30 jours 3-5 petits qui abandonnent le nid au bout de 30-35 jours, bien qu'ils ne sachent pas voler. Ils en seront capables au bout de 7 semaines, mais ne seront indépendants qu'au bout de 10.

Hibou moyen-duc
Asio otus

Corneille	S, Pas.	1 III-VI

C Beaucoup plus élancé que la Chouette hulotte, avec de longues aigrettes et des yeux orangés. Dessus brun sombre, marbré comme une écorce ; dessous jaune-roux, nettement strié de sombre en longueur et rayé légèrement transversalement. **H** Chasse au-dessus des prairies, des marais, des champs ; niche dans des petits bosquets, des boqueteaux champêtres, les lisières de bois. **V** Actif au crépuscule et à la nuit. Sédentaire à la couvaison, en dehors de laquelle il est très sociable. Le ♂ hulule : « houh », au repos comme en vol. L'oiseau se nourrit de petits rongeurs, surtout de souris. **R** 4-5 œufs blancs sont pondus dans de vieux nids de corneille ou de pie, mais aussi parfois dans des aires de rapace, des nids de pigeon ou des gîtes d'écureuil. La ♀ couve en 27-28 jours des jeunes qui quittent le nid après 23-26 jours, mais ne savent voler qu'après 33-35 jours.

Torcol
Jynx torquilla

D

> moineau	M IV-IX	1-2 V-VIII

C Pic agile et couleur d'écorce, avec un bec droit et fin et une longue queue sans fonction d'appui. **H** Bois de feuillus clairs, forêts de prairies, parcs, vergers. Hiverne en Afrique tropicale. **V** Bien protégé par la couleur de son plumage, il se trahit pourtant par son cri : « kyè-kyè-kyè », plaintif et nasillard, qu'il pousse seul ou en duo, ♂ et ♀. Il prend avec sa langue gluante les fourmis et leurs larves, dans la fourmilière ou au sol. **R** Couve dans des nids naturels ou d'anciens nids de Pics, ainsi que dans des nichoirs, d'où il a parfois expulsé sans pitié les premiers occupants (œufs ou jeunes oiseaux). La ♀ et le ♂ couvent en 12-14 jours 5-11 petits qui quittent le nid au bout de 20-22 jours, mais vivent ensemble au moins une semaine encore.

Pic cendré
Picus canus

< corneille	S, Pas.	1 V-VII

C Pic gris-vert, assez proche du Pic décrit ci-dessous, mais avec la tête et le cou gris, une mince moustache noire. Seul le ♂ a une tache rouge sur le front. **H** Forêts de feuillus mélangés, forêts de prairies, parcs, prairies plantées d'arbres fruitiers clairsemés, jardins, boqueteaux champêtres. **V** Chant mélancolique caractéristique : « kû-kû-kû », en phrase descendante et avec la dernière note plus longue. il tambourine plus vite et plus sèchement que le Pic noir (voir page 332), mais plus longuement que le Pic épeiche *(ibidem)*. Fourmis, insectes et semences (en hiver) lui servent de nourriture. **R** Aménage son nid dans les branches basses des feuillus, ou dans de vieux nids d'autres Pics. Les deux parents couvent en 14-17 jours 5-9 jeunes, avant de les élever tous les deux. Les jeunes quittent le giron familial après 23-25 jours.

Pic vert
Picus viridis

< corneille	S, Pas.	1 IV-VII

C Assez semblable au Pic cendré, mais avec le dessus vert olive, le dessous gris verdâtre. Dessus de la tête rouge ; moustache noire chez la ♀, rouge chez le ♂. **H** Forêts de feuillus mélangés, boqueteaux champêtres, prairies plantées d'arbres fruitiers clairsemés, parcs. **V** Farouche et peu sociable, comme tous les Pics. Se dissimule rapidement dès l'approche et ne se trahit que par son cri fort et ricanant : « klûklûklû ». Ne tambourine que rarement. Cherche sa nourriture au sol comme le Pic cendré : fourmis, insectes, baies. Il attrape les fourmis, avec sa longue langue pourvue de barbelures, dans leur fourmilière. **R** Couve dans des trous spécialement aménagés ou de récupération, dans les arbres. La ♀ et le ♂ couvent en 15-17 jours 5-8 jeunes qui abandonnent le giron familial après 18-21 jours, mais qui restent ensemble encore 3-7 semaines.

Pic noir
Dryocopus martius

Corneille	S, Pas.	1 IV-VI

C Le plus grand Pic européen est noir, sauf le dessus de la tête jusqu'à la nuque pour le ♂, la nuque seulement pour la ♀, de couleur rouge. **H** Forêts de conifères et mixtes, avec de forts groupes d'arbres anciens. **V** Vol lourd et non ondulé comme celui des autres Pics, accompagné du cri typique : « krrû-krrû-krrû... ». Cri d'alarme : « klieu-euh », avec une strophe gutturale : « kwih-kwikwikwi », à la couvaison. Se nourrit de fourmis, de leurs larves, et d'insectes. **R** Aménage son lieu de ponte dans des hêtres et des pins, où il creuse des trous avec vigueur. La ♀ y couve en 12-14 jours 4-5 jeunes qui s'envoleront au bout de 24-28 jours.

Pic épeiche
Picoides major

Merle	S	1 IV-VII

C Le plus fréquent des Pics bigarrés. Noir et blanc, avec la nuque rouge (chez le ♂), comme les sous-caudales. **H** Forêts de feuillus et de conifères, boqueteaux champêtres, parcs, jardins. **V** Rarement au sol, presque toujours sur les troncs ou les poteaux. Son cri clair : « kick » est audible toute l'année. Tambourine au lieu de chanter rapidement, en utilisant un tronc ou un poteau comme caisse de résonance. Cette coutume semble avoir pour origine la recherche de nourriture. Nourriture d'hiver : graines huileuses ; d'été : insectes. Les fruits de conifères sont regroupés pour en extraire les pignons. **R** Le trou de ponte est aménagé dans le bois tendre. La ♀ y couve en 10-13 jours 4-7 jeunes qui quitteront le trou 20-28 jours après.

Pic épeichette
Picoides minor

Moineau	S, Pas.	1 V-VII

C Le plus petit des Pics européens. Dos à bandes noires et blanches, sans tache blanche sur l'épaule. Plaque frontale rouge chez le ♂, blanche chez la ♀. Dessous blanc, sans trace de rouge. **H** Forêts de feuillus et mixtes, forêts de prairies, parcs, jardins. **V** Cri d'appel audible toute l'année, assez semblable à celui du Faucin crécerelle : « kikiki... ». ♂ et ♀ tambourinent tous deux avec régularité. Se nourrit en été de petits insectes (pucerons), picorés sur les branches et les feuilles ; en hiver, cherche sous l'écorce les insectes qui hivernent. Très exceptionnellement, vient chercher des graines huileuses aux emplacements aménagés par les hommes. **R** Bâtit son trou de ponte dans du bois tendre, pourrissant ou mort. La ♀ y couve en 10-12 jours 4-5 jeunes qui quitteront le trou au bout de 19-21 jours.

Cochevis huppé
Galerida cristata

Moineau	S	2 IV-VI

C Une longue huppe, une courte queue et un dessus brun sable légèrement strié caractérisent cet oiseau peu fréquent. Les rectrices latérales sont brun-jaune. **H** Le Cochevis huppé change constamment de lieu de vie. Il préfère les pays d'herbes sèches mais affectionne également les bords des champs et des chemins. **V** L'oiseau se pose et chante volontiers au sol ; le chant est aussi quelquefois émis depuis un repos au-dessus du sol ou, plus rarement, en vol. **R** Un nid au sol bien dissimulé, construit parfois dans les bosquets ou les murets de pierres, sert d'abri aux 3-5 œufs, qui éclosent au bout de 12-14 jours ; les jeunes restent au nid 9-11 jours.

Alouette des champs
Alauda arvensis

> moineau	MP	2 IV-VI

C Tête à huppe courte et arrondie. Dessus brun, poitrine striée de sombre, rectrices latérales blanches. L'Alouette lulu (*Lullula arborea*, **D**) n'a pas ces dernières, mais elle possède des sourcils blancs bien marqués. **H** On peut observer les Alouettes des champs dans toutes les campagnes ouvertes. **V** L'oiseau court rapidement et comme ramassé. Le chant est émis à l'envol et en vol sur place ; il remplace le chant émis d'un perchoir élevé pour marquer le territoire. Il est suivi d'une descente glissée brusquement précipitée et silencieuse sur la fin. De temps en temps, léger chant au sol. **R** Nid au sol, où 3-5 œufs éclosent au bout de 10-14 jours ; nourris par les deux parents, les jeunes quittent le nid après 14-18 jours.

Hirondelle de cheminée
Hirundo rustica

Moineau	M IV-X	2 V-VII

C L'espèce est caractérisée par les longues pointes de la queue fourchue, un dessus bleu foncé à éclat métallique et un dessous blanc-jaune crème. Gorge et front sont brun-rouge, le jabot est bleu métallique. **H** Campagnes cultivées ouvertes, villages et faubourgs des villes, de préférence au voisinage des eaux. **V** Les insectes sont chassés au cours d'un vol rapide et souvent plané. Les oiseaux rasent alors de près la surface du sol ou de l'eau. Se perchent volontiers sur les fils ou sur les toits. Elles restent un peu plus longtemps chez nous en automne que les Hirondelles de fenêtre (voir page suivante). **R** Dans les étables et autres bâtiments avec possibilité de sortie, l'Hirondelle de cheminée bâtit un nid argileux collé en haut des murs. Les 4-6 jeunes éclosent au bout de 15 jours de couvaison et sont nourris par les parents pendant 3 semaines.

Hirondelle de fenêtre
Delichon urbica

< moineau	M VI-X	2 VI-VIII

C Dessous et croupion blancs couleur de farine contrastent avec le dessus bleu noir. La queue est légèrement fourchue. L'Hirondelle de rivage (*Riparia riparia*, **D**), qui niche dans les sablières ou les talus sablonneux, s'en distingue par un dessus brun et une bande brune sur la poitrine. **H** Villages, petites villes, et jusque dans les Alpes. **V** Les insectes sont chassés en vol, parfois très haut. Vol beaucoup moins rapide que celui des Hirondelles de cheminée. **R** Le nid argileux sphérique est accroché sous les gouttières, les auvents mais aussi dans les rochers et sous les ponts. 3-6 œufs y sont couvés par les parents en 14-16 jours ; les oisillons restent 20-30 jours au nid.

Pipit des arbres
Anthus trivialis

Moineau	M IV-X	2 V-VII

C Le dessus de cet oiseau difficilement définissable est brun avec des stries noirâtres. Le dessous, couleur crème, est fortement strié de noir dans la zone de la poitrine, ainsi que les flancs. Sourcil jaunâtre caractéristique et pattes rougeâtres. L'identification de cet oiseau n'est vraiment possible que grâce à son chant. **H** Le Pipit des arbres habite la lisière des bois, les clairières et les pentes semées d'arbres et de buissons. **V** Le chant de l'oiseau est caractéristique : il accompagne un vol rapide qui mène l'oiseau depuis le sommet d'un arbre (ou autre perchoir élevé) jusqu'au sol. L'oiseau affectionne en effet les perchoirs élevés, surtout les cimes des arbres. Se nourrit de petits insectes, picorés sur le sol. **R** Bien caché dans l'herbe, le nid au sol abrite 2 œufs qui sont couvés 12-14 jours ; les jeunes restent au nid 12-13 jours.

Pipit des prés (Farlouse)
Anthus pratensis

Moineau	MP	2 IV-VII

C Le Pipit des prés se distingue du Pipit des arbres ci-dessus décrit par son chant, son dessus olive, sa poitrine plus claire, ses pattes brunâtres et ses sourcils blanchâtres. Toutefois, si l'on n'écoute pas son chant, on peut quand même le confondre avec le Pipit des arbres. **H** Le Pipit des prés affectionne les biotopes humides ouverts (marécages, marais et landes). **V** Se tient volontiers près du sol, et rarement sur les arbres. Son chant de vol commence au sol. Nourriture essentiellement composée d'insectes, occasionnellement de semences. **R** D'habitude caché entre les buissons, le nid au sol abrite 4-5 œufs qui éclosent au bout de 14 jours ; les oisillons, incapables de voler, quittent le nid après 10-14 jours.

Bergeronnette printanière
Motacilla flava

Moineau	M III-X	1 V-VI

C Oiseau élancé à longue queue, avec un dessous jaune lumineux caractéristique. Elle se distingue de la Bergeronnette des ruisseaux (*M. cinerea*) par son dos vert olive (gris-bleu chez la B. des ruisseaux). Gorge et sourcil blancs. Très fréquents hochements de queue. Nombreuses variétés et sous-espèces en Europe. **H** Rives des eaux courantes, marais, marécages et landes. **V** Nourriture composée de petits animaux pourchassés en une course précipitée, mais aussi de petits insectes attrapés en vol. **R** Nid au sol, en terrain découvert. 5-6 œufs y éclosent au bout de 14 jours ; les oisillons restent au nid 10-13 jours.

Bergeronnette grise
Motacilla alba

Moineau	M II-XI	2 IV-VI

C C'est la Bergeronnette la plus connue et la plus commune. Tête, gorge, poitrine et nuque sont noirs en livrée nuptiale ; front, joues et ventre blancs, dos gris. Après la couvaison, gorge et poitrine sont blanches, cette dernière avec une bande noire. **H** Au bord de l'eau ou à proximité plus ou moins grande. Campagne cultivée sans forêt. **V** L'oiseau cherche au sol les insectes dont il se nourrit, se déplaçant précipitamment et hochant fréquemment la queue. Vol caractéristique très ondulé. Dans les climats assez doux de l'Europe moyenne, la Bergeronnette grise peut hiverner. **R** Choix de l'emplacement du nid très variable. Trous ou creux dans les bâtiments, les arbres, etc., 5-6 œufs y sont couvés en 12-14 jours ; les jeunes y restent 13-16 jours.

Troglodyte
Troglodytes troglodytes

< moineau	S	2 IV-VII

C Avec sa silhouette ronde, ses grands yeux et sa courte queue redressée, cet oiseau très vif a l'air d'un petit « farceur ». De couleur brun foncé, avec des bandes transversales plus sombres sur les ailes, les flancs et la queue. **H** Fourrés épais, ombreux et humides dans les forêts, parcs et jardins. **V** Furète dans les sous-bois à la recherche des insectes et autres arthropodes. Ses déplacements irréguliers et fulgurants de rapidité rendent une observation continue difficile. Nombreuses révérences lorsqu'il est surpris. Chant très fort et retentissant. Exposés aux hivers rigoureux, ces petits oiseaux cherchent des abris en pareille circonstance. **R** Nid au sol, sphérique, bien caché. 5-7 jeunes y sont élevés en 14-18 jours.

Accenteur mouchet
Prunella modularis

< moineau	MP	2 IV-VII

C Le dessus brun foncé tourne au gris ardoise dans la région du cou. A l'exception de la calotte et de la région des oreilles, brunes, l'ensemble de la tête est gris. Le dessous est gris ardoise, avec les flancs striés de sombre. **H** Jardins, forêts de feuillus et mixtes, parcs et buissons. **V** Déplacements lents, toujours à l'abri des sous-bois et des buissons. Farouches et, sauf à la saison des amours, peu sociables. Battements d'ailes très rapides. Le chant est émis depuis un perchoir assez élevé. **R** Nid bien caché dans les fourrés, au voisinage du sol, où 4-5 œufs éclosent au bout de 14 jours ; les jeunes restent ensuite au nid 12-14 jours.

Rouge-gorge
Erithacus rubecula

< moineau	MP	2 IV-VII

C D'allure sphérique, cet oiseau est connu par son poitrail rouge et sa face, qui le rendent unique. Dos brun olive, ventre blanchâtre, pattes brun-rouge proportionnellement très longues. Les yeux de cet oiselet actif au crépuscule sont très gros. **H** Comme le rossignol, le Rouge-gorge affectionne les forêts au sous-bois très dense. **V** On peut l'observer dans le sous-bois, lorsqu'il cherche sa nourriture. Avec des frémissements des ailes et de la queue, il court par terre à la recherche des petits animaux dont il se nourrit. En automne et en hiver, il se nourrira également de baies. Chant mélodieux, perlé, très aigu et varié, souvent au crépuscule, quelquefois même en pleine obscurité. **R** Nid dans des creux, entre des racines, dans des anfractuosités de mur et des dépressions du sol. 5-7 œufs, couvés en 14 jours, pour des oisillons qui restent au nid 12-15 jours.

Rossignol philomèle
Luscinia megarhynchos

> moineau	M IV-X	1 V-VI

C Uniformément brun sur le dessus et brun blanchâtre sur le dessous, avec une queue brun-rouge. Le Rossignol progné *(L. luscinia)*, que l'on peut confondre avec notre oiseau (**D**), est d'une couleur plus sombre, avec une poitrine légèrement tachetée. Les deux espèces ne se différencient que par le chant. **H** Forêts denses, avec un sous-bois serré. **V** L'oiseau parcourt les sous-bois à la recherche de sa nourriture : insectes, araignées et autres petits animaux, mais aussi baies. Chant connu et caractéristique, de jour comme de nuit. **R** Le nid, près du sol ou dans des buissons, abritera 4-6 œufs, qui seront couvés en 13 jours ; les jeunes resteront 12 jours.

Rougequeue à front blanc
Phoenicurus phoenicurus

Moineau	M IV-X	2 V-VII

C Le ♂ a la face et la gorge rouges, le front blanc. Le dessus est gris, la poitrine et les flancs roux. La ♀ a le dessus brun-gris, le dessous brun-jaune. ♂ et ♀ ont le croupion et la queue rouge feu. **H** Forêts, lisières de forêt, parcs et jardins. Affectionne le voisinage des hommes et accompagne ainsi les mises en culture. **V** C'est un chasseur à l'affût : depuis un piquet de haie, par exemple, il prendra des insectes courant au sol ou volant. Révérences et hochements de queue fréquents. **R** Le nid est aménagé dans des trous d'arbre, de rocher ou de mur. 5-7 œufs y sont couvés en 12-14 jours ; les jeunes y resteront 13-16 jours.

Rougequeue noir (Titys)
Phoenicurus ochruros

Moineau	M III-XI	2 IV-VI

C Le ♂ est couleur de suie noire, avec un miroir alaire blanc ; le croupion et la queue sont couleur feu. La ♀ est simplement brun-gris foncé, avec une queue et un croupion également feu. **H** Villes, villages, falaises, pentes rocheuses et vignobles. Initialement population de falaise. **V** L'oiseau surprend toujours quand il émet son chant aux notes serrées depuis le pignon ou la gouttière d'une maison. Dans les intervalles de pause, il hoche la queue et fait des révérences. Migrateur sur de courtes distances, il hiverne en Europe de l'Ouest et du Sud. **R** Tous les creux disponibles peuvent être utilisés comme nids ; 4-6 œufs y seront pondus ; les petits y seront couvés puis nourris pendant 14 jours environ.

Traquet motteux
Oenanthe oenanthe

D

Moineau	M III-X	1 V-VI

C Cet oiseau peu connu est de couleur surprenante chez le ♂ : croupion et rectrices latérales blancs ; extrémité et milieu de la queue noirs. En livrée nuptiale, le ♂ a un dos gris-bleu, une bande noire à hauteur des yeux et un dessous jaune crème. En éclipse, il sera brunâtre crème et ressemble alors à la ♀. **H** L'oiseau affectionne les marais, les jachères, les rochers et les dunes. **V** Il parcourt son territoire rapidement au ras du sol à la recherche d'insectes, d'araignées, d'escargots et des autres petits animaux dont il se nourrit. Révérences et lents coups de queue sont typiques. Le chant gazouillant est émis à partir d'un guet posté au voisinage du sol. **R** Le nid est caché dans les trous du sol, les terriers de lapin, voire les tas de pierre. 4-6 œufs y seront déposés ; les petits resteront au nid 14 jours.

Traquet tarier
Sexicola rubetra

D | < moineau | M IV-X | V-VI |

C Petit oiseau très menacé, à courte queue. Chez le ♂, le dessus, les joues et la nuque sont fortement striés. Large sourcil blanc ou crème, de même qu'un mince torque. La gorge, la poitrine et les flancs sont d'un jaune crème très vif. La ♀ est plus claire, avec un sourcil jaunâtre. Le Traquet pâtre *(S. torquata)*, voisin **(D)**, se distingue par sa tête et sa gorge noires, et de grandes taches blanches sur le cou. **H** Prairies, marais et autres paysages de campagne ouverte. **V** Aime se percher sur les chaumes ou les haies, en agitant rapidement ses ailes et sa queue ; se nourrit d'insectes. **R** Nid au sol, où 4-7 œufs sont pondus. Les petits viendront au monde et seront élevés en 13-15 jours.

Merle noir
Turdus merula

| Connu | S | 2-3 III-VII |

C Le ♂ de cette espèce bien connue est noir, avec un bec et un cercle orbital d'un jaune-orange éclatant ; la ♀ est brun foncé avec un dessous un peu plus clair, la gorge légèrement tachetée, le bec brun. **H** Forêts, jardins et parcs. **V** L'oiseau cherche fréquemment sa nourriture en sautillant sur le sol : vers de terre, violemment arrachés du sol, mais aussi insectes et fruits. Le matin et le soir, perchés en hauteur, le Merle chante volontiers. Certains individus hivernent chez nous, d'autres s'en vont jusqu'en Afrique du Nord. Ceux qui hivernent nichent dans les arbres et arbustes fruitiers. **R** Nid dans les haies, les buissons et les niches des murs. 4-7 œufs ; petits éclos et élevés en 14 jours environ.

Grive litorne
Turdus pilaris

| > merle | M III-IX | 1-2 IV-VI |

C Tête et croupion gris clair, dos brun châtaigne, gorge et poitrine jaune-roux, tachetées et striées de noir ; ventre uniformément clair. **H** Oiseau typique des campagnes ouvertes, avec des bosquets, des arbres et des forêts en limites. **V** Visible en groupes, à la recherche de nourriture, dans les prairies, les pâtures, les saules et les lisières des bois. Le groupe entier partira dans un grand fracas d'ailes s'il est dérangé. A la fin de l'été, l'oiseau recherche plutôt les baies et les fruits comme nourriture. Migrateur partiel, en Europe occidentale et méridionale. **R** Couvaison en colonies, habituellement sur de grands arbres. 4-6 jeunes, éclos et élevés en 14 jours.

Grive musicienne
Turdus philomelos

< merle	M II-IX	2 IV-VI

C C'est la plus petite des Grives ici répertoriées. Son dos brun contraste avec sa poitrine crème jaunâtre, parsemée de petites taches noires. Le ventre est blanc. **H** Cette espèce habite les parcs et les forêts, ainsi que les grands jardins. **V** La nourriture est cherchée au sol, souvent dans un grand bruit de feuillage, pour trouver les vers, les escargots et les autres petits animaux. En automne, la nourriture est enrichie de baies et de fruits. Le chant est émis depuis la cime d'un arbre le plus souvent. **R** Nid très soigneusement arrangé dans les arbres ou les bosquets, dans lequel la ♀ couve en 14 jours environ 4-6 œufs. Les petits seront élevés en 12-16 jours.

Grive draine
Turdus viscivorus

> merle	M II-IX	1 III-V

C La plus grande de nos Grives, avec un dessus brun-gris et un dessous blanc jaunâtre, tacheté de macules serrées brun noir. Les pointes des rectrices extérieures sont blanchâtres. **H** La Grive draine affectionne les districts forestiers fermés, mais on la trouvera également dans les grands parcs et les bosquets de zones rocheuses. **V** L'oiseau cherche sa nourriture au sol, dans les clairières et autres prairies de lisière : vers, insectes. En automne, elle préfère les fruits et les baies et cherchera sa nourriture en bandes. Migrateur sur de courtes distances, elle passe l'hiver en région méditerranéenne. **R** Le nid est construit dans les fourches des arbres ; 4-6 œufs ; les petits sont couvés et éduqués en 14 jours.

Locustelle tachetée
Locustella naevia

< moineau	M IV-X	2 V-VII

C Dessus caractéristique, brun-olive, nettement strié, alors que le dessous blanc jaunâtre n'est que légèrement rayé. Queue très arrondie ; pattes brun rougeâtre. **H** Végétation épaisse des marais, des forêts de marécages et des landes ; également jeunes plantations d'épicéas. **V** Vit très à l'écart, ce qui rend l'observation très difficile. L'oiseau ne vole que s'il a faim ; autrement, il se glisse à travers la végétation du sol. Chant monotone et monocorde, tenu pendant plus d'une minute ; la nuit, cette complainte atteindrait plusieurs minutes, d'après des observations précises. **R** Nid près du sol, où 4-6 petits sont couvés en 13-15 jours, puis élevés en 10-12 jours.

Rousserolle effarvatte
Acrocephalus scirpaceus

 moineau	M IV-X	1 V-VI

C Cet oiseau est uniformément brun dessus, blanchâtre dessous avec des flancs jaune brunâtre. La Rousserolle turdoïde *(A. arundinaceus,* **D**), assez voisine, se distingue d'elle d'abord par sa taille plus réduite et des sourcils à peine marqués mais surtout par le chant. **H** Les deux espèces habitent les joncheraies au bord de l'eau. **V** L'oiseau aime se tenir sur les tiges des joncs, sur lesquelles il grimpe agilement. Chant prolongé, avec des sons grinçants souvent répétés. **R** Nidification en petites colonies. Le nid est attaché aux hampes verticales des joncs et des roseaux ; 3-5 œufs y sont pondus. Les petits y sont couvés et élevés en 11-12 jours. Ces deux Rousserolles sont souvent parasitées par les Coucous.

Rousserolle verderolle
Acrocephalus palustris

 moineau	M V-IX	VI-VII

C Difficile à distinguer des deux précédentes. Dessus brun-olive, pattes couleur chair. **H** Contrairement aux deux espèces précédentes, la R. verderolle affectionne les arbustes voisins des surfaces d'eau, mais aussi les champs et les buissons à proximité de l'eau. **V** L'oiseau chasse les insectes sous le couvert de la végétation. Le chant mélodieux sera émis aussi depuis une cachette ; il imite avec talent divers oiseaux chanteurs. On a compté plus de 200 imitations de sons isolés ! Parmi elles, celles de plusieurs oiseaux africains que la R. verderolle a rencontrés lors de son hivernage. **R** Nids suspendus, attachés aux chaumes et autres tiges. Les œufs éclosent en 12 jours ; 3-5 petits sont ensuite élevés pendant 10-14 jours.

Hypolaïs ictérine
Hippolais icterina

 moineau	M V-IX	1 V-VI

C Ce vigoureux petit Passereau a le dessus gris-vert, avec une tache plus claire, mais pas toujours marquée, sur les ailes. Le dessous est jaunâtre, les pattes sont gris-bleu. Le bec assez long est plus foncé dessus que dessous. Assez voisin des Rousserolles. **H** Forêts au sous-bois dense, jardins et parcs. **V** Chasse les insectes dans les cimes touffues des arbres de son territoire. Le chant est un ensemble de notes mélodieuses et variées, qui imitent parfois celles d'autres oiseaux, comme le chant de la Rousserolle verderolle. Visiteur d'été. **R** Dans le haut des bosquets et des petits arbres un nid creux est accroché dans les fourches des branches. 4-5 œufs y sont pondus, qui seront couvés en 12-14 jours. Les jeunes resteront au nid 13-14 jours.

Fauvette babillarde
Sylvia curruca

< moineau	M IV-X	1-2 V-VI

C Queue relativement courte et dessus gris, qui fonce au voisinage des oreilles ; le dessous est blanc crème. **H** Forêts, parcs et jardins, mais aussi lisière des bosquets dans la campagne. **V** Oiseau très farouche, difficile à découvrir, car il n'abandonne que rarement le couvert de la végétation, qu'il parcourt à la recherche d'insectes. On le remarquera surtout à son chant bref et saccadé ou à un léger babillage (nom !). **R** Le nid est bâti au voisinage du sol, rarement au-dessus de la taille moyenne d'un homme ; les deux parents y couvent 3-5 œufs en 11-15 jours. Les jeunes y seront élevés en 10-15 jours.

Fauvette à tête noire
Sylvia atricapilla

< moineau	M III-XI	1-2 IV-VI

C Le nom de l'oiseau évoque sa calotte, noire chez le ♂, brun-rouge chez la ♀. Dessus brun-gris chez les deux sexes, côtés de la tête et dessous gris, avec des nuances brunâtres chez la ♀. **H** Affectionne les sous-bois épais ; on la trouve dans les forêts, les parcs, les jardins. **V** Très répandue, mais difficile à observer comme toutes les Fauvettes. Sa présence se révèlera dans les sous-bois, où elle cherche les insectes, par un chant flûté et mélodieux. Des baies viennent enrichir la diète de ce Passereau insectivore en automne. La Fauvette à tête noire hiverne depuis la région méditerranéenne jusqu'au sud du Sahara. **R** Nid au voisinage du sol ; 4-6 œufs, couvés en 10-15 jours ; petits élevés en 10-14 jours.

Fauvette des jardins
Sylvia borin

< moineau	M IV-X	1-2 V-VII

C Uniformément grise, avec le dessous plus clair. La Fauvette grisette *(S. communis)* a des ailes couleur de feu, une longue queue bordée de blanc, une calotte grise (♂) ou brunâtre (♀) et une gorge blanche. **H** La Fauvette des jardins hante les sous-bois des forêts et les campagnes ouvertes riches en bosquets. **V** Seul le chant – un long trait flûté soutenu – trahira souvent la présence de cet oiseau farouche. Ses strophes longuement répétées le rendent très présent dans le paysage sonore de nos campagnes. Cette Insectivore enrichit son régime automnal de baies. **R** Niche dans les bosquets, les buissons et les haies. Le nid, près du sol, abrite 3-5 œufs, couvés en 11-16 jours, pour des petits qui resteront 9-12 jours.

Pouillot véloce
Phylloscopus collybita

< moineau	M III-X	1-2 IV-VII

C Dessus brun-olive et dessous très clair, souvent jaunâtre. Les pattes sont noirâtres ; les sourcils sont marqués. Le « Pouillot fitis » *(P. trochilus)*, très voisin, se distingue par son plumage plus jaune et ses pattes plus claires. **H** Le Pouillot véloce vit dans les forêts clairsemées, avec taillis, dans les jardins et les parcs. Activité incessante dans le sous-bois, pour chasser les insectes, les araignées et les autres petits animaux dont il se nourrit. Chant scandé, qui répète 2 notes : « tsilp-tsalp, tsilp-tsalp... ». **R** Nid en forme de four, construit au voisinage du sol dans les haies, les fourrés et les bosquets champêtres, avec une entrée latérale. 4-6 œufs, couvaison et éducation en 13-15 jours.

Pouillot siffleur
Phylloscopus sibilatrix

< moineau	M	1 V-VI

C Sourcils et gorge d'un jaune éclatant caractérisent la tête de ce Pouillot. La poitrine aussi est jaune, mais la couleur évolue vers le blanc du ventre. Le dessus est vert jaunâtre, la queue relativement courte. **H** Hautes futaies de feuillus et d'essences mélangées, avec une préférence pour les vieilles hêtraies. **V** Très répandu en Europe. Strophe trillante et accélérée : « sib-sib-sib-sirr », lancée depuis la couronne inférieure des cimes d'arbres, ou pendant le vol entre deux de ces cimes. Cri d'appel flûté : « dûh ». **R** Nid sphérique en forme de four, au sol, où la ♀ couve en 13-14 jours 5-7 jeunes qui resteront 11-12 jours au nid.

Roitelet huppé
Regulus regulus

< moineau	MP	2 V-VII

C Le plus petit de nos oiseaux, avec son frère le Roitelet triple-bandeau *(R. ignicapillus)*, dont il ne se distingue que par l'absence de sourcils. Le R. triple-bandeau a également une rayure noire à hauteur de l'œil et la nuque du ♂ est d'un orange éclatant. Dessus vert olive, dessous gris blanchâtre. Le ♂ a la nuque jaune légèrement orangé, celle de la ♀ sera entièrement jaune et un peu plus étroite. **H** Forêts de conifères et mixtes. **V** Très agiles dans la poursuite des petits insectes dont ils se nourrissent, les Roitelets huppés sont difficiles à apercevoir. Leur chant est un léger « sih-sih-sih » zézayant et de hauteur variable. **R** Nid suspendu où 8-11 œufs sont couvés en 14-17 jours ; les jeunes sont élevés en 18-21 jours.

Gobemouche gris
Muscicapa striata

< moineau	M IV-IX	1 V-VI

C Plumage discret gris cendre. Nuque, gorge et poitrine rayés de sombre. Se tient très droit, avec des battements d'ailes et de queue fréquents. **H** Jardins, parcs, lisières de forêts, forêts de feuillus clairsemées. **V** Passereau très peu sociable, mais craignant assez peu l'homme. Chasse à l'affût depuis un perchoir les insectes volants, puis revient à son point de départ. **R** Nid construit contre ou dans les bâtiments : auvents de toit, trous de mur. Ponte de 4-6 œufs, d'où les oisillons sortent au bout de 12-15 jours et où ils restent à peu près autant de temps.

Gobemouche noir
Ficedula hypoleuca

< moineau	M IV-IX	1 V-VI

C La livrée nuptiale du ♂ présente une tête et un dessus noirs ou brun-gris ; le front, le dessous, le miroir des ailes et les côtés de la queue sont blancs. En éclipse, le ♂ ressemble à la ♀ : dessus brun-olive, flancs blanc crème. **H** Forêts de feuillus et mixtes, mais aussi parcs, jardins et bosquets champêtres. Extrêmement fidèle à son territoire : si éloigné que soit son hivernage, en Afrique tropicale, le Gobemouche noir reviendra souvent exactement à son lieu d'estivage et de naissance. **V** Comme le G. gris, le G. noir chasse à l'affût ; mais il attrapera également les insectes au sol. A la fin de l'été, il agrémentera sa nourriture de baies. **R** Nichoirs, mais aussi trous d'arbre. 4-7 œufs éclosent en 12-17 jours ; les jeunes restent 13-16 jours au nid.

Mésange à longue queue
Aegithalos caudatus

< moineau	S	1-2 III-VI

C Queue extrêmement longue (plus de la moitié de la longueur totale) et plumage noir-blanc roussâtre caractérisent cet oiseau unique, qui connaît deux sous-espèces. **H** Forêts de feuillus et mixtes à sous-bois dense, parcs et vergers. **V** Chasse acrobatique des insectes à l'extrémité des branches, ce qui rend l'oiseau bien observable ; la longue queue joue alors le rôle d'un balancier très utile. La Mésange à longue queue capture souvent un insecte alors qu'elle est accrochée la tête en bas par une seule patte ; sa légèreté et ses longues pattes lui rendent également fort service. **R** Le nid ovoïde, très habilement tissé, est suspendu aux branches. 8-12 jeunes y naissent au bout de 12-14 jours, pour y rester 14-18 jours.

Mésange nonnette
Parus palustris

< moineau	S	1 IV-VI

C Calotte, nuque et menton sont d'un noir brillant. Joues et dessous du corps blanc-gris, teinté de brunâtre sur les flancs. Le dos est brun-gris. Assez proche de la Mésange boréale *(P. montanus)*. **H** Forêts de feuillus, parcs, jardins et haies. **V** La Mésange nonnette parcourt les bois de son territoire à la chasse des insectes dont elle se nourrit. Elle pousse alors continûment son cri d'appel : « pit-sia », ou bien son chant en crécelle bavarde. Pour l'hivernage, les oiseaux se joignent par couples à des bandes plus nombreuses. **R** Trous d'arbre et nichoirs artificiels sont utilisés pour les nids. La ♀ couve en 13-17 jours 6-10 oisillons qui seront élevés en 16-21 jours.

Mésange bleue
Parus caeruleus

< moineau	S	1 IV-VI

C Seul Passereau bleu et jaune d'Europe. La nuque, la queue et les ailes sont bleu clair, le dessous jaune. Les joues blanches sont rayées de noir à hauteur des yeux. Le dos est verdâtre. **H** Forêts de feuillus et mixtes, mais aussi jardins et parcs, bosquets champêtres. **V** Chasseur acrobatique, la Mésange bleue capture parfois les insectes la tête en bas ; elle mange aussi de petites graines. En hiver, elle se joint à des bandes de mésanges mélangées ; si l'on voit des troupes de mésanges bleues, il s'agit à coup sûr d'oiseaux venus du nord qui hivernent dans nos régions. **R** 7-13 œufs sont pondus dans des nids de Pics ou dans des nichoirs artificiels ; la ♀ les couve pendant 12-16 jours, étant alors ravitaillée par le ♂. Les jeunes restent au nid pendant 15-20 jours.

Mésange huppée
Parus cristatus

< moineau	S	1-2 III-VII

C La huppe noir et blanc, dressée, de ce Passereau est caractéristique. Les joues sont blanches, avec une strie noire à hauteur des yeux, qui revient en croissant sur la joue. Le dessus est brun-gris, le dessous blanc avec des flancs couleur crème. **H** Forêts de conifères et mixtes, rarement parcs et jardins. **V** On peut souvent observer cet oiseau quand il cherche sa nourriture sur les troncs des arbres : l'écorce est minutieusement inspectée à la recherche de petits insectes. Peu sociable, à l'inverse des autres Mésanges. **R** Nid aménagé dans des troncs ou des souches pourris, parfois dans des nichoirs artificiels. 5-9 œufs y sont pondus, couvés en 15-18 jours, pour des oisillons qui resteront 18-21 jours.

Mésange charbonnière
Parus major

Moineau	S	1 III-V

C La plus répandue et la plus connue de nos Mésanges. Ses joues blanches ressortent sur sa tête d'un noir brillant. Le dessous du corps, jaune, est partagé par une bande noire ; le dos est verdâtre, les ailes et la queue sont gris-bleu. **H** Tous les types de forêts, mais aussi les jardins et les parcs ; aime la proximité des hommes. On l'observera facilement dans les endroits où l'on donne à manger aux oiseaux. **V** Acrobate agile pour chasser les insectes autour des branches, la Mésange charbonnière vient également chercher sa nourriture au sol. **R** Trous d'arbre et nichoirs artificiels serviront de nid ; la ♀ y couve en 10-14 jours 6-12 oisillons qui seront élevés pendant 15-22 jours.

Mésange noire
Parus ater

< moineau	S	2 III-VII

C Joues blanches et tête noire la font ressembler à la M. charbonnière ci-dessus décrite, mais la nuque porte ici une tache blanche. Le dessous du corps est blanchâtre avec des flancs couleur crème, le dessus gris-olive, avec une double bande alaire blanche. C'est notre plus petite Mésange. **H** Affectionne les forêts de conifères et mixtes, mais aussi les parcs et les jardins (en dehors de la couvaison). **V** La Mésange noire cherche les insectes sur l'écorce et les feuilles des arbres qu'elle visite. Elle se joint très souvent dès la fin de l'été à des troupes de Mésanges mélangées, parfois renforcées d'oiseaux venus du nord. **R** Trou d'arbre proche du sol, voire trou dans la terre servent de nid. 6-10 œufs y éclosent au bout de 14-18 jours ; les jeunes restent 18-20 jours.

Sittelle torchepot
Sitta europaea

Moineau	S	1 IV-VI

C Bec puissant et pointu ; nuque et dessus gris-bleu, dessous jaune crème avec les flancs brun châtaigne. Une bande noire raye les joues à hauteur des yeux. **H** Forêts de feuillus et mixtes, jardins et parcs. Mais l'oiseau n'est pas très sociable. Sa faculté de descendre des arbres la tête en bas et de parcourir de même les branches horizontales l'a rendue célèbre. Ses pattes aux longues serres sont bien adaptées à ce mode de déplacement. La queue ne sert pas de point d'appui. Pique avec son bec les noix et autres. **R** Niche dans les nids de Pics abandonnés, dont l'entrée est réduite à un tout petit diamètre avec de la boue collée. 5-9 œufs, couvés pendant 14-18 jours, pour des petits qui resteront environ 24 jours.

Grimpereau des jardins
Certhia brachydactyla

< moineau	S	1 IV-VI

C Difficile à distinguer du Grimpereau des bois *(C. familiaris)*. Tous deux se caractérisent par un bec long recourbé. Dessus brun, flancs plus bruns chez le G. des jardins que chez l'autre ; les sourcils blancs sont en revanche plus marqués chez le G. des bois. **H** Forêts, parcs et jardins avec de grands arbres. Fuit les forêts épaisses. **V** Grimpe par petits sauts et généralement en spirale, la queue servant d'appui indispensable. De son bec aigu, il visite les fentes de l'écorce, à la recherche d'insectes. **R** Niche derrière les écorces détachées et dans les nichoirs artificiels. 5-7 œufs ; couvaison et éducation des jeunes en 15 jours environ.

Pie-grièche écorcheur
Lanius collurio

D

> moineau	M IV-IX	1 V-VII

C Le ♂ a le dos et les ailes brun-rouge, la tête, la nuque et le croupion sont gris clair bleuâtre ; le gris de la tête est séparé du blanc de la gorge par un trait noir sur l'œil, depuis la base du bec jusqu'à la région de l'oreille. La ♀ est brun rougeâtre mat sur le dessus, de couleur crème sur le ventre et sur les flancs avec des taches brunâtres en forme de demi-lune. **H** Campagnes ouvertes avec bosquets, prairies et lisières de forêts. **V** Aime à se percher sur les rameaux des haies épineuses. Hochements de queue circulaires étonnants. Sa nourriture se compose d'insectes assez gros, de souris, de petits reptiles ou de grenouilles, qui sont « stockés » par embrochement sur les épines des haies. **R** Nid dans les haies épineuses ; la ♀ y pond 4-6 œufs. Les jeunes naîtront et seront élevés en 12-16 jours.

Étourneau sansonnet
Sturnus vulgaris

< merle	M, MP II-IX	1-2 IV-VI

C Cet oiseau, de la taille approximative d'un merle, a un plumage d'un noir brillant, avec un reflet vert bronze ou pourpre selon la lumière. Queue courte ; bec long et très pointu, jaune au printemps, brun foncé à l'automne. A la fin de l'automne, le mouchetis blanc du plumage surprend par sa netteté. **H** Campagnes cultivées, forêts, jardins, parcs et bosquets champêtres. **V** Les Étourneaux se déplacent en essaim, qui, surtout en automne, peuvent comprendre des milliers d'oiseaux. La nourriture (insectes, vers) est cherchée au sol. Chant très varié, avec des babillages entrecoupés de sifflements isolés, ainsi que des imitations de bruits et de chants d'autres oiseaux. **R** Le nid est aménagé dans un trou de Pic, une niche de mur, un nichoir artificiel. 4-6 œufs y sont pondus, couvés pendant 13-15 jours ; les jeunes resteront au nid environ 3 semaines.

Moineau domestique
Passer domesticus

Connu	S	2-3 IV-VIII

C Le Moineau est un petit Passereau extrêmement répandu. ♂, il présente une calotte et une nuque gris foncé, un dos brun sombre, une gorge noire et des joues blanches ; le dessus et les ailes sont bruns. La ♀ est brun-gris et sans marques distinctives. **H** Vit exclusivement dans le voisinage des hommes. **V** Ce sont des oiseaux sociables, visibles toute l'année en troupes nombreuses. Leur babillage incessant fait partie du paysage sonore de toute place de village. Ils se nourrissent de débris végétaux et d'insectes. **R** Trous de murs, fentes sous les gouttières et autres niches sont utilisés comme nids. 4-6 œufs y sont pondus ; éclos au bout de 11-14 jours, ils donnent des oisillons qui resteront au nid environ 2 semaines.

Moineau friquet
Passer montanus

Connu	S	2 IV-VIII

C Les deux sexes se ressemblent, à la différence du *P. domesticus* ci-dessus décrit. Calotte brun foncé et taches brun sombre sur les joues blanches. Collier blanc, ouvert derrière la nuque. **H** Les Moineaux friquets affectionnent les bosquets champêtres dans le voisinage d'installations humaines. On peut également les trouver dans les villages. **V** Ces oiseaux se déplacent en bandes dans les haies, sur les champs ou les lisières de forêts, pour chercher leur nourriture, composée d'insectes, de semences, de bourgeons et autres débris végétaux. Le babillage est moins fort que celui des Moineaux domestiques. **R** Nid dans les trous d'arbre, les fentes de rocher, les anfractuosités de murs. Ponte de 4-6 œufs, couvés en 11-14 jours. Les jeunes restent au nid environ 2 semaines.

Serin cini
Serinus serinus

< moineau	M III-X	2 IV-VII

C Ce petit Fringille a un bec très court et le croupion jaune. Dessus et flancs rayés de brun foncé. La gorge et la poitrine sont jaunes chez le ♂, jaune-vert à gris chez la ♀. On le confond souvent avec le Tarin des aulnes *(Carduelis spinus,* voir page 366). **H** Parcs, jardins et campagnes ouvertes. **V** Le chant est un long trille qui surprend, avec ses notes tenues très aiguës ; l'oiseau chante perché en hauteur, mais aussi en volant (ascension verticale, descente en cercles). Se nourrit de petites graines, mais aussi d'insectes. **R** Nid creux construit dans les buissons ou dans les arbres. La ponte est de 3-5 œufs ; les jeunes éclosent et sont élevés en 14 jours environ.

Pinson des arbres
Fringilla coelebs

Moineau	MP	1-2 IV-VII

C Les deux sexes de cette espèce bien connue sont caractérisés par une double bande blanche alaire et des rectrices latérales également blanches. Le ♂ est brun-rouge dessous et sur la face, brun châtaigne sur le dessus ; la calotte et la nuque sont bleus. La ♀ est aux mêmes endroits gris-olive à gris-brun. **H** Tout biotope pourvu d'arbres et de buissons. **V** Souvent au sol, à la recherche de nourriture ; celle-ci est essentiellement composée d'insectes à la période de nidification. Chant agréable et varié, qui domine le concert des autres oiseaux. **R** Un nid creux est construit entre 2 et 10 m de hauteur. Les 4-6 oisillons naissent après 12-13 jours de couvaison ; ils seront élevés au nid durant 12-15 jours.

Pinson du nord
Fringilla montifringilla

Moineau	M X-IV	–

C La poitrine et les épaules du ♂ sont orange ; la tête, la nuque et la partie antérieure du dos sont brunâtres en hiver, noirs au printemps et en été. La ♀ est plus pâle, avec un dos tacheté de brun et les côtés du cou gris cendré. Les deux sexes ont le croupion blanc. **H** Forêts de hêtres, mais aussi jardins, parcs, prairies et champs à nourriture abondante. **V** Cet oiseau d'Europe du Nord est migrateur partiel et hôte d'hiver sous nos climats, parfois en troupes très nombreuses. Le séjour d'été et la nidification sont extrêmement rares chez nous. Les oiseaux se nourrissent de faînes et de bourgeons. Le nombre variable des individus est exactement fonction de la rigueur des hivers nordiques, à un moindre degré des possibilités de ravitaillement. **R** Le nid est construit dans les bouleaux du Nord. 5-7 œufs sont couvés, et les petits restent au nid pendant 11-13 jours.

Verdier
Carduelis chloris

Moineau	S	2-3 IV-VIII

C Le ♂ est vert olive dans l'ensemble, vert-jaune sur le croupion. Le miroir alaire et les franges de la queue sont jaune lumineux. La ♀ est plus mate, vert-gris de couleur. Le bec clair est très puissant. **H** Jardins, parcs et lisières de forêt ; on peut quelquefois parler d'oiseau urbain. **V** Leur comportement violent les rend souvent indésirables dans les endroits aménagés où l'on nourrit les oiseaux pendant l'hiver. Chant trillé semblable à celui des canaris, lancé depuis un perchoir élevé ou émis pendant le vol nuptial, semblable au vol des chauves-souris. La nourriture est composée de graines assez grosses et (pendant la période de nidification) d'insectes. **R** Le nid, bien caché dans les bosquets, abrite 4-6 œufs, couvés en 12-15 jours ; les jeunes sont élevés et nourris pendant 14-17 jours.

Chardonneret
Carduelis carduelis

< moineau	MP	1-2 V-VIII

C Oiseau véritablement multicolore, avec motif jaune et noir sur les ailes, et une tête noir et blanc avec un masque rouge ! Le dos est brun, blanc dans la région du croupion. **H** Campagnes cultivées ouvertes, parcs, jardins et vergers. **V** A la recherche de graines, ce Fringille grimpe habilement sur les arbustes et les branches ; les graines des chardons semblent particulièrement appréciées. En dehors de la période de nidification, le Chardonneret forme de petits essaims, pour mieux assurer la recherche de la nourriture. **R** Nid haut perché dans les arbres, ou dans les buissons à l'extrémité des branches. 4-6 œufs sont couvés en 12-14 jours ; les petits restent au nid durant environ 2 semaines.

Tarin des aulnes
Carduelis spinus

< moineau	MP	1-2 III-VI

C Le ♂ est vert olive, avec un menton et une nuque noirs. Croupion, bande alaire et trait derrière l'œil sont d'un jaune lumineux. Le dos et les flancs sont rayés de sombre, comme chez la ♀, qui est dans son ensemble plus grise. **H** Forêts de conifères, bois de bouleaux et d'aulnes, parcs et jardins. **V** Nidification rare dans nos climats. En hiver, ces oiseaux forment de petites bandes pour chercher leur nourriture, composée essentiellement de graines. Pendant la nidification, de petits insectes sont aussi consommés. Le Tarin des aulnes bavarde sans cesse ; il lance son chant du haut de son perchoir élevé, ou bien durant son vol, capricieux à la manière d'un papillon. **R** Le nid est installé dans les hauteurs d'un épicéa ; 3-5 œufs y sont pondus, qui éclosent en 12-14 jours ; les jeunes quittent le nid au bout du même laps de temps.

Linotte mélodieuse
Acanthis cannabina

< moineau	MP	2 IV-VII

C Le front et la poitrine du ♂ en livrée nuptiale sont d'un rouge lumineux. Le dos est marron, la queue est bordée de blanc. Le dessous est brun-jaune, rayé de sombre. En éclipse, la tête entière est grise, la poitrine moins rose. La ♀ n'a pas les zones de plumage rouge. **H** Campagnes ouvertes, avec des bouquets d'arbres ; on peut parfois observer la Linotte mélodieuse dans les jardins et sur la lisière des bois. **V** Cet oiseau sociable forme, en dehors de la couvaison, de petites bandes pour la recherche de la nourriture. Il mange des graines prises aux « mauvaises herbes ». Son chant très varié, avec des notes nasales et sifflantes, est émis depuis son perchoir assez haut placé. **R** 4-6 œufs sont pondus dans le nid, dissimulé dans des haies épaisses ou dans des bosquets. Couvaison et première éducation des jeunes durent 12-15 jours.

Bouvreuil pivoine
Pyrrhula pyrrhula

Moineau	S	1-2 IV-VII

C Le ♂ a le dessous rouge vif, la ♀ brun-rouge. Les deux sexes ont une calotte noire, un dos gris, un croupion blanc et une queue noire. Les ailes sont noires, avec des extrémités blanches. **H** Forêts, parcs, jardins, champs avec bouquets d'arbres. **V** Ces oiseaux très discrets forment des couples annuels constants, qui migrent en même temps. Cri d'appel sifflé ; chant simple, souvent trisyllabique, fait de sifflements successifs. **R** Le nid est aménagé dans des épicéas ou dans des haies. 4-6 œufs y sont pondus, puis couvés en 12-14 jours. Les jeunes restent au nid durant 12-16 jours.

Bruant jaune
Emberiza citrinella

Moineau	MP	2 IV-VII

C Tête et dessous du ♂ sont d'un jaune citron vif. Le dessus est brun et nettement rayé, de même que les flancs. Les rectrices extérieures blanches sont visibles en vol sur la queue sombre. La ♀ est dans l'ensemble moins jaune. **H** Oiseau typique de la campagne planté d'arbres clairsemés ; l'intensification de la mise en culture des campagnes lui rend ainsi la vie de plus en plus difficile. **V** Très fidèles à leur territoire durant la nidification, les Bruants jaunes se mêlent volontiers à d'autres espèces en hiver, pour constituer de petits essaims. Ils se nourrissent d'un mélange équilibré de graines et d'insectes. Ils émettent leur chant harmonieux depuis un perchoir généralement haut placé. **R** L'oiseau niche dans des buissons, dans de jeunes plantations et sur les lisières des bois. 3-5 œufs sont couvés. Couvaison et éducation première durent environ 2 semaines.

Bruant des roseaux
Emberiza schoeniclus

Moineau	MP	2 IV-VII

C Le ♂ en livrée nuptiale a la tête et la gorge noires, séparées du dos brun sombre par un collier blanc. Le dessous est blanc-gris, avec les flancs tachetés de noir. Le collier blanc n'est pas discernable en éclipse. La ♀ a la tête brune, une moustache blanc et noir et un dessous brun-jaune. **H** Roselières et bords des eaux avec bosquets et prairies humides. En migration, on peut les apercevoir sur les terres cultivées. **V** Se perche volontiers sur les hampes des roseaux ; c'est souvent là que le ♂, perché en déséquilibre apparent, pousse son chant variable. Le Bruant des roseaux se nourrit essentiellement de graines d'herbes ; il y ajoute, en été, de petits insectes, des escargots et des vers. **R** Nid au sol ou dans de petits buissons. 4-6 jeunes naissent au bout de 12-14 jours, et restent au nid durant 2 semaines environ.

Geai des chênes
Garrulus glandarius

< corneille	S, Pas.	1 IV-VI

C Corvidé brun rosé à la queue noire, au croupion blanc. Ailes marron, noir et blanc, avec une grande tache bleue très visible en vol. Calotte blanc et noir, moustache noire. **H** Forêts de toute nature. **V** Farouche à l'époque de la nidification, sociable autrement. Cri d'avertissement désagréable et sonore : « schrak ». Vol laborieux et lent. Nourriture très variée : insectes et larves d'insectes, escargots, œufs, jeunes oisillons et souris, mais aussi (en automne) glands, faînes et noix, qu'il rassemble en prévision de l'hiver et cache dans le feuillage, entre des racines ou dans le sol. Nid bien dissimulé dans les buissons ou dans les arbres, où ♀ et ♂ couvent alternativement en 16-17 jours 5-6 jeunes qui quitteront le nid au bout de 19-20 jours.

Pie bavarde
Pica pica

< corneille	S	1 IV-VI

C Plumage caractéristique, blanc et noir, avec des reflets métalliques et longue queue à échelons. **H** Campagnes cultivées ouvertes avec arbres isolés, arbustes, haies, lisières de forêts, villages, villes. Court beaucoup au sol et se déplace avec agilité dans les branches ; le vol paraît assez maladroit et laborieux. Le « chant » est, comme pour beaucoup de Corvidés, un grincement répété assez désagréable. Cri d'appel sonore : « tschak tschak ». Nourriture très composite : insectes et larves d'insectes, araignées, escargots, vers, amphibiens, petits rongeurs, œufs et jeunes oisillons, fruits, graines, détritus et charognes. Très intelligent. Malgré un voisinage ancien, la Pie est restée très méfiante vis-à-vis de l'homme. Nid protégé par une sorte de toit de brindilles, assez haut dans les arbres, où la ♀ couve en 17-18 jours 5-8 jeunes qui partiront au bout de 22-28 jours.

Choucas
Corvus monedula

< corneille	S, Pas.	1 IV-VI

C Grande tache grise sur la nuque, dessous gris foncé ; le reste du plumage est tout noir. Les yeux sont gris clair. **H** Anciens bois, rochers, ruines, villes et villages. Souvent en grandes troupes pendant l'hiver, mêlé aux Corbeaux freux, dans les champs. **V** Presque toujours sociable. Figure de vol semblable à celle des Pigeons. Cri sonore et clair : « kyak » et « kaô ». Le chant est un bavardage discret, variable, avec de nombreuses imitations. Nourriture recherchée en commun sur le sol : insectes et larves, vers, escargots, oisillons au nid, œufs d'oiseaux, grains de blé, fruits tendres et déchets. Les couples sont permanents. Nidification en colonies, dans les vieux murs, les clochers, les bois avec des nids anciens (de Pics noirs, par exemple). La ♀ couve en 17-18 jours 3-6 jeunes, qui quitteront le nid après 28-32 jours et voleront au bout de 35-36 jours.

Corbeau freux
Corvus frugilegus

D | Corneille | S, Pas. | 1 III-V

C Plumage tout noir, avec la base du bec couverte de peau grise et nue, et des « culottes bouffantes » autour des pattes. Reflets métalliques bleus. **H** Campagnes cultivées ouvertes, avec bosquets isolés, ou parcs. **V** Presque toujours sociable, forme de grandes bandes en hiver (avec des individus migrant depuis l'est). Appel plus rauque et moins clair que celui de la Corneille noire : « krah ». Se nourrit d'insectes, de vers, et d'escargots, ainsi que de détritus végétaux et de graines germées. Nidification en colonies. Les nids sont perchés très haut dans des bouquets d'arbres isolés, mais aussi en pleine ville. Le ♂ couve en 17-20 jours 3-6 oisillons qui s'envoleront au bout de 29-35 jours, mais resteront encore longtemps dans la colonie.

Corneille
Corvus corone

Connue | S, Pas. | 1 III-V

C Deux sous-espèces : en Europe occidentale, la Corneille noire, *Corvus corone corone* (photo) ; en Europe orientale, la Corneille mantelée, *Corvus corone cornix*. Celle-ci a la nuque grise, le dos et le dessous gris également ; celle-là a un bec plus puissant et un plumage constamment noir. Les deux sous-espèces se partagent l'espace européen le long d'une ligne Fehmarn-Elbe-Alpes, avec une zone intermédiaire où les deux se mélangent. **H** Campagnes cultivées ouvertes, lisières des bois, parcs, villes. **V** Par couple farouche pendant la nidification, autrement en bandes nombreuses. Croassements connus, rauques : « krêh ». Omnivore : animaux et végétaux, charognes et détritus, œufs et oisillons (pendant la nidification). Niche isolément. La ♀ couve en 18-20 jours 4-6 petits qui partiront au bout de 4-5 semaines.

Grand corbeau
Corvus corax

D |  > corneille | S | 1 II-V

C Notre plus grand Corvidé, et le plus gros oiseau noir d'Europe. Bec puissant et queue en forme de coin. **H** Vallées alpestres, forêts de l'intérieur. **V** Vol à voile dans les ascendances et acrobaties aériennes à la pariade. Cri grave : « grok » et « kark », additionnés d'un : « klonk » métallique. Le chant est un bavardage discret, avec de nombreuses imitations. Très intelligent. Omnivore : jeune gibier malade, petits rongeurs, reptiles, insectes et leurs larves, fruits, charognes et déchets. Les couples sont annuels, peut-être même permanents. A côté, des troupes nombreuses de célibataires stériles. Nid sur des corniches rocheuses bien protégées, mais aussi sur des arbres. La ♀ couve en 20-21 jours 4-6 jeunes qui partiront au bout de 5-6 semaines, mais qui resteront longtemps dans le « clan » familial.

Musaraigne commune
Sorex araneus

< souris domestique	Forêts Jardins	IV-XII

C Dessus brun-noir, ventre jaunâtre à gris blanchâtre. Flancs brun clair, oreilles petites et presque entièrement dissimulées dans le pelage. **H** Forêts humides, prairies, haies, marais, parcs, jardins. **V** Active de jour et de nuit. Court et grimpe agilement, nage très bien. Vit dans des galeries qu'elle a creusées, mais aussi dans d'anciens trous de campagnols. Cris aigus. Se nourrit de vers de terre, d'escargots, d'insectes et de leurs larves, d'araignées, de petits vertébrés morts. Nid sphérique, fait de feuilles, de mousse et d'herbe, habituellement sous les troncs d'arbres. La ♀ porte pendant 13-20 jours 4-10 petits nus et aveugles, à raison de 3-4 portées par an. Leurs yeux s'ouvrent au bout de 13-21 jours, le sevrage se fait après 21-23 jours. Maturité sexuelle à 3-4 mois.

Taupe commune
Talpa europaea

> souris domestique	Prairies Jardins	III-VIII

C Corps cylindrique ; grandes pattes antérieures, tournées de côté, avec de longues griffes. Pelage doux et soyeux noir-gris lustré sur le dessus, un peu plus clair sur le dessous. Museau en forme de trompe, yeux minuscules, pas de pavillon auriculaire, queue courte. **H** Prairies, jardins, champs, forêts de feuillus. **V** Active de jour et solitaire. Creuse des galeries très ramifiées, en rejetant la terre qui forme les taupinières bien connues. Nage très bien. Piaille, babille ou siffle. Pas d'hibernation. Se nourrit de vers de terre, qu'elle paralyse d'une morsure précise (provisions !), d'insectes et de leurs larves, de mille-pattes, d'escargots. Chambre centrale au cœur des galeries, sous une grosse taupinière, tapissée de feuilles sèches et de mousse. La ♀ porte pendant 4 semaines, à raison de 1(-2) portée(s) par an, (2-)3-4 (-6) petits, dont les yeux s'ouvrent au bout de 22 jours. Sevrage au bout de 5 semaines, maturité sexuelle l'année suivante.

Hérisson
Erinaceus europaeus

Connu	Forêts Champs Jardins	IV-VIII

C Corps courtaud, museau pointu, courtes oreilles rondes, petits yeux. Couvert de piquants brun foncé, tachés de jaunâtre à la base et au sommet. **H** Forêts sèches et riches en taillis, champs, haies, parcs et jardins. **V** Actif au crépuscule et la nuit. Grimpe habilement, court vite et nage bien. Se roule en boule au moindre danger. Ronfle, grogne et siffle. Au repos dans la journée, dans un grand nid d'herbes, de feuilles et de mousse, dans les fourrés ou dans un compost. Se nourrit d'insectes, de vers de terre, d'escargots, de petits rongeurs, de baies, de fruits. Hibernation X-IV, interrompue pour la recherche de nourriture s'il n'y a pas de gelées. 1-2 portées par an ; 2-10 petits à piquants mous, aveugles, qui ouvrent les yeux au bout de 14-18 jours et tètent pendant 18-20 jours. Indépendants au bout de 40-45 jours ; maturité sexuelle souvent la 1re année.

Fer-à-cheval
Rhinolophus ferrum-equinum

| D | > hirondelle | Forêts Bocages Bosquets | IV-VIII |

C Dessus rose clair à gris ardoise, dessous jaunâtre à blanc-gris. Pelage épais. Grandes oreilles pointues. Appendice nasal foliacé en forme de fer à cheval (nom !), pour l'émission des ultrasons. **H** Forêts clairsemées, bois, campagnes de bocage. **V** Actif la nuit. Dort pendant la journée dans les grottes rocheuses, les galeries de mine, les ruines, les caves, les greniers. Vol bas (0,5-3 m), à la manière du Papillon. Hibernation IX-IV, dans les creux souterrains à l'abri du gel. Cri sonore et grave. Chasse les papillons de nuit, les coléoptères. Accouplement en automne et parfois au printemps. La ♀ porte pendant 10-11 semaines 1(-2) petit(s) nu(s) et aveugle(s), qui ouvre(nt) les yeux au bout d'1 semaine environ. Vol après 3-4 semaines, indépendance après 2 mois, maturité sexuelle l'année suivante.

Murin
Myotis myotis

| D | > hirondelle | Villages Parcs Campagnes | IV-VIII |

C Dessus brun-gris, dessous blanc-gris, pelage ras. Membrane alaire et oreilles gris fumée. Oreillons pointus. **H** Campagnes cultivées, villages, forêts clairsemées. **V** Chasse dans l'obscurité ; vol lent, à coups d'aile amples, à 5-8 m de hauteur. Quartiers d'été dans des greniers sans courants d'air et sombres. Hibernation isolée ou à plusieurs, dans des grottes, des caves et des galeries souterraines à l'abri du gel. Migre jusqu'à 250 km pour gagner ses quartiers d'hiver. Cri sonore. Se nourrit de papillons de nuit, de coléoptères, qu'elle identifie au bruit des ailes ou par ultrasons. Les obstacles sont évités par ce dernier système. Accouplement en automne et au printemps. La ♀ porte pendant 60-70 jours habituellement 1 seul petit en juin, qui peut voler au bout de 40-50 jours et sera indépendant après 2 mois environ.

Noctule
Nyctalus noctula

| D | > hirondelle | Forêts Habitations | IV-IX |

C Grande chauve-souris au corps compact, avec de larges oreilles arrondies. Oreillons en forme de champignons. Pelage court, brun-rouge dessus, brun-jaune dessous. Odeur fortement musquée. **H** Villages, villes, bosquets champêtres, forêts clairsemées de feuillus et mixtes. **V** Vole souvent dès avant le coucher du soleil, entre 5 et 25 m de hauteur. Chasse volontiers avec les hirondelles et les martinets. Se nourrit d'insectes. Quartiers d'été dans les trous d'arbre, les crevasses des murs, les greniers, les nichoirs ; hibernation X-IV dans les trous d'arbre ou dans les combles, en colonies suspendues de 1 000 animaux parfois ! Migre sur 1 500 km pour gagner les quartiers d'hiver. Appel aigu et perçant. Accouplement en automne et au printemps, avec 2 petits en mai/juin. Leurs yeux s'ouvrent au bout de 9 jours, le pelage est complet en 12 jours. Capacité à voler en 4-6 semaines ; indépendance au bout de 9 semaines.

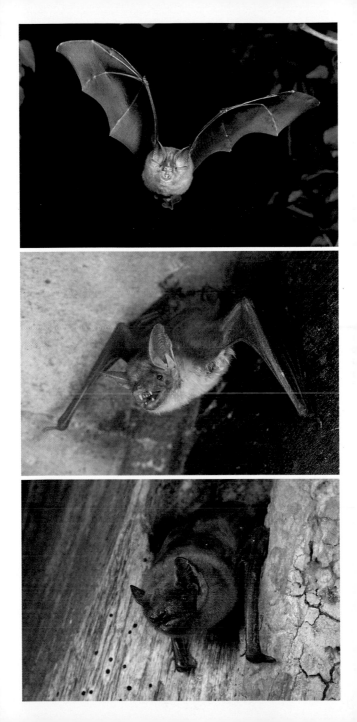

Écureuil
Sciurus vulgaris

Connu	Forêts Parcs	XII-X

C Dessus brun-roux, rouge-gris, brun ou noir ; dessous blanc. Queue touffue ; touffes de poils sur les oreilles pendant l'hiver. **H** Forêts, parcs, jardins. **V** Actif de jour. Vie arboricole ; grimpe et saute avec agilité. Nid sphérique construit avec des brindilles, de l'herbe, de la mousse ; s'installe également dans d'anciens nids de corneilles ou de pies. Pas d'hibernation. Cri aigu : « tyouk-tyouk-tyouk ». Ramasse les graines de feuillus et de conifères (provisions), les baies, les champignons, les écorces, les bourgeons, les insectes, les œufs et les jeunes oisillons. Accouplement XII-VII, portée II-VIII ; la ♀ porte pendant 38 jours, à raison de 1-2 portée(s) par an, 2-5 petits nus et aveugles, qui ouvrent les yeux au bout de 4 semaines, tètent pendant 9-12 semaines. Maturité sexuelle à la fin de la 1re année.

Loir commun
Glis glis

< écureuil	Forêts Parcs	VI-X

C Dessus gris brunâtre à reflets argentés ; dessous blanc. Grands yeux avec un anneau foncé autour. Petites oreilles arrondies. Queue touffue. Le plus grand de nos Loirs. **H** Forêts de feuillus et mixtes, parcs, jardins. **V** Actif au crépuscule et de nuit. Vit en famille. Grimpe et saute très bien. Vit dans des trous d'arbre, des fentes de rocher, des nichoirs à oiseaux, rarement dans les bâtiments. Siffle et chuinte. Hibernation X-V dans un trou de terre qu'il a creusé lui-même. Fait des provisions pour l'été, jamais pour l'hiver. Se nourrit de feuilles, de bourgeons, d'écorces, de jeunes pousses, de glands, de faînes, de noix, de baies, de fruits, parfois d'insectes, d'œufs et de petits d'oiseaux. Accouplement VI-IX, 1 portée par an, qui dure 30-32 jours, avec 4-6(-11) petits ; ils ouvrent les yeux au bout de 21-23 jours, tètent 4-5 semaines, sont indépendants après 8 semaines. Maturité sexuelle à 1 an.

Muscardin
Muscardinus avellanarius

Souris domestique	Forêts Taillis	IV-X

C Le plus petit des Gliridés. Grands yeux, oreilles arrondies, queue très poilue. Dessus jaunâtre à brun orangé, ventre plus clair, poitrine et ventre blancs. **H** Forêts de feuillus, mixtes et de marais, avec taillis important et arbustes fruitiers, sans dépendance des noisetiers. **V** Actif au crépuscule et la nuit, peu sociable. Grimpe, saute et court très bien et rapidement. Construit des nids très soignés avec de l'herbe, du feuillage, de la mousse. Hibernation X-IV. Cri aigu s'il est dérangé, léger pépiement autrement. Se nourrit de graines, de framboises, de mûres, de fruits d'arbres, d'insectes. Accouplement IV-X, portée pendant 22-24 jours, à raison de 1-2 portée(s) par an (VI-VIII). 3-5(-9) petits à chaque fois, qui ouvrent les yeux en 5-6 semaines, tètent pendant 4 semaines et sont sevrés au bout de 5-6 semaines. Maturité sexuelle après la 1re hibernation.

Hamster
Cricetus cricetus

D	Écureuils	Champs	IV-VIII

C Dessus brun-jaune ; face, épaules et avant des flancs tachés de blanc ; dessous noir. Petits yeux, oreilles rondes, vastes macules sur les joues. **H** Steppes, champs de trèfle, de luzerne, de betteraves et de céréales. **V** Actif la nuit et au crépuscule. Solitaire. Court, saute et nage bien. Creuse des systèmes de galeries perfectionnés, avec chambre à provisions, chambre de repos et local pour les excréments. Criaillements et pépiements. Hibernation X-III, parfois interrompue pour la recherche de nourriture végétale. Accouplement IV-VII, portée 17-20 jours (2-3 par an), avec à chaque fois 4-12 petits aveugles et nus ; ils ouvrent les yeux au bout de 14 jours, tètent pendant 18 jours et sont indépendants après 25 jours. Maturité sexuelle en 10 semaines.

Campagnol des champs
Microtus arvalis

> souris domestique	Prairies Champs	III-X

C Dessus gris-brun jaunâtre, dessous gris jaunâtre. Petits yeux, oreilles courtes, finement duvetées à l'intérieur. Queue courte. Pelage court et brillant. **H** Champs, prairies, bosquets. **V** Actif de jour comme de nuit, sociable. Grimpe et saute peu, nage bien. Criaillements aigus. Creuse de vastes systèmes de galeries, avec de nombreuses ouvertures ; en hiver, galeries aériennes sous la neige. Dépose à l'entrée et dans les galeries : herbes, racines, céréales, fruits champêtres, graines ; à l'occasion écorces et insectes. Nid sphérique, habituellement souterrain, fait d'herbes sèches. Se reproduit presque toute l'année, selon le temps, mais surtout III-X. La ♀ porte pendant 16-24 jours, 3 à 6 fois par an, 2-10 petits nus et aveugles ; ils ouvrent les yeux à 9-10 jours, tètent pendant 12 jours, sont indépendants au bout de 3 semaines. Maturité sexuelle : 12 jours pour les ♀, 28 pour les ♂.

Mulot sylvestre
Apodemus sylvaticus

Souris domestique	Forêts Champs Jardins	IV-X

C Dessus brun-gris jaunâtre, ventre gris-blanc, flancs jaunâtres. Yeux et oreilles grands, queue presque aussi longue que le corps. **H** Forêts de feuillus et mixtes, bosquets champêtres, haies, buissons, champs, parcs, jardins. **V** Actif de nuit et au crépuscule. Court et grimpe vite et habilement, saute jusqu'à 80 cm de longueur. Peu sociable. Creuse de profondes galeries avec une sortie verticale et une autre inclinée ; aménage une chambre pour le nid, une autre pour les provisions. Vit également dans d'anciennes galeries de taupes et de rat des champs. Pépiement et couinement sonore. Se nourrit de graines d'herbes, de bourgeons, de baies, de fruits, de champignons, d'insectes, de vers, d'escargots. Accouplement IV-X, portée 23 jours, à raison de 3(-4) par an. 3-9 petits à chaque fois, nus et aveugles, qui ouvrent les yeux au bout de 12-14 jours, tètent pendant 14-15 jours et seront indépendants au bout de 21 jours. Maturité sexuelle : 8 semaines.

Rat musqué
Ondatra zibethicus

> Hamster	Eaux	III-IX

C Le plus grand de nos Rongeurs fouisseurs. Dessus marron à brun-noir, dessous brun clair à gris clair. Oreilles rondes, émergeant à peine du poil. Queue aplatie, à peine velue. Grandes pattes arrière, légèrement palmées. Forte odeur de musc. **H** Étangs, lacs, canaux, ruisseaux, rivières, marais. **V** Actif au crépuscule et de nuit. Nage et plonge très bien. Construit de véritables châteaux de roseaux de 1 m de haut, avec entrée subaquatique ; creuse des galeries dans les berges escarpées, les digues et les levées. Sifflement court. Se nourrit surtout de plantes aquatiques. Accouplement III-IX, 2 (-3) portées par an, de 30 jours chacune, avec à chaque fois (2-)4-5(-8) petits nus et aveugles ; ouverture des yeux : 10-14 jours ; allaitement : 18 jours. La ♀ est sexuellement mature au bout de 5 mois.

Lièvre capucin
Lepus capensis

Connu	Champs Prairies	I-X

C Dessus brun-jaune à gris-brun ; flancs, gorge et poitrine jaune-roux ; ventre blanc. La queue est courte, noire dessus, blanche dessous. Les oreilles sont longues, avec les extrémités noires. La tête est allongée, avec de gros yeux brun-jaune. Pattes de derrière beaucoup plus longues et fortes que les pattes de devant. **H** Prairies, champs, forêts, dunes. **V** Actif surtout au crépuscule. Saute et nage bien, court vite sur de longues distances en multipliant les zigzags. Tambourine avec ses pattes de devant en cas d'alerte. Choisit des gîtes creux dans le sol. Se nourrit de racines, d'herbes, de fruits, de champignons, de bourgeons, de petits animaux, de charognes. Accouplement I-VIII ; portée 42-44 jours ; mise bas : III-X. 3-4 portées par an, avec 2-4 petits poilus, aux yeux ouverts, presque capables de courir. Allaitement : 3 semaines ; indépendance : 3-4 semaines. Maturité sexuelle à la fin de la 1re année.

Lapin de garenne
Oryctolagus cuniculus

< lièvre capucin	Champs Landes Parcs	II-XI

C Dessus de couleur sable (brun-gris, gris ou noir) ; dessous gris blanchâtre. Tête ronde, grands yeux bruns. Oreilles dressées, plus courtes que la tête. Pattes arrière à peine plus longues que les pattes de devant. **H** Champs, landes, parcs, jardins. **V** Origine de notre Lapin domestique. Actif au crépuscule. Vit en famille (jusqu'à 25 individus) dans un terrier ou terrain qu'il a creusé lui-même. Sautille, saute, fait des crochets en courant sur de courtes distances. Avertit du danger en tapant de la patte arrière. Se nourrit de racines, d'herbes, de fruits champêtres, de baies, de champignons, d'écorces. Accouplement II-XI, portée 28-31 jours. 4-6 portées par an, avec 1-15 jeunes à chaque fois, nus et aveugles, dans une chambre nuptiale souterraine. Ouverture des yeux : 10 jours. Allaitement : 3 semaines ; indépendance : 4-5 semaines. Maturité sexuelle : 3-4 mois ; état adulte : 8-10 mois.

Blaireau
Meles meles

D

Renard	Forêts	II-X

C Lourdaud, avec des pattes courtes. Dessus gris ; ventre et pattes gris foncé à noir ; dos rayé de noir. Tête plate, au masque noir et blanc. Yeux et oreilles de petite taille. Queue courte. **H** Forêts de feuillus et mixtes, steppes, marais. **V** Actif la nuit et au crépuscule. Construit des terriers aux galeries étendues, avec plusieurs entrées. Occupe également les terriers des Renards et des Lapins de garenne. Vit en couple permanent. Pas de véritable hibernation. Cri d'alarme aigu. Omnivore : vers de terre, escargots, petits rongeurs, œufs, jeunes oisillons, charognes, fruits, champignons, racines. Accouplement II-X, portée 7-13 mois. 1 portée par an, avec 3-5 petits. Ouverture des yeux : 12 jours. Allaitement : 2 mois. Indépendance : 6 mois. Maturité sexuelle : 2ᵉ année.

Hermine
Mustela erminea

> rat	Forêts Champs Jardins	II-VIII

C Silhouette élancée, pattes courtes, oreilles rondes et dressées. Pelage d'été : dos brun, ventre blanc, extrémité de la queue noire. Pelage d'hiver : blanc jusqu'à l'extrémité noire de la queue. **H** Forêts, steppes, campagnes cultivées, parcs, jardins. **V** Active de nuit, mais aussi de jour et au crépuscule en été. Très curieuse. Grimpe, saute et nage bien. Vit dans de petits trous, d'anciens terriers de Campagnols. Nid tapissé de feuillage et d'herbes. Cris perçants en cas de danger. Se nourrit de rongeurs (pouvant atteindre la taille de lapins !) et autres Vertébrés. Accouplement II-VIII ; portée de 7 à 9 semaines, en IV/V. 1 portée par an, avec (3-) 5-6(-12) petits au pelage blanc. Ouverture des yeux : 6 semaines. Allaitement : 7 semaines. Changement de couleur après 3 mois ; indépendance : 4-5 mois. Maturité sexuelle : 2 ans.

Belette
Mustela nivalis

< rat	Forêts Champs Jardins	III-VIII

C Corps élancé à courtes pattes. Long cou, oreilles rondes. Dos brun-roux à brun-gris. Ventre et intérieur des pattes blanc jaunâtre, avec des marques brunâtres. Queue sans pointe noire. **H** Le plus petit Carnivore d'Europe affectionne les forêts, les campagnes cultivées à riche couverture végétale, jardins, établissements humains. **V** Active de jour et au crépuscule. Essentiellement solitaire ; seuls les jeunes animaux chassent partiellement avec le clan familial. Grimpe et nage bien. Vit dans de petits trous d'arbre ou au sol, qui sont tapissés de feuilles pour l'élevage des jeunes. Chasse les souris, les rats et autres petits Vertébrés pouvant atteindre la taille d'un Lapin. Sifflement bref et perçant en cas de danger. Accouplement III-VIII, portée de 5 semaines au minimum. 1-3 portées de 3-9(-12) petits nus et aveugles chacune. Ouverture des yeux : 4 semaines. Allaitement : 5-6 semaines. Indépendance : 3-4 mois. Maturité sexuelle : 6-12 mois.

Martre d'Europe
Martes martes

< chat	Forêts Parcs	II-VIII

C Fourrure douce et soyeuse, de couleur marron ; la gorge et l'avant de la poitrine sont jaune doré. Longue queue touffue. **H** Animal forestier que l'on trouve quelquefois dans les parcs, les jardins. **V** Active surtout la nuit. Grimpe et saute à merveille. Se repose dans la journée dans les nids d'écureuils ou de corbeaux, et dans les trous d'arbre. Chasse toutes sortes de rongeurs (jusqu'à la taille d'un Lapin) et les oiseaux (jusqu'à la taille d'une Poule) ; mange également des fruits, des œufs. Cri d'alarme : « euff », très grave. Accouplement II ou VI-VIII. Portée 2-10 mois, en IV. Habituellement (2-)3-5(-7) petits une fois par an. Ouverture des yeux : 4 semaines. Allaitement : 6-8 semaines. Autonomie : 3 mois. Les jeunes Martres restent jusqu'à l'automne avec le clan familial. Maturité sexuelle : 2 ans environ.

Fouine
Martes foina

< chat	Rochers Jardins Bâtiments	II-VIII

C Corps plus ramassé et pattes plus courtes que la Martre ci-dessus décrite. Brun-gris avec une tache blanche sur la gorge et la poitrine. **H** Campagne rocheuse à végétation clairsemée, avec beaucoup de cachettes possibles ; jardins, maisons. **V** Active la nuit. Grimpe moins bien que la Martre. Se nourrit de petits rongeurs (jusqu'à la taille d'un Lapin), d'oiseaux (jusqu'à la taille d'une Poule), de fruits, d'œufs et de déchets. Se risque également en ville, où elle fait sa tanière dans les maisons. Accouplement II ou VI-VIII, portée 2-9 mois, en IV. Habituellement 3-5 jeunes nus et aveugles. Ouverture des yeux : 5 semaines. Allaitement : 6-8 semaines. Autonomie : 3 mois. Les jeunes restent jusqu'à l'automne dans le clan familial. Maturité sexuelle : 2 ans environ.

Renard vulgaire
Vulpes vulpes

> chat	Forêts Champs	I-V

C Dessus brun-roux ; gorge, ventre et intérieur des pattes blanchâtres. Couleur variable : le dessous peut être plus foncé ; le pelage peut être aussi plus clair dans l'ensemble ; certaine variété présente une sorte de motif de croix sur les épaules. Queue touffue avec une pointe blanche. **H** Forêts, vastes parcs, champs avec nombreux bosquets. **V** Actif au crépuscule et la nuit ; les jeunes renardeaux jouent pendant la journée devant la tanière. Vue, ouïe et odorat excellents. Aboiement : « hao » audible durant la pariade. Chasse les Vertébrés, jusqu'à la taille d'une Oie et d'un Lièvre, mais aussi les souris. Mange également des fruits. Passe pour être le principal vecteur de la rage en Europe. Accouplement I-II, portée 50 jours environ, en III/IV. 3-5(-12) renardeaux aveugles, à poil laineux. Ouverture des yeux : 2e semaine. Allaitement : 4 semaines. Autonomie : 3-4 mois. Maturité sexuelle : 9 mois.

Cerf élaphe
Cervus elaphus

Connu	Grandes forêts	IX-X V-VI

C C'est notre plus grand gibier. Brun-roux en été, brun-gris en hiver. Dessous rougeâtre à jaunâtre. Les jeunes sont brun-roux avec des taches blanches. Les bois du ♂ changent de forme et de grosseur selon son âge. **H** Grandes forêts. **V** Actif vers la tombée du jour. Habituellement en hardes ; les vieux ♂ sont des solitaires, sauf à la saison du rut. Court, saute, nage fort bien ; ouïe, vue et odorat excellents. Chute des bois II-IV, mue jusqu'à fin VIII. Brame des ♂ à la saison du rut. Nourriture composée d'herbes, de racines, de pousses d'écorces, de champignons, de fruits. Accouplement IX/X, portée 8 mois exactement, mise bas en V/VI. Habituellement 1 seul faon, aux yeux ouverts. Allaitement : 3-4 mois. Autonomie : 1 an environ. Maturité sexuelle : 2-3 ans.

Chevreuil
Capreolus capreolus

Connu	Forêts Champs	VII-VIII XI-XII V-VI

C Brun-roux en été, avec le flanc jaunâtre ; en hiver, brun-gris avec le flanc blanc. Les jeunes animaux sont tachetés de blanc ; cela disparaît en automne. Les bois sont droits avec une base bosselée caractéristique (fraise), avec 3 corps seulement par bois. Chute des bois en X/XI, repousse en I, mue en IV. **H** Forêts, champs, prairies. **V** Actif au crépuscule. Isolé, par couple ou famille matriarcale. Entend, court, saute et nage à merveille. Fidélité au territoire à la période du rut. Bref jappement en signal d'alarme ou de menace. Se nourrit de racines, d'herbes, de pousses, de fruits, de champignons. Accouplement VII/VIII ou XI/XII. La fécondation estivale est suivie d'un temps de repos de l'embryon, ce qui réduit le temps de portée à 6 mois. Mise bas en V/VI. 1 ou 2 faon(s) aux yeux ouverts, seront nourris pendant 2-3 mois et autonomes à la fin de leur 1re année de vie. Maturité sexuelle : 9-18 mois.

Sanglier
Sus scrofa

Connu	Forêts	XI-I III-IV

C Poils hirsutes, brun-noir. Tête massive au long groin mobile, queue terminée par une touffe de poils. Les ♂ ont de grandes canines qui forment des défenses (30 cm chez les grands mâles !). Le pelage des jeunes marcassins est de couleur crème et rayé longitudinalement de brun. Origine de notre cochon domestique. **H** Forêts de feuillus et mixtes. **V** Actif de jour comme de nuit. Les familles se déplacent en hardes, les vieux ♂ sont des solitaires. Nage et court avec endurance ; bonne ouïe, odorat excellent. Défonce le sol avec ses défenses à la recherche de racines, de bulbes, de fruits, d'insectes, de vers, d'escargots. Grogne et piaille. Accouplement en XI-I, portée en 4-5 mois, mise bas en III/IV. 1 seule portée par an habituellement, quelquefois 2 en région sud. 3-12 marcassins par portée, avec les yeux ouverts. Allaités pendant 3 mois ; les rayures du pelage disparaissent au 3e. Autonomie : 6 mois. Maturité sexuelle : 9-18 mois.

Index

Noms français

393

Noms scientifiques